o Wythnos
i Wythnos

R Gerallt Jones

Hoffwn ddiolch yn fawr i Llinos Evans am ei gwaith gofalus, trylwyr, ac am ei sirioldeb bob amser. Hefyd i'r Parchedig Glyn Morgan am ysgrifennu'r cyflwyniad, ac i'r Parchedig Enid Morgan am ysgrifennu'r Rhagair. Roedd y tri'n adnabod Gerallt yn dda, ac roedd o'n eu cyfrif yn gyfeillion.

Hoffwn ddiolch hefyd i'r Parchedig Huw Tegid Roberts a charedigion Bwrdd Golygyddol *Y Llan* am eu caniatâd i ail-gyhoeddi'r erthyglau yma.

Mae fy nyled a'm gwerthfawrogiad yn drwm i'r Lolfa am eu cefnogaeth yn y fenter hon!

Sŵ Gerallt Jones

Argraffiad cyntaf: 2010

℗ Hawlfraint Sw Gerallt Jones a'r Lolfa Cyf., 2010

Cynllun y clawr: Alan Thomas

Rhif Llyfr Rhyngwladol: 9781847712073

Cyhoeddwyd, rhwymwyd ac argraffwyd yng Nghymru gan Y Lolfa Cyf., Talybont, Ceredigion SY24 5HE
gwefan www.ylolfa.com
e-bost ylolfa@ylolfa.com
ffôn 01970 832 304
ffacs 832 782

CYFLWYNIAD

Ar ddechrau pumdegau'r ganrif a aeth heibio y daeth Gerallt a minnau i adnabod ein gilydd gyntaf pan oeddem, ein dau, yn fyfyrwyr yng Ngholeg y Brifysgol Bangor. Roedd ein cefndir yn dra gwahanol. Roedd Gerallt yn fab i Berson, roeddwn i'n fab i chwarelwr. Aeth Gerallt i ysgol breswyl yn Lloegr, Coleg Denstone, euthum i i'r ysgol ramadeg leol. O ran Cymraeg, nid oedd llawer o wahaniaeth rhyngom er iddo ef gael ei addysg yn Lloegr a minnau yng Nghymru. Nid oedd y Gymraeg yn rhyw bwysig iawn yn fy ysgol i er ei bod mewn ardal hollol Gymreig. Nid oedd Cymraeg, wrth gwrs, yn ei ysgol ef. Nid oes gennyf gof o gwbl sut y deuthum i gysylltiad â'n gilydd y tro cyntaf ond mae yn fy meddiant lun o'r ddau ohonom mewn drama yng Nghadeirlan Bangor yn ystod dyddiau coleg. Un o ddramâu'r Canol Oesoedd oedd hi, os iawn y cofiaf, gyda Gerallt nid yn unig yn cyfarwyddo ond yn actio hefyd.

I gyfnod ychydig yn ddiweddarach y perthyn y detholiad hwn o erthyglau, y ddwy flynedd 1960–1962. Gwaith gŵr ifanc a oedd wedi gadael y coleg yn weddol ddiweddar ydynt. O gofio hynny, mae rhywun yn rhyfeddu at allu'r awdur i sgrifennu colofn mor sylweddol mor aml oherwydd mae'n rhaid cofio bod *Y Llan*, y newyddiadur yr ymddangosai'r golofn ynddo bryd hynny'n wythnosolyn ac nid misolyn fel y mae erbyn hyn. Ac fel gydag unrhyw gylchgrawn enwadol, y demtasiwn yw bod yn fewnblyg gan ganolbwyntio ar bethau'r enwad yn unig. Nid oedd perygl o gwbl i'r *Llan* ddisgyn i'r fagl honno ag un fel RGJ yn cyfrannu iddo. Ei ffugenw oedd LLEYGWR.

Ar un olwg, mae llawer o'r erthyglau a gynhwysir yn y gyfrol hon wedi dyddio'n arw. Er enghraifft, sonnir am ddial ar y Nazi Adolf Eichmann ar ôl ei ddal yn Yr Ariannin. Ond aiff yr awdur i'r afael, yn ddewr iawn yn fy marn i, ag oblygiadau moesol crogi neu beidio â chrogi, dadl sydd yn dal i godi ei phen o bryd i'w gilydd ac ar ryw ffurf neu'i gilydd, o hyd. Mae'r erthyglau hyn yn adlewyrchu bywyd Cymru a'r byd bron i hanner canrif yn ôl, a chanfyddir eu diddordeb yn y ffaith eu bod yn ein hatgoffa gymaint y newid a fu yn y byd, gan gynnwys ein Cymru fach ni.

Yr hyn sydd yn taro dyn yn fwyaf arbennig wrth ddarllen y casgliad hwn yw, nid yn unig allu RGJ i ysgrifennu mor gaboledig, a chofier iddo ennill y Fedal Ryddiaith ddwywaith, ond ystod syfrdanol o eang ei ddiddordebau. Ar y dechrau, fel y crybwyllwyd eisoes, cawn ein hatgoffa am un fel Eichmann ac Israel, ond tua'r diwedd deuir â ni'n ôl i Gymru fach, i dawelwch Enlli, i Lŷn, yr ardal yr ymserchai'r awdur gymaint ynddi.

Nid yn unig yr oedd cefndir cynnar yr awdur yn wahanol i lawer a fu'n llenydda yn y Gymraeg ond bu ei yrfa ddiweddarach hefyd yn un dra gwahanol a diddorol, Bu, yn ei dro, yn athro Saesneg yn Ysgol Gyfun Amlwch, yn Ddarlithydd ym Mhrifysgol Cymru Aberystwyth, bu'n Bennaeth Coleg i Athrawon yn Jamaica, bu'n Bennaeth Coleg Llanymddyfri ac, ar ddiwedd ei yrfa, bu'n warden Gregynog. Dichon nad gormodaeth yw dweud iddo fod yn un o leygwyr mwyaf diwylliedig yr Eglwys yng Nghymru yn ail hanner y ganrif ddiwethaf. Braint ac anrhydedd arbennig oedd cael gwahoddiad gan ei weddw i gyflwyno'r gyfrol arbennig hon.

Parch Glyn Morgan
Meifod

RHAGAIR

Nid pob erthygl mewn papur newydd sy'n werth ei rhoi rhwng cloriau llyfr, ac anaml y mae newyddiaduraeth yn goddef ei hailddarllen. Beth felly sy' mor arbennig am yr erthyglau hyn a ymddangosodd mewn papur enwadol hanner can mlynedd yn ôl i gyfiawnhau eu hatgyfodi?

Newyddiadur yr Eglwys yng Nghymru yw *Y Llan*, cyfnodolyn misol erbyn hyn, ond yn nechrau'r chwedegau yn dalog wythnosol fel y papurau enwadol i gyd. Yno y cafodd mab i offeiriad yn Esgobaeth Bangor gyfle i ymarfer ei grefft yn y Gymraeg, ac fe droes y Gerallt Jones ifanc ei ddiddordebau eang, ei gydwybod a'i ffydd fywiog i fynegi sylwebaeth ar amrywiaeth helaeth o bynciau a digwyddiadau yn y byd cyhoeddus yn y cyfnod 1960–62.

Eglwyswr o Gymro oedd Gerallt a gallai hynny osod rhywun y tu allan i'r ffrwd ymneilltuol Gymraeg a ymhonnai'n unig ffrwd o bwys. Treuliodd tad Gerallt, a droes ei gefn ar ymneilltuaeth, y rhan fwyaf o'i oes yn gwasanaethu plwyfi bychain Llŷn. Yn yr eglwysi bychain hyn yr oedd gwreiddiau ysbrydol Gerallt a'r *Llan* oedd baner y Cymry Cymraeg eglwysig. Ynddi hi yr oedd yn bosibl cael trafodaeth rhwng pobl oedd yn hanu o'r un cefndir ysbrydol yn y Llyfr Gweddi Cyffredin ac yn gwybod sut oedd hynny'n gweithio a beth a olygai. Mae bod yn lleiafrif yn diffinio llawer o'n profiad fel Cymry; mae bod yn Gymry Cymraeg yn yr eglwys yn dyblu'r ymdeimlad lleiafrifol hwnnw. Yn yr Eglwys yng Nghymru y mae'r *Llan* yn dal yn arwydd ein bod ni 'yma o hyd'; y mae llawer o nodweddion ein bywyd crefyddol Cymraeg yn eiconau bregus o'r fath.

Fe gafodd *Y Llan* yn y pumdegau a'r chwedegau offeiriaid-olygyddion ymroddedig yn Maldwyn Evans ac Orwig Evans. Buont wrthi yn bwydo ac yn meithrin y gymuned Gymraeg eglwysig honno gan roddi iddi gyfrwng mynegiant a mesur o hunaniaeth a hyder. Am ddwy flynedd bu Gerallt yn ymarfer ei grefft fel colofnydd wrth droi allan rhai cannoedd o eiriau. Gweithiai ar y pryd mewn partneriaeth agos a'i gyfaill Bedwyr Lewis Jones – eglwyswr arall. Yr oedd y ddau wedi mentro ar olygu a chyhoeddi cylchgrawn *Yr Arloeswr.* Ymddisgyblodd Gerallt i ysgrifennu erthygl wythnosol i'r *Llan* a bu'r dasg yn gyfrwng i ymarfer a magu hyder i ysgrifennu Cymraeg graenus. Ni chawsai addysg ffurfiol Gymraeg. Ceir disgrifiad byw o'i gefndir yn ei gyfrol Saesneg hunangofiannol *A Place in Time – a Boyhood in Llŷn.* Mae'r gyfrol honno'n glasur bychan sy'n gosod ei fachgendod mewn darlun dwys a gloyw-ddoniol o gymdeithas sydd wedi hen ddiflannu. Dyma hefyd gefndir ei ddrama gyfres deledu *Joni Jones.* Cyfnod allweddol oedd hi hefyd. Yr oedd cenhedlaeth o blant a aned cyn y rhyfel yn dod i oed ac amlygrwydd, a chenhedlaeth na chofiai'r rhyfel yn graddio yn y prifysgolion. Roedd y byd gorllewinol yn newid yn gyflym, a chyfnod ymryddhau ieuenctid yn gwawrio. Dyma gyfnod ethol J F Kennedy yn arlywydd yr Unol Daleithiau, cyfnod Macmillan – "You've never had it so good" ym Mhrydain.

Yng Nghymru yr oedd cenhedlaeth ifanc yn ymdeimlo i'r byw ag argyfwng yr iaith a'r genhedlaeth luniodd Cymdeithas yr Iaith yn ymgasglu.

Ond nid tynged yr iaith yn unig oedd yn corddi Gerallt. Yr oedd ynddo galon yn ymboeni am yr iaith a'r diwylliant Cymraeg pentrefol, ond hefyd ddiddordeb eang mewn pynciau gwleidyddol rhyngwladol a chrefyddol. Yr oedd y rhuddin ysbrydol Cristnogol ynddo yn ffynhonnell gweledigaeth foesol anghyffredin. Ysgrifennai'n frwd ac yn achlysurol danbaid ond byth yn bersonol atgas. Cai ei gyffroi gan Simone Weil, gan Teilhard de Chardin a John Osborne. Casâi ragrith a chulni a pharchusrwydd. Roedd yn amheus o slicrwydd hyderus Kennedy. Cas ganddo'r ddrama *Excelsior* a deledwyd ar adeg Gŵyl Ddewi 1962 am ei bod, meddai ef, yn siep. Yr oedd *Y Llan* yn fan lle y gallai barn anghonfensiynol gael mynegiant. Ac am ei bod yn farn a safai weithiau yn groes i uniongrededd anghydffurfiol Gymraeg, fe lwyddai i godi gwrychyn. Ni ystyriai farn Archesgob Cymru ar y pryd yn werth ei drafod – ond poenai fod barn hwnnw yn cael ei derbyn fel barn eglwyswyr Cymraeg eu hiaith. Yr oedd yn barod i fanylu ac i ateb beirniadaeth ac i gloddio'n ddyfnach. Rhoes ei addysg a'i gefndir crefyddol lais amgen i drafodaeth gyhoeddus ac mae'n syndod mor berthnasol i ni heddiw yw ei farn ar bynciau sy'n dal yn bwysig. Ac mae e'n gwmni diddan.

Diwylliant a moes, materoldeb a chymdeithas feddiannau, gonestrwydd meddyliol yn wyneb llacrwydd mewn deall a chulni a hunangyfiawnder yw ei themâu cyson. Iddo ef, a addysgwyd yn ysgolion pentref yn Llŷn ac wedyn mewn ysgol fonedd yn yr Amwythig ac yn ysgol eglwysig Denstone, swydd Darbi, a ddychwelodd i gofleidio'i Gymreictod o'r newydd ym Mangor, amcan addysg oedd meithrin plant yn eu galwedigaeth uchaf, sef agosáu at Dduw, ei addoli a gwasanaethu cyd-ddyn. Yr oedd dysg, a chwaeth, llên a gwyddoniaeth, technoleg, y cwbl i'w meithrin yng nghyd-destun tragwyddoldeb. Yr oedd yn edmygydd mawr o waith Simone Weil ac yr oedd unplygrwydd moesol tebyg yn llinyn aur yn ei sylwadau am addysg yn llawer o'r erthyglau hyn.

Yn y casgliad hwn o'i erthyglau cynnar gwelwn ef yn ennill hyder wrth fynd ymlaen, a chawn fwynhau cwmni personoliaeth sydd ar yr un pryd yn bwyllog a thaer. Mae nhw'n dwyn i gof frwydrau a digwyddiadau a aeth heibio a pheri i ni sylweddoli faint y mae amgylchiadau wedi newid a chyn lleied y newidiodd pethau eraill. Mae'n hamgylchiadau a'n rhagdybiaethau ni wedi newid llawer iawn yn enwedig yn y troi cefn ar feddwl yn Gristnogol. Ond y mae'r traethodau hyn yn ein hatgoffa am y materion hynny sy'n gwneud cymdeithas yn beth mor ddiddorol, ac yn fan mor enbyd i fyw.

Enid R Morgan

1960

24 Mehefin, 1960

EICHMANN – PLAID LAFUR

Beth i'w wneud ag Adolf Eichmann. Dyna'r cwestiwn a
fu amlycaf ar dudalennau'r papurau newydd yr wythnos
ddiwethaf. Cafwyd yr ateb mwyaf synhwyrol, cymedrol
a Christnogol gan Iddew, Mr Sydney Silverman ar raglen
nodwedd yr I.T.A., *This Week*. Gofynnwyd iddo a ddylid
dienyddio Eichmann, er bod hyn yn gosb anarferol iawn yn
Israel. Gwrthododd Mr Silverman wneud unrhyw ddatganiad
moesol a fyddai'n debyg o anghysuro awdurdodau Israel,
ond dywedodd na fyddai ef ei hun o blaid dienyddio
Eichmann: nid y gosb, meddai ef, oedd yn bwysig, ond
gosod y ffeithiau, unwaith yn rhagor, o flaen cenhedlaeth
newydd, fel na fyddai'n bosibl i'r byd anghofio'r hyn a
ddigwyddodd yn Auschwitz ac mewn gwersylloedd tebyg.
Er gwaethaf ein hymateb emosiynol i erchyllterau dyn fel
Eichmann, hyn, wrth gwrs, yw'r ymateb cywir i'r sefyllfa.
Erfyn yn nwylo gweinyddiaeth seicopathig oedd Eichmann,
gwas gwladwriaeth wallgof a dieflig; yr un hen drasiedi sy'n
dod i'r wyneb bob tro y mae peth fel hyn yn codi i'r golwg,
sef bod cenedl waraidd, alluog a deallus Almaenwyr wedi
caniatáu i'r fath arweinydd a'r fath falchter cenedlaethol
ailddeffro hen ddyheadau yn eu calonnau a dileu pob arwydd
o wareidd-dra o'u gweithredoedd gwleidyddol am gyfnod. Y
mae'r Almaen wedi bod yn rhannol gyfrifol am greu'r cefndir
cymdeithasol i fyd y chwedegau; ond mae'n anodd dweud
a fyddai'r rhan fwyaf o genhedloedd y byd wedi ymddwyn
yn wahanol petaent wedi cael eu hunain ryw ddiwrnod yn

nwylo arweinydd tebyg i Hitler. Dylem feddwl am hyn wrth feddwl am erchyllterau Adolf Eichmann.

Y mae Richard Crossman, A.S., ac Anthony Crosland, A.S., yn cytuno ar un peth, o leiaf. Ond nid yw hyn yn debyg o yrru ias o hyfrydwch trwy wythiennau eu harweinydd anffodus, Hugh Gaitskell. Oherwydd, y mae Crossman yn ei bamffled 'Labour in the Affluent Society', a Crossland ynteu mewn adolygiad yn yr *Observer* ar arolwg diweddar ar Etholiad Cyffredinol 1959, yn cytuno bod y Blaid Lafur wedi dangos esgeulustod anfaddeuol yn eu hagwedd at eu methiant yn yr Etholiad. Y mae Mr Crosland yn disgrifio fel yr aeth yr Arlywydd Woolton a Mr Butler ati hi ym 1945 i adolygu holl sefyllfa'r Blaid Dorïaidd, yn ei threfnyddiaeth, ac yn ei pherthynas â'r etholwyr; gweddnewidwyd holl weinyddiaeth y Blaid, gwelwyd llawer o ddatblygiadau yn ei pholisi tramor, dechreuwyd paratoi ar gyfer Etholiad 1950: yn yr Etholiad honno, yr oedd y Blaid Geidwadol wedi adennill y rhan fwyaf o'r hyn a gollwyd: yn y flwyddyn ddilynol, dymchwelwyd Llywodraeth Attlee, a daeth y Torïaid i rym. Maent mewn grym o hyd, a byddai'n rhaid i ddyn fod yn ddewr i broffwydo'r dydd pan welir plaid arall mewn grym yn y wlad hon. Yn wyneb hyn, fel y mae Crossman a Crosland, ac ychydig iawn o weddill cymysglyd y blaid yn gweld yn glir, ni cheisiodd y Blaid Lafur ddiwygio ei threfnyddiaeth mewn gwirionedd: ni cheisiodd adolygu ei sefyllfa o ddifrif o gwbl. Yr unig ymgais a wnaethpwyd i newid pethau oedd gwreiddyn y ffrae anweddus ynghylch y Pedwerydd Cymal yn y Cyfansoddiad, ac, fel y dywed Crosland yn bigog, ffrwyth yr un ymgais yma oedd cymrodedd diystyr. Bellach nid yw'r Blaid Lafur yn blaid yn yr ystyr bod gan blaid bolisi canolog ddealladwy a chydnabyddedig. Nid yw casgliad o unigolion sy'n sefyll dros ryw fath o egwyddorion cymdeithasol yn ddigon da i ffurfio plaid.

Yn ôl pob arwydd, ac yn ôl barn sylwedydd gwleidyddol mor sicr ei farn â Robert McKenzie, ni welwn y Blaid Lafur mewn grym yn y wlad hon eto; mae hi eisoes wedi dechrau marw. Os cywir yr arwyddion, dylem feddwl beth fydd effaith hyn ar fywyd cymdeithasol a gwleidyddol Cymru. Dylem feddwl hefyd a oes rhyw gysylltiad rhwng stâd y Blaid Lafur heddiw, a stâd Plaid Cymru o'r cychwyn. Y mae dwy blaid radicalaidd yng Nghymru heddiw; nid yw'r naill na'r llall yn meddu ar bolisi clir na threfnyddiaeth foddhaol. A beth bynnag yw'n hagwedd wleidyddol, y mae'r fath sefyllfa yn farwol i wleidyddiaeth iach. Ond, ar hyn o bryd, nid oes llawer o arwydd bod gobaith i bethau newid. Er hyn, y mae un peth yn sicr; bydd rhaid cael cyfrwng i fynegi syniadau cenedlaethol a gwerinol yng Nghymru. Hwyrach bod y sefyllfa bresennol yn agor y drws i'r Blaid Ryddfrydol gipio'r dydd oddi wrth y Blaid Lafur ac oddi wrth addewid diffrwyth y Blaid Genedlaethol.

1 Gorffennaf, 1960
PLAID LAFUR – DATGANIAD

BETH SYDD I DDIGWYDD, mewn difrif, i'r Blaid Lafur? Heno, fel yr wyf yn sgrifennu, mae Alfred Robens eisoes wedi ymddangos dair gwaith ar y teledydd i egluro paham y derbyniodd ef y swydd o Gadeirydd y Bwrdd Glo. Dywed ef, wrth gwrs, nad yw sefyllfa bresennol y Blaid Lafur wedi effeithio dim ar ei benderfyniad; a gallwn gredu bod geiriau Alfred Robens yn eiriau diffuant – mae ef yn ŵr o egwyddor. Ond mae o hefyd yn ŵr o synnwyr cyffredin go gryf, a phrin bod gwleidydd mor synhwyrol â phrofiadol wedi anwybyddu'r sicrwydd anhapus na fydd y Blaid Lafur – fel y mae ar hyn o bryd, beth bynnag – yn debyg o lywodraethu Prydain Fawr fyth eto. Uchelgais pob gwleidydd yw bod, rhywdro, mewn safle o awdurdod; uchelgais pob plaid yw bod mewn safle i lywodraethu. Ar wahan i'r fath uchelgais, diystyr fyddai bodolaeth y Blaid Lafur ar hyn o bryd; ac y mae'r uchelgais yn diflannu dros y gorwel fel cath i gythraul y dyddiau hyn. Gallwn fod yn berffaith sicr fod Alfred Robens yn dweud y gwir pan ddywed y gall ef wneud gwaith mwy effeithiol dros y gymdeithas fel Cadeirydd y Bwrdd Glo nag fel aelod o Fainc Flaen y Blaid Lafur; teg yw meddwl iddo ystyried hyn yn ofalus iawn cyn penderfynu, a theg casglu bod penderfyniad Mr Robens yn un o'r arwyddion mwyaf digamsyniol bod dyfodol y Blaid Lafur yn gwbl anobeithiol.

Y mae safle'r Blaid Lafur yn achos pryder a galar i'w dilynwyr ffyddlon, wrth reswm; dylai fod yn achos myfyrdod go ddwys i lawer o bobl eraill hefyd, gan gynnwys cefnogwyr Plaid Cymru yma gartref. Yn gyntaf, y mae'n anffodus iawn bod hyn wedi digwydd yn awr, ar derfyn wyth mlynedd o deyrnasiad gweinyddiaeth Churchill – Eden – Macmillan, oherwydd nid oes yn awr fath yn y byd o ail bolisi i'w gynnig i'r etholwyr; peidiodd y wlad â bod yn ddemocrataidd dros dro gan nad oes siawns i blaid arall wrthsefyll grym y Blaid Dorïaidd yn ystod y pum mlynedd nesaf. Yn ail, y mae rhai o aelodau blaenllaw y Blaid Lafur – Richard Crossman, er enghraifft, – yn dechrau dadlau nad ydynt yn awyddus bellach i'w plaid fod mewn grym; maent yn fodlon i'r sefyllfa bresennol barhau am byth, gan dreulio'u hamser, mae'n debyg, yn protestio yn erbyn polisi'r llywodraeth ar *Free Speech*, *Who Goes Next*, *This Week*, *Panorama*, ac yn y blaen. Dylent sylweddoli mai ail go dila yw hynny i briod waith y gwleidydd, sef y gwaith o drefnu polisi a llunio cyfraith. Y mae gweld Richard Crossman a Michael Foot ar y teledydd yn ddifyr iawn o bryd i'w gilydd, ond ni fyddwn yn hoffi eu gweld arno am yr ugain mlynedd nesaf yn dweud yr un peth bob wythnos, tra bydd y wlad yn dioddef oddi wrth diffyg ail blaid gref a ddeallus. I ni yng Nghymru, y mae'r wers yn amlwg iawn. Beth bynnag yw'n lliw gwleidyddol, peidiwn ninnau â meddwl ein bod yn cymryd rhan bwysig a buddiol ym mywyd gwleidyddol ein gwlad wrth brepian a phrotestio mewn pwyllgorau a chynhadleddau; dyna'n hagwedd meddwl ar hyn o bryd, ac ynom ni fel yn Foot a Crossman, mae'n agwedd meddwl anghyfrifol a phlentynnaidd, ac yn agwedd meddwl hollol anwleidyddol, gwaetha'r modd.

Bûm yn darllen yn ddiweddar lyfr Faber, *Oxford Apostles*, hanes John Henry Newman a mudiad Rhydychen ganol y ganrif diwethaf. Yr oedd Newman, fel cynifer o wŷr mawr, yn cadw dyddiadur a fwriadwyd, yn amlwg, i ymddangos yn gyhoeddus ymhellach ymlaen, a'r hyn sydd amlycaf o lawer yn y detholion o'r dyddiadur a geir yn llyfr Faber yw'r gwewyr meddwl ynghylch manylion ei ffydd a fyddai'n meddiannu Newman am wythnosau bwygilydd. Y peth arall sydd bron mor amlwg yw hunanoldeb llwyr ei bersonoliaeth. Y mae, wrth gwrs, fath o hunanoldeb sydd ynghlwm wrth naws y sant. Yr oedd Newman yn sylweddoli hyn cystal â neb, ac yn ceisio datrys y broblem foesol hon trwy gydol ei fywyd. Gwyddai nad oedd hunanoldeb i fod yn rhan o bersonoliaeth y Cristion, ac eto gallai weld nad oedd modd cyflawni gwrhydri, mewn unrhyw faes, heb ryw fath o hunanoldeb di-ildio a oedd yn ei wthio ymlaen o gam i gam. Mae'n debyg bod y modd yr oedd Newman yn wynebu'r broblem hon, yn ei chydnabod ac yn ei thrafod iddo'i hun, yn rhan o fesur ei fawredd fel cymeriad, nid oes unpeth mwy anodd i neb ei gydnabod na'i hunanoldeb ef ei hun; hwyrach na all neb ond Sant ei gydnabod ar goedd.

5 Awst, 1960
TORÏAID – HEN EGLWYS – BOBI JONES

Beth a olygir wrth y newidiadau diweddar yn y Llywodraeth? Maent yn dangos, i ddechrau, bod Mr Macmillan ar y naill law'n awyddus i gadw polisi yn ei ddwylo ei hun, ac ar y llaw arall dan orfodaeth i gofio mae'r Blaid Geidwadol sy'n cerdded mor llon yn ôl ei draed, ac nid rhyw fath o blaid Ryddfrydol tipyn mwy celfydd na phlaid Jo Grimond; maent yn awgrymu, mewn gair, bod mwyafrif helaeth y Llywodraeth yn dechrau aflonyddu ar ryddfrydiaeth eu harweinydd. Gwyddom bod agwedd Macmillan at fywyd wedi newid llawer yn ystod ei amser fel Prif Weinidog; trwy ei ymweliadau â llawer o wledydd tramor, daeth i gydymdeimlo â'r tueddiadau cydwladol sy'n corddi yn Asia ac Affrica; gwyddom hefyd iddo lwyddo i berswadio ei blaid i ddilyn ei arweiniad. Ond yr oedd lle i amau bob amser am ba hyd y byddai ysbrydion yr Hen Dorïaid yn dawel; daeth eu llais i'r amlwg yn ymddiswyddiadau yr Arglwydd Salisbury a Peter Thorneycroft; y ddau ohonynt yn llawer mwy ceidwadol na'r Prif Weinidog ei hun. Yn wyneb hyn, craffwn ar y sefyllfa. Apwyntiwyd un o'r hen Dorïaid, yr Arglwydd Home, fel Ysgrifennydd Tramor, ond gwyddom o'r gorau na fydd modd iddo lywodraethu polisi tramor tra bydd un o brentisiaid Macmillan, Edward Heath, yn ateb dros Ewrop yn Nhŷ'r Cyffredin, a'r Prif Weinidog ei hun yn delio â phroblemau pwysig Asia ac Affrica. At hyn, gwelir Thorneycroft yn dychwelyd i'r llywodraeth, ond yn awr i swydd nad yw'n rhoi siawns o gwbl iddo lunio polisi. Y mae'r cyfan yn edrych fel enghraifft arall o wleidyddiaeth gyfrwys iawn y Prif Weinidog, ac ymdrech deg i geisio parhau ei bolisi presennol yn wyneb Torïaeth cynyddol ei blaid.

Ni fynnwn roi'r argraff nad wyf yn gwneud dim ond arolygu cyflwr eglwysi a mynwentydd, ond rhaid sôn am un eglwys ddiarffordd arall, un a welais heddiw ddiwethaf. Hen eglwys ydyw – hen iawn yn ôl pob golwg, un o'r eglwysi hynny sy'n codi fel craig ar godiad tir, ac yn cyfleu ffydd a sicrwydd ei hadeiladwyr fel ambell hen ŵr o Gristion, mor hen a chadarn a thangnefeddus fel nad yw troad y blynyddoedd a chyfnewidiadau amser yn mennu dim arnynt; maent y tu hwnt i'r cyfan. Byddaf yn meddwl yn aml wrth weld eglwysi fel y rhain am linellau T. S. Eliot yn 'Four Quartets': "we are here to kneel where prayer has been valid". Os y bu gweddi'n effeithiol yng Nghymru erioed, bu'n effeithiol, mi gredaf, o Sul i Sul yn yr eglwysi bychain hyn. Ond, yn wahanol i Eliot, nid ydym ni'n parchu cysegredigrwydd y fath leoedd. Gadawyd yr hen eglwys yma ym Môn ers blynyddoedd i fod yn ysbail i'r tywydd yn ôl pob golwg. Mae hi dan glo, wrth reswm, a da hynny, oherwydd wrth edrych trwy'r ffenestri, yr hyn a welais oedd seddau wedi hen bydru, Allor heb fod arni na chroes nac undim arall, pulpud heb lawr, a gwe pry cop yn ymbalfalu dros bobman. Dywedaf eto nad wyf yn gweld bai personol ar neb; ond peth annifyr yw gweld lle a fu unwaith yn bwysig i Gristnogion heddiw'n bwysig i neb; hawdd iawn meddwl am rym y Derwyddon a theimlo ias oer ar wegil wrth edrych ar weddillion canolfan bro wedi eu gadael i gymryd eu siawns fel rhyw hen gar modur ar domen sgrap.

Ysgrifennaf fel y daw'r newyddion dros y radio am ymddiswyddiad Mr Garfield Todd o Blaid Canolbarth Affrica (Central African Party). Adwaith cyntaf dyn i'r digwyddiad yma yw ei fod yn nodi diwedd pob siawns am gydweithrediad rhwng y du a'r gwyn yn Rhodesia, ac felly'n drasiedi i Affrica gyfan. Ni bu Mr Todd yn wleidydd celfydd erioed; cenhadwr ydoedd, dyn a dueddai i weld popeth mewn termau moesol a Christionogol. Aeth i wleidyddiaeth o'i anfodd oherwydd garwed y sefyllfa yng Nghanoldir Affrica. Bu'n Brif Weinidog yn Rhodesia am gyfnod, ond yn Brif Weinidog go aflwyddiannus oherwydd ei ddiffyg amynedd; ei brif orchest yn Affrica oedd sefydlu Plaid a allai gynnwys y du a'r gwyn ar yr un telerau, yr unig blaid yn Affrica oedd yn meddwl o ddifrif yn nhermau partneriaeth gyflawn rhwng y cyfan o bobl Affrica a'i gilydd, beth bynnag eu cred a'u lliw. Trwy fod mor bybyr dros hawliau'r dyn du, llwyddodd Garfield Todd i ffurfio plaid a osododd hawliau unrhyw garfan arbennig yn y cefndir er mwyn sicrhau ffyniant a heddwch fel cyd-destun bywyd pob un o drigolion y wlad. Ymddiswyddodd oherwydd iddo gredu bellach na all neb ond Prydain ddatrys y dryswch yng Nghanoldir Affrica yn awr, ac oherwydd iddo wneud y farn yma'n anghysurus o gyhoeddus. Gyda'i ymddiswyddiad ef, bydd y blaid a ffurfiodd yn sicr o ddatgymalu ar unwaith; a chyda datgymaliad y blaid hon, bydd pob gobaith am wir bartneriaeth rhwng y du a'r gwyn yn Rhodesia wedi diflannu am byth. Bydd y dyn du bellach yn benderfynol o ennill ei hawliau a'u hennill yn fuan. Y mae gyrfa wleidyddol Mr Garfield Todd yn dangos unwaith yn rhagor mai amynedd ac amynedd ac amynedd yw'r rhinwedd bwysicaf o bell ffordd i wleidydd cydwybodol yn 1960.

Daeth llyfr newydd pwysig o'r wasg, sef ail gyfrol o gerddi Bobi Jones, *Rhwng Tâf a Thâf*. Gan nad ydyw'n fardd eisteddfodol, nac yn fardd Ymryson y Beirdd, bu'n rhaid i Bobi Jones ddioddef sawl sylw nawddoglyd, peth cenfigen a llawer beirniadaeth ddall ac anneallus ar ei gyfrol gyntaf. Y mae'n wir fod i'r gyfrol honno ei gwendidau, ond yr oedd llawer o feirniaid y cerddi heb ddarllen fawr un ohonynt, ac yn ymosod yn filain ar ryw fath o haniaeth ffansïol yn eu meddyliau eu hunain a oedd yn gysylltiedig iddynt ag enw Bobi Jones. Gan mai felly y mae petha yng Nghymru, prin y gallwn ddisgwyl gwell derbyniad i'r ail gyfrol; prin, fodd bynnag, y disgwyliwn feirniadaeth deg a deallus. O'n rhan fy hun felly, a heb gynnig unrhyw feirniadaeth lenyddol fel y cyfryw, hoffwn ddweud i mi hoffi cerddi Bobi Jones yn fawr. Pan mae ef ar ei orau, canu am y fraint sylfaenol o gael bod yn fyw mewn byd o ryfeddodau y mae, a'r rhyfeddodau hynny'n cynnwys pobl eraill – ei wraig Beti, a'i ferch fach Lowri'n arbennig – byd natur a'i bersonoliaeth ef ei hun. Mae'n onest, yn gyflawn ac yn gain; nid yw'n celu dim, a pheth hynod o anodd i fardd – sydd i fod o'i hanfod yn berson sensitif – yw trosglwyddo holl gyfrinachau ei enaid i fyd gwamal. Ac eto, dyma ei waith – ceisio ehangu profiad y ddynoliaeth trwy gyfrannu iddi beth o'i bersonoliaeth noeth a chynhyrfus ef ei hun. Dyna baradocs bywyd i bob artist; bod datgelu profiad yn ing i ŵr sensitif, ac eto nad yw'r gŵr sensitif yn tyfu'n artist heb wneud hynny. Mae rhai yn osgoi'r paradocs trwy fodloni ar bethau ail law, a thrwy ysgrifennu am bethau dibwys; nid yw Bobi Jones yn osgoi dim, bardd Cristionogol ydyw, bardd sy'n derbyn y ffaith sylfaenol na ellir symud y cancr o fywyd Cymru heb dderbyn Gras y Nef a chymorth yr Ysbryd Glân. Bydd llawer sy'n methu â gwerthfawrogi cerddi diweddar Bobi Jones oherwydd eu harddull a'i ddull arbennig ef o gyfleu ei syniadau; ni ellir ond gofyn iddynt hwythau hefyd ddefnyddio amynedd, a cheisio cydymdeimlo â'i safbwynt. Y mae ef yn ceisio torri drwodd i'w hymwybyddiaeth hwy, ac y mae'n haeddu peth ymdrech ar eu rhan hwythau hefyd. Nid yw'n haeddu ei osod o'r naill du yn ddiamynedd, beth bynnag. Boed i ddarllenwyr *Y Llan* o leiaf, barchu bardd Cristionogol sy'n ceisio cyfleu ei brofiad yn null yr ugeinfed ganrif.

Yr wythnos hon ar y teledu, gwelsom Malcolm Muggeridge yn sgwrsio â'r Arglwydd Chandos. Math o *Face to Face* yr ITV yw'r rhaglen yr ymddangosodd arni, a'r unig wahaniaeth sylfaenol rhwng y ddwy raglen yw'r llen o fwg baco sy'n ymdroelli o gwmpas y siaradwyr yn y rhaglen ITV. Yr oedd yr Arglwydd Chandos yn amrywio; weithiau'n pwffian ar sigâr, dro arall ar sigarét, tra oedd Muggeridge – fel arfer – byth a beunydd yn rhoi tân ar sigarét. Nid yw hyn, gyda llaw, lawn mor amherthnasol ag yr ymddengys ar yr olwg gyntaf, oberwydd mae'n ddiddorol meddwl bod bron pob un drafodaeth bwysig yn cymryd lle ynghanol y fath sgrîn o fwg y dyddiau hyn, o gyfarfodydd Gweinidogion y Goron, i gyfarfod y Cyngor Plwyf o gylch y tân yn y Neuadd Bentref ar noson oer ym mis Tachwedd. Ac os mai bod yn naturiol yw amcan teledu, yna mae'n debyg bod hon yn well rhaglen na *Face to Face*. Y peth mwyaf diddorol ynghylch yr hyn a ddywedodd yr Arglwydd Chandos oedd ei ddirmyg tuag at effeithiolrwydd Democratiaeth ynghyd â'i ffydd ddiysgog ynddo, er hynny. Dyna'r math o ystyfnigrwydd llawen, afresymol, sy'n nodweddu meddwl y Sacson gwleidyddol, ac sy'n gwneud ei ddaliadau a'i egwyddorion yn gwbl anorchfygol, gan nad yw dadl resymol yn mennu dim arnynt.

23 Medi, 1960

OLYMPIAD – ENLLI – CONGO

Wedi sôn yr wythnos o'r blaen am y posibilrwydd o anfon tîm Cymreig i'r Olympiad, bûm yn trafod y cwestiwn gydag offeiriad yn yr Eglwys yn Nghymru. Y mae ef yn wyliwr peldroed selog, ac yn hen chwaraewr, ond peth afiach, meddai, fyddai anfon tîm o Gymru i'r Olympiad, hyd yn oed pe gellid fforddio gwneud hynny. Yn gyntaf, tybiai ef bod yr Olympiad yn gwneud llawer mwy o ddrwg nag o les i'r sefyllfa gydwladol; yn ail, teimlai mai peth gwrthun fyddai anfon rhedwyr i Tokyo, a'u gwylio'n llusgo adref lathenni ar ôl y gweddill ym mhob ras; yn drydydd, credai na byddai'r tîm Cymreig, o raid, yn ddim amgen na chriw o Saeson gyda thad neu fam a aned yn Nghymru ac ambell Affricanwr yn byw yn Abertawe neu Gaerdydd. Carwn ateb y pwyntiau hyn, oherwydd mae'r agwedd y tu ôl iddynt yn nodweddiadol o'n anfodlonrwydd i gydnabod bod Cymru'n rhan o fyd eangach, ac y dylai un ymddwyn fel pe bai'n gwybod am fodolaeth y byd hwnnw. Nid wyf yn tybio, i ddechrau, bod campau'r Olympiad yn gwneud gronyn o wahaniaeth i'r sefyllfa gydwladol – yn uniongyrchol. Ond y mae'n gwneud gwahaniaeth aruthrol i'r unigolyn sy'n cymryd rhan. Ac aelodau o genhedloedd yw'r unigolion hyn, aelodau sy'n gallu tystio i fodlonrwydd pawb yn yr Olympiad – ar wahan i ambell ffit o dymer – i gystadlu'n rheolus a heddychlon. Mae hyn ynddo'i hun yn werthfawr. Yn ail, os nad yw gwledydd fel Senegal, Ghana, hyd yn oed San Marino, yn ofni colli ras, yna prin bod rheswm i Gymru fod mor groendenau. (At hyn, dylid cofio mai Merriman a wnaeth orau o fysg ein rhedwyr yn y ras chwe milltir, ac mai Tom Richards o Gymru a ddaeth yn agos iawn at ennill y Marathon yn Wembley yn 1948). Carwn bwysleisio unwaith yn rhagor mai er mwyn ysgolion a cholegau y wlad y dylid anfon tîm i Tokyo, nid er mwyn balchder cenedlaethol. Ar hyn o bryd, y mae'r agwedd at chwaraeon yn ysgolion Cymru yn parhau'n echrydus o anwybodus. Gwastreffir adnoddau gwir addawol oherwydd nad oes cyfleusterau i ymarfer yn rheolaidd dan gyfarwyddyd addas. A phan ddaw dydd i Gymru ddechrau cynhyrchu rhedwyr a neidwyr a thaflwyr o safon gydwladol – ac fe ddaw'r dydd yn weddol fuan – ni bydd y sbardun cystadleuaeth gydwladol yno i'w calonogi a'u gyrru ymlaen i ymarfer. Y mae'n bwysig iawn i'r ysbardun hwnnw fod yno erbyn 1964 pan gynhelir yr Olympiad nesaf.

Os ydych yn teimlo bod hyn i gyd y tu allan i fyd y Cymro, yna sylwer ar y diddordeb yn y Chwaraeon Cymreig yng Nghaerdydd ddydd Sadwrn, Medi 17.

Mae'n ddrwg gennyf ailgodi hen sgyfarnogod mor aml, ond clywais sylw y dydd o'r blaen sy'n berthnasol iawn i gyflwr presennol yr hen abaty ar Enlli, a'r twmpath rhedyn sy'n tyfu lle bu Eglwys Mair yn Uwchmynydd. Yr oeddwn yn sgwrsio â Phabydd ynghylch eu haeriad hwy y bydd mwyafrif Cymru'n Babyddol o fewn dwy genhedlaeth. Mae'r ddau ohonom yn hen gyfeillion ac felly nid oedd angen bod yn or-boléit, a gofynnais iddo beth oedd ei ymateb ef i'r Cymreigeiddio sy'n mynd ymlaen o dipyn i beth y tu mewn i'r Eglwys yng Nghymru. Yr oedd yn amhosibl, meddai, i ni fyw i lawr ein gorffennol, hyd yn oed os oeddem o ddifrif ynghylch ein parch newydd i'r iaith Gymraeg a'r cefndir Cymreig. Ond ni chredai ef ein bod o ddifrif, "Y mae Eglwys ddi-genedl fel ein Heglwys ni, yn gallu fforddio ymddangos yn genedlaethol ac yn gefnogol i leiafrif," meddai, "ond mae Eglwys genedlaethol bob amser yn ofni ymddangos yn gul ac yn blwyfol." Awgrymodd bod yr Eglwys yng Nghymru ar hyn o bryd yn baglu dros ei chyrn yn ei hymgais i blesio pawb – y Cymry Cymraeg, yr Eingl-Gymry, y Blaid, y Toriaid, y cyn-ymneilltuwyr, a'r uchel-eglwyswyr – a thrwy hynny yn colli ei hegni a'i hafiaith a'i phendantrwydd. Ac yna trodd y sgwrs rhywsut neu'i gilydd, at Enlli. "Wel," meddai, "rydych chi mor ara deg. Pe bai Abaty Enlli'n perthyn i ni, byddem wedi ailadeiladu'r lle ers talwm, mae gwerth cyhoeddus gweithred felly'n amhrisiadwy." Dechreuais innau fwmblan ynghylch diffyg arian, ond ni wnaeth o ddim ond gwenu'n braf ac ysgwyd ei ben. "Na, dydych chi ddim o ddifrif," meddai "esgus pobol wamal yw diffyg arian." Wel, beth yw'r ateb? A oes pwrpas mewn ailadeiladu Abaty Enlli, neu Eglwys Mair, Uwchymynydd, yntau gwastraff ar ein hamser a'n hegni prin fyddai ymgyrch felly?

I droi am foment i'r sefyllfa gydwladol, ac oddi wrth ein cymhlethdodau cenedlaethol ni, y mae'n amlwg i bawb bellach mai peth annoeth iawn yw cynnig barn ar broblem y Congo. Ceisiodd y *Guardian* roi'r farn ofalus arferol ar y cychwyn, ond, wedi gweld cyflymdra'r digwyddiadau, penderfynodd mai tawelwch oedd orau. Y mae'r un peth yn wir, yn rhyfedd iawn, am y *Daily Mail* sydd fel arfer yn barod iawn i ddatgan barn, ac am bapur cymedrol ei farn fel y *News Chronicle*. Go brin felly y disgwylir i'r *Llan* gynnig barn ar beth sy'n debyg o ddigwydd yng Nghanolbarth Affrica. Yr unig beth y gellir ei ddweud yn weddol ddiogel yw y gallai'r Congo eto fod yn faes rhyfel rhwng y Dwyrain a'r Gorllewin. Rhoddodd Kruschev ei bwysau y tu ôl i Lummumba oherwydd bod pwysau'r cyfalafwyr y tu ôl i safiad talaith Katanga. Y rheswm am gymorth y cyfalafwyr i Katanga, wrth gwrs, oedd y cyfoeth o olew y tu mewn i'r dalaith, a rhaid dyfalu mai'r awydd am bropaganda ffafriol oedd yr unig reswm dros ymyrraeth Kruschev ar yr ochr arall. Beth bynnag a ddigwydd felly rhwng Lummumba, Kasavuba, Ileo, Mabutu, a phwy bynnag a ddaw i'r amlwg cyn y daw'r *Llan* i ddwylo'r darllenwyr, bydd problem sylfaenol y Congo yn aros. A'r broblem sylfaenol honno yw sefyllfa Canolbarth Affrica yn y rhyfel seicolegol rhwng y Dwyrain a'r Gorllewin – nid yw'r naill ochr na'r llall bellach yn fodlon cydnabod y gall gwlad newydd fod yn niwtral – mae'n rhaid iddi ymuno yn y frwydr. Ymddengys yr holl dacteg cydwladol presennol ambell waith yn debyg iawn i'r gêm honno, Monopoly, lle mae pawb yn cystadlu'n wyllt am bopeth sydd ar y farchnad.

30 Medi, 1960

TELEDU – YR EGLWYS – BRWYDRAU – AROGLEUON

Mae'r ddadl draddodiadol Gymreig yn erbyn gwasanaeth teledu i Gymru yn grymuso. Cafwyd nifer o lythyrau ac erthyglau yn y wasg yn ddiweddar yn protestio na ellid cynnal gwasanaeth teledu yng Nghymru, oherwydd nad oes gennym ddigon o dalent i'w gynnal yn foddhaol, sonnir am safonau, am raglenni proffesyddol, am dechneg teledu, ac yn y blaen. Yn awr, dylem sylweddoli ar unwaith mor arswydus ddiddychymyg, a difenter yw'r gwasanaeth sydd gennym ar hyn o bryd (golygaf yn unig y gwasanaeth annibynnol, oherwydd annheg fyddai disgwyl i wasanaeth ifanc annibynnol Cymreig gymharu â gwasanaeth profiadol, swyddogol y BBC). Fel yr ysgrifennaf, mae'r copi presennol o'r *T.V. Times* o'm blaen, a'r hyn a gynigir heno (Medi 23) yw saith ffilm, drama fer, neu ddrama gyfres, heb fath yn y byd o arbenigrwydd yn perthyn i'r un ohonynt (ar wahân hwyrach i *Emergency Ward 10*), un rhaglen *Panel*, un rhaglen lle mae gweision cyflog yr Awdurdod yn trosglwyddo peth o'r briwfwyd sydd weddill i'r cyhoedd, un rhaglen newyddion ac un rhaglen cefndir gyda'r gorau a ellir ei gweld, *This Week*. Yn awr, os oes ystyr mewn sôn am safonau, yna dwy awr ar y mwyaf o'r teledu heno fydd yn anelu at safon o unrhyw fath. Llenwi bylchau, a chadw'r gynulleidfa o flaen y sgrin rhwng yr hysbysebion, yw swyddogaeth y gweddill.

Mewn cyd-destun fel hyn – cyd-destun o deledu digon cyffredin, y dylid meddwl am bosibiliadau teledu Cymreig. Wedi'r cyfan, er mor affwysol o hunan-gyfiawn, anneallus, a difenter yw rhaglenni Cymraeg presennol fel *Cefndir*, *Trafod*, ac yn arbennig iawn y rhaglen grefyddol *Y Fantol*, prin y byddai neb, er hynny, yn dadlau bod *Juke Box Jury*, *Wagon Train* a *Double your money*, yn gwneud gwell cyfraniad i'n bywyd. Byddai gennym lawer o raglenni gwael, mwy o raglenni sentimental, rhagrithiol, pe caem wasanaeth teledu i Gymru, ond siawns na chaem fwy o raglenni fel *Dylanwadau*, *Llais y Llenor*, *Amser Te* a *Her yr ifanc* hefyd. Byddai'n werth goddef y naill ddosbarth er mwyn cael gweld y dosbarth arall yn fwy mynych.

Ynghanol yr holl broblemau bach sy'n fodd i fyw i'r Cymro, mae'n anodd i'r Cymro Cymraeg bellach gymryd ei sefyllfa ef ei hun yn y greadigaeth yn ganiataol. Mewn ffordd – yn arbennig i'r Eglwyswr o Gymro Cymraeg – mae hi'n hen bryd i ryw athronydd cymdeithasol wneud astudiaeth go fanwl i swyddogaeth y lleiafrif mewn byd mor fawr, ac ar yr un pryd mor fychan, â'n byd ni yn yr ugeinfed ganrif. Mae'r Cymro Cymraeg sydd hefyd yn Eglwyswr, yn aelod o leiafrif mewn lleiafrif. Mae'n debyg i'r llygoden fach wen honno a ddysgodd siarad Sanskrit er mwyn teimlo'n gartrefol yn nhyllau llygod yr Amgueddfa Brydeinig – ychydig oedd rhif y llygod yn yr Amgueddfa ac ym mhlith y llygod hynny, yr oedd y llygod gwynion mewn lleiafrif go fychan, ac ymysg y llygod gwynion hi yn unig a siaradai Sanskrit, (at hynny, wrth gwrs, nid oedd neb o'r bodau dynol yn yr Amgueddfa yn siarad Sanskrit chwaith). Un tro, daeth galw am arweinydd i lygod yr Amgueddfa, ac er bod y llygoden fach Sanskritaidd mor flaenllaw a deallus, ac er y gallai wichian cystal â phob llygoden arall, nis etholwyd hi oherwydd bod llygod gwyn mor brin, a'r llygod llwyd, wrth gwrs, yn pleidleisio i'r llygoden lwyd ac oherwydd bod yn llawer gwell gan hyd yn oed y llygod gwyn bleidleisio i lygoden lwyd nag i lygoden wen a wnaeth beth mor beryglus â siarad Sanskrit. Mae'r sefyllfa yng Nghymru mewn cawl digon tebyg. Gwlad fechan yw Cymru, y mae'r Cymro Cymraeg mewn lleiafrif yn y wlad fechan hon, ac ymysg y Cymry Cymraeg, mae'r Eglwyswr mewn lleiafrif go fychan. Daw ei ddyletswydd yn y fath sefyllfa yn gwestiwn llosg yn ystod y blynyddoedd nesaf, oherwydd mae'r Eglwys yng Nghymru ar hyn o bryd yn dechrau deffro i'w sefyllfa fel Eglwys Gymreig heb wybod yn iawn beth i'w wneud wedi deffro.

Y mae ganddi ddau ddewis yn awr, a dau ddewis yn unig. Gall geisio chwistrellu i fywyd Cymru yr ymdeimlad o gymdeithas fyd-eang sy'n perthyn i'r Eglwys Anglicanaidd (ac mae'r ymdeimlad hwnnw'n bod, er gwaethaf yr hyn a ddywedodd F.M.J. yr wythnos ddiwethaf), a sefydlu yng Nghymru gymdeithas o bobl sy'n parchu hen iaith a thraddodiad er mwyn bod yn rhan effeithiol o draddodiad mwy, neu fe all gredu bod gwneud hyn yng nghyd-destun niwrotig ac anghytbwys y garfan Gymreig yng Nghymru yn amhosibl, ac y dylid anghofio holl stŵr a thrafod ynghylch Cymreigrwydd er mwyn canolbwyntio ar amcanion mwy pwysig a llai cecrus. Ar hyn o bryd, amwys iawn yw'r arweiniad, ac nid yw'r Eglwys yn sicr o gwbl sut i ddelio â'r sefyllfa. Rwy'n credu bod lle i leiafrif goleuedig, gostyngedig a chadarn, ac y dylid ceisio dangos yn gwbl glir nad oes angen i Gymreigrwydd fod yn gul, anneallus, rhagrithiol a checrus fel y mae ar hyn o bryd. Ond peth arall yw dangos hynny'n effeithiol ac yn fuan. Mae Esgob Bangor ac Esgob Llandaf eisoes yn symud i'r cyfeiriad, ond dylid sylweddoli bod llawer o Eglwyswyr yn anfodlon eu dilyn, ac y gallai'r ymdeimlad newydd yn yr Eglwys esgor ar rwyg newydd ynddi hefyd, oni ellir gwneud yn hollol glir beth yw pwrpas Cymreigrwydd a phaham y mae hi'n ddyletswydd i Eglwyswr o Gymro barhau yn Gymro, ac yn Eglwyswr. Nid culni na hunanoldeb sydd y tu ôl i'w Cymreigrwydd hwy, ond dyna sydd y tu ôl i lawer o Gymreigrwydd y dyddiau hyn. Gwaith yr Eglwys yng Nghymru, i'm tyb i, yw dangos gwerth Cristionogol lleiafrif ond, fel y dywedais ar y cychwyn, mae angen mawr yn awr am astudiaeth fanwl o holl swyddogaeth yr Eglwyswr o Gymro yn y byd sydd ohoni, ac yna, wedi'r astudiaeth, arweiniad pendant a diamwys a chytûn gan ein Hesgobion i gyd.

Nid oes amheuaeth nad yw'r Comiwnyddion y tu ôl i'r miri yn S. Pancras. Neithiwr digwyddodd brwydr agored yn y strydoedd, brwydr na welwyd ei thebyg yn Llundain, mae'n debyg, am chwarter canrif. I farnu oddi wrth y lluniau ar y teledydd, nid oedd dull yr heddlu o ddelio â'r twrw yn foneddigaidd, ond ar y llaw arall, yr oedd tymer y dyrfa'n ymddangos yn hyll ac ymosodol iawn. Yn awr, dylid gwneud yn berffaith glir nad oes gan Mr Rowe a'i gyd-wrthryfelwyr fawr o ddadl foesol dros wrthod talu rhent. Nid oes yna reswm mewn egwyddor dros iddynt sefyll eu tir, ac nid yw'r rhenti yn arbennig o uchel; yn sicr iawn, nid ydynt y tu hwnt i bocedi y tenantiaid. Mae'r sefyllfa genedlaethol ar fater rhenti yn gymysglyd iawn, ac mae'n sicr bod annhegwch yn ffynnu mewn rhai mannau. Ond nid oes prawf yn y byd

bod annhegwch yn ffynnu yn S. Pancras. A dylai hyn fod yn
rhybudd i'r rhai hynny ohonom sy'n dueddol i gefnogi pob
mudiad gwrth-lywodraethol yn enw "rhyddid", "hawl yr
unigolyn" ac yn y blaen, oherwydd mae perygl i ni guddio'r
ffeithiau gan gochl o eiriau hirwyntog a swnfawr; a'r ffeithiau
pwysig yn yr achos yma yw bod y Blaid Gomiwnyddol yn y
wlad hon yn llawer nes at Mao Tse-tung nag ydynt at Kruschev
y dyddiau hyn, a'u bod yn defnyddio pob math o bropaganda
i ddenu pobl o ewyllys da i gefnogi'r streic answyddogol,
y cyfarfodydd ymfflamychol, a'r streic achlysurol fel y
storm bresennol yn S. Pancras. Hyd yn oed heddiw, pan
mae'r llywodraethau biwrocrataidd yn dwyn mwy a mwy o
diriogaeth prin yr unigolyn, nid yw hi'n rhan o ddyletswydd
yr unigolyn i gefnogi pob mudiad chwyldroadol, heb ystyried
yn iawn yr achosion y tu ôl i'r mudiad. O gofio hyn, ni ddylid
bod yn sentimental ynghylch y stŵr yn S. Pancras. Dylid yn
hytrach ei gondemnio'n ddidderbyn-wyneb a hoffwn weld y
wasg annibynnol yn gwneud hyn yn ddiamwys.

Darllenais mewn papur newydd y dydd o'r blaen bod
mwyafrif yr ymwelwyr â'r ddinas honno yn cytuno mai
aroglau nionod a phersawr rhad yw aroglau amlycaf Paris. Y
mae swyddogaeth arogleuon fel ysbardun i'r cof yn gwestiwn
diddorol, a dechreuais feddwl am arogl amlycaf rhai o drefi
Cymru. Ond, wrth feddwl, cefais fod rhesymau cwbl bersonol
yn ymwthio i'r ddadl. Penmaenmawr, er enghraifft; arogl y
dafarn datws sy'n fy atgoffa i o Benmaenmawr bob amser; nid
bod y dref honno'n llawn tafarnau tatws, ond yno y byddem
yn aros am *chips* bob amser ar ein ffordd adref o Rhyl, ar
gynffon ein trip Ysgol Sul ers talwm, ac fe erys yr arogl, a'r
pwyso eiddgar ar y cowntar, yn y cof o hyd. Aroglau gwynt y
môr yw aroglau Pwllheli, ac argoelion glaw yn dod ar sodlau'r
gwynt hwnnw o gyfeiriad Iwerddon; ond arogl personol yw
hwnnw hefyd, arogl sy'n dod â maes pêl-droed y dref i'r cof,
a phrynhawniau gwyntog, niwlog ym mis Tachwedd pan
oedd dydd Sadwrn yn ddiwrnod i'r brenin a thîm anorchfygol

Pwllheli. A dyna ddinas Bangor wedyn; aroglau'r gwaith nwy a gwymon y Garth yw aroglau'r ddinas honno. Dinas heb aroglau o gwbl yw Caerdydd, dinas antiseptig, feddygol ei sawr; a thref llawn aroglau'r wlad yw Caerfyrddin, aroglau gwartheg a brethyn hen-ffasiwn, aroglau'r coed ac arogl cymysglyd yr afon, arogl sy'n atgoffa dyn o'r môr mawr yn y pellter. Yr unig dref y gwn i amdani lle mae aroglau blodau yn concro popeth arall yw dinas Caeredin, er bod arogl omlét yn rhan o'm hatgoffa i o'r ddinas honno, fel o lawer dinas arall, ond dyna stori wahanol, a stori heb ddiddordeb i ddarllenwyr *Y Llan*.

7 Hydref, 1960

ETHOLIAD U.D.A – AR GOLL

Bûm innau, fel y naw deg miliwn arall, yn gwylio Kennedy a Nixon ar y teledydd; a chymysglyd iawn oedd fy nheimladau ar y diwedd. Yn gyntaf, rhaid cytuno mai Kennedy a wnaeth yr argraff fwyaf effeithiol o bell ffordd; er hynny, ac yn groes i bopeth a feddyliwn am y ddau cyn gweld y rhaglen, byddai'n llawer gwell gennyf weld Nixon yn ennill yr etholiad. Yn ail, rhaid cytuno hefyd bod y teledydd yn beiriant creulon iawn, yn greulon yn arbennig wrth y gŵr sy'n ceisio bod yn ddiffuant a chymedrol ei osodiadau; y mae'r modd y gorfodir gwleidydd i gerdded i mewn i'r parlwr a chynnal ei bropaganda yn y fan honno yn tanseilio pob chwedl a adroddwyd amdano erioed, ac yn ei wneud yn debycach o lawer i 'ddyn y siwrands' neu'r fan fara neu'r trafaeliwr 'Omo'. A'r noson o'r blaen, yr oedd yn berffaith amlwg prun o'r ddau a fyddai'n gwneud y trafaeliwr gorau. Yr oedd atebion Kennedy'n berwi drosodd gyda ffeithiau manwl a buddiol, gydag ymadroddion cryno, graenus, a chyda phendantrwydd yn anad dim. Ond ansicr oedd ymadroddion Nixon, ac amhendant; tueddai i geisio pwysleisio mai ychydig iawn o wahaniaeth a ellid ei ganfod rhyngddo ef a Kennedy, mai mater o ddewis rhwng dau fath o brofiad oedd yr holl etholiad, mewn gwirionedd. Mae'n amlwg bod Nixon wedi penderfynu peidio â bod yn ymosodol, a cheisio trosglwyddo darlun o wleidydd call, eangfrydig a chymedrol; yr hyn a lwyddodd i drosglwyddo, gwaetha'r modd, oedd darlun o ddyn blinedig, canol oed, yn ceisio rhedeg ras filltir yn erbyn Herb Elliot; ym mhob gair, dan ansicrwydd pob gwên artiffisial, gellid tybio fod Nixon eisoes wedi penderfynu nad oedd ganddo fawr o siawns. Pan siaradai Kennedy, edrychai Nixon yn syn, yn drist ac yn llonydd. Ar y llaw arall, pan siaradai Nixon tueddai Kennedy i ollwng y gath o'r cwd; ambell waith, gellid gweld gwên sydyn yn llithro dros ei wyneb, a thrwy gydol yr amser yr oedd ei lygaid yn dawnsio yma ac acw – i lawr ar ei bapur, drosodd at Nixon, ambell gipolwg ar y camera, draw at y newyddiadurwyr i weld sut yr oedd y geiriau'n mynd i lawr, ac yn ôl at ei bapur. Rhoddodd Kennedy'r argraff ei fod yn ddyn byw, sydyn, deallus, galluog, hynod o uchelgeisiol a hunanhyderus, yn ddyn dideimlad a chwbl didrugaredd. Nid wyf yn amau o gwbl nad â Kennedy i mewn, ac fe gredaf y gwelwn ynddo ef Arlywydd cryf, ac Arlywydd a edy ei farc ar hanes; ond er ei holl flinder, er ei orffennol, er mor amhoblogaidd ydyw yn yr Unol Daleithiau, byddai'n well gennyf weld Richard Nixon yn Washington. Hwyrach mai'r trafaeliwr 'Omo' sy'n debyg o ddylanwadu fwyaf ar etholwyr, ond nid trafaeliwr 'Omo' sydd eisiau i ymdeimlo â chyfrifoldeb arwain yr Unol Daleithiau a'r byd yn ddiogel trwy'r chwedegau. Soniais ar y cychwyn mai rhywbeth creulon iawn oedd y teledydd; ac, mewn cysylltiad â Kennedy a Nixon, yr hyn a olygais oedd bod y ddau'n edrych yn hynod gyffredin a di-arbenigrwydd o flaen ei lygaid; nid oedd y nerth a'r gallu sy'n amlwg yn perthyn i'r ddau yn dod i'r wyneb o gwbl. Ond, a chymryd am funud ein bod yn gorfod dewis rhwng dau ddyn gweddol gyffredin, yna mae'n well gen i'r dyn cyffredin 'call' na'r dyn cyffredin 'clyfar'; Kennedy'n sicr ddigon yw'r dyn clyfar, ond mae gennyf syniad mai Nixon yw'r dyn call.

Ddoe, euthum ar goll ar un o ffyrdd Sir Fôn, a chefais fy hun, yn sydyn, yn teithio ar ffordd gul, rhwng y gwrychoedd uchel a thyfiant trwchus o laswellt yn brwsio gwaelod y car modur. Yr oeddwn yn rhywle rhwng Porthaethwy a Llangefni, a chofiais yn sydyn am y tro cyntaf y bûm yn gyrru car ar hyd ffyrdd Môn. Yr oeddwn yn y Coleg ar y pryd, ac yn awyddus ers talwm i fentro i gefn gwlad yr ynys, i dreiddio y tu hwnt i Benllech, Biwmares a Moelfre er mwyn gweld rhywbeth a oedd i mi, ar y pryd, yn rhamantaidd a chyfrin – canolbarth Sir Fôn. Wel, rwy'n cofio i mi ddringo'r allt anferth honno sy'n ymestyn am byth o bentref Llangoed tua'r nefoedd, a chyrraedd Llanddona; wedi mynd ymlaen am filltir neu ragor, deuthum ar draws arwydd yn dweud 'Llaniestyn', a chan i mi fod yn gyfarwydd â Llaniestyn arall, cyfeiriais y car modur ar hyd ffordd laswelltog, gyntefig, rhwng y gwrychoedd uchel, i chwilio am y partner annisgwyl hwn. Wedi cyrraedd Llaniestyn, cefais nad oedd yno undim ond eglwys ac un tŷ; yr oedd y pentref dychmygol wedi dianc, wedi cuddio y tu ôl i'r gwrychoedd rhag i'r creadur rhamantus, pen-yn-y-gwynt gael gafael arno. Dychwelais yn benisel i Llanddona, ac, fel pe bai Ffawd wedi penderfynu fy nghysuro, yno yn pwyso ar y wal yr oedd tri hen ŵr hollol ddigyffro, y math o hen ddynion a welir o Foscow i Faracaibo, rwy'n sicr, yn pwyso ar waliau, ac yn gwybod y cyfan. Nid oeddynt yn trafod dim, nac yn gwylio undim yn arbennig; ni wnaent undim amgen na sefyll yno, synhwyro'r gwynt, lluchio matsus i'r llyn, pwffian ar hen getyn, a magu dirmyg at y byd a'u bethau. Gofynnais iddynt i ble'r âi'r pedair ffordd o'r groeslon. Nid atebodd neb am funud, yna tynnodd y canol y cetyn o'i geg, a gofynnodd i mi i ble'r oeddwn yn ceisio mynd; dywedais innau nad oedd fawr o bwys gennyf. "Wel," meddai yntau, gan roi'r cetyn yn ôl ac anghofio amdanaf, "rydych chi'n olreit felly; mae'r ffyrdd yn mynd i bobman oddi yma." Rwy'n credu y cofiaf y sylw hunanhyderus yna tra byddaf byw, a thawelwch oesol y tri hen ŵr a ddaeth i'm meddwl wedyn ddoe wrth ddod ar draws ffordd laswelltog ym Môn unwaith yn rhagor.

14 Hydref, 1960

CYMRU – PLAID LAFUR – PENNAR DAVIES – WALDO

Dylwn fod wedi darllen pamffled y Grŵp Radicalaidd Cymreig ers misoedd, gan i mi brynu'r pamffled yn Eisteddfod Caerdydd, ond rwy'n ofni i mi ohirio ei ddarllen yn fanwl hyd yn awr. Wedi ei ddarllen, rhaid datgan anghytundeb cryf iawn â'i ddadansoddiad o fywyd Cymru Gymraeg; mae'r dadansoddiad mor anghywir â'r rhesymeg a osodir ar waith i egluro effeithiau'r dadansoddiad mor gywir, nes gwneud y pamffled yn beryglus o ddeniadol. Byddai llawer iawn ohonom yn derbyn rhagdybiad yr awdur bod sefyllfa Cymru ar hyn o bryd yn afiach, bod angen am undeb ym mywyd Cymru, a bod modd i'r Cymro Cymraeg gymryd y cam cyntaf i gyfeiriad y fath undeb, ond credaf fod ei ddadansoddiad o safbwynt presennol y rhan fwyaf o Gymry Cymraeg yn chwithig iawn. Cred awdur y pamffled bod y Cymro Cymraeg ynghlwm o hyd wrth egwyddorion hen-ffasiwn a syniadau cyfyngedig ac anwybodus; i mi, yn mae hyn ynddo'i hun yn syniad hen-ffasiwn. Y gwall mwyaf ynom ni, Gymry Cymraeg, ar hyn o bryd, yw'r ymdeimlad o hunanfeirniadaeth di-weithred sy'n meddiannu llawer ohonom; teimlwn fod llawer o'i le ar ein bywyd ac ar fywyd ein cenedl, ond nid ydym yn gwybod beth i'w wneud ynghylch y peth. (Gwn o'r gorau y bydd llawer yn dweud yn syth mai'r peth i'w wneud yw cael Llywodraeth yng Nghymru; hyd yn oed os y derbyniwn hynny, mae'r cwestiwn, "Sut yr ydym am gael Llywodraeth" yn bwysicach fyth; nid ymddengys ein bod yn debyg o'i gael trwy gyfrwng Etholiadau Cyffredinol i Dŷ'r Cyffredin).

Fel Cymro Cymraeg, hoffwn yn fawr weld Cymru unedig, Cymru rydd oddi wrth y cecru cyson rhwng y Cymro Cymraeg a'r Cymro di-Gymraeg. Ond cyn y gellir meddwl am sefydlu'r fath Gymru ddelfrydol, rhaid yn gyntaf i'r naill garfan a'r llall fod yn weddol glir ar natur y Gymru newydd yr hoffent weld; a chyn y gellir gwneud hyd yn oed hynny, rhaid i'r naill ochr geisio gwybod llawer mwy am wir agwedd a safbwynt yr ochr arall; mae anwybodaeth bob amser yn gymorth mawr i deimlad o elyniaeth rhwng grwpiau gwahanol o bobl, ac yn anhawster i wir gydymdeimlad. Ar hyn o bryd, ychydig a wneir o'r naill ochr na'r llall i sicrhau'r fath gydymdeimlad, wedi ei sylfaenu ar wybodaeth fanwl o broblemau'r ddwy ochr. Mewn gair, mae'r naill garfan yng Nghymru mor berffaith sicr o gyfiawnder ei hagwedd hi fel nad ydyw'n trafferthu i deall safbwynt y garfan arall o gwbl. Mae erthyglau blaen y *Western Mail* ar y naill law, a'r *Faner* a'r *Cymro* ar y llaw arall yn chwyrnu cymaint ar ei gilydd nes anghofio ystyried ffeithiau'n wrthrychol o gwbl; ofnaf fod awdur *The Queen and the Welsh* wedi gwneud rhywbeth go debyg; ceisio dadansoddi sefyllfa nad yw yn bod bellach, a thrwy wneud hynny, llwyddodd i greu darlun a all ychwanegu at y camddeall sy'n llethu popeth a wnawn yn hytrach na chyflawni bwriad diffuant yr awdur, sef dwyn y ddwy garfan yng Nghymru yn nes at ei gilydd. Hwyrach y gallem ni Gymry Cymraeg roi cychwyn arni trwy wneud yn berffaith glir ein dymuniad i gynnwys y Cymry di-Gymraeg ym mywyd y genedl, gan ddweud ar y llaw arall nad ydym yn fodlon gadael i'r iaith Gymraeg lithro i ebargofiant er mwyn gwneud hyn. Dyna safbwynt y rhan fwyaf ohonom, rwy'n credu, ond mae'n anodd iawn yn aml i'r Cymro di-Gymraeg gasglu hynny oddi wrth ein gosodiadau cyhoeddus. Credaf hefyd bod llawer iawn o Gymry di-Gymraeg yn sylweddoli gwerth yr iaith Gymraeg, llenyddiaeth Gymraeg, a'r traddodiad sydd wedi tyfu i fyny yn sgîl y ddau beth yna, ac yn dymuno cerdded i mewn i'w hetifeddiaeth fel disgynyddion y fath draddodiad. Os yw hyn yn gywir, Duw a ŵyr na ddylai fod yn bosibl i ni ddod yn nes at ein gilydd. Fodd bynnag, mae'n berffaith amhosibl meddwl am Gymru unedig tra bo'r Cymro Cymraeg yn edrych ar y Cymro di-Gymraeg fel cythraul mewn croen, a'r Cymro di-Gymraeg ar y Cymro fel gwallgofddyn.

Cynhadledd y Blaid Lafur. Nid wyf yn credu y gall neb o'm cenhedlaeth i sylweddoli'n iawn yr hyn a wnaeth y Blaid Lafur yn ei dyddiau cynnar i weddnewid gwleidyddiaeth y wlad hon. Ers blynyddoedd bellach, aeth y Blaid Lafur i ddechrau ymagweddu fel Plaid Dorïaidd tipyn bach mwy pinc, plaid barchus iawn, plaid coler wen, plaid broffesiynol, plaid a ddysgodd sut i fod yn fydol-ddoeth. Ond, wrth gwrs, nid dyna wir natur y Blaid Lafur, a gwelsom hyn yn glir yn ystod y gynhadledd eleni. Cymerwch Ted Hill, er enghraifft. Daeth ef i fyny i'r llwyfan fel rhyw gymysgfa ogoneddus o arth a chraig a choeden gnotiog, diamser, gan draethu synnwyr cyffredin y gwerinwr mewn iaith syml a choeth, a chan ddweud gyda balchder yn ei lais, "I'm no intellectual..." Neu cymerwch Ray Gunter, yn siarad Saesneg ag acen debyg iawn i acen Nye Bevan, ac yn esgor ar frawddeg agoriadol deilwng o Bevan ar ei orau. "This great Movement," meddai, "was not created to be a University debating society." Dyna Michael Foot wedyn, yng ngwir draddodiad yr areithiwr cyhoeddus, gyda'i sbectol yn llithro yn nes ac yn nes at flaen ei drwyn, yn cyfeirio drosodd a throsodd at reolwyr y Blaid – rhyw ddwy lath oddi wrtho – gyda'r 'Nhw' mwyaf dirmygus a glywais erioed. Dyna hyd yn oed Gaitskell ei hun yn ymddwyn fel Pekinese ffyrnig iawn, ac yn swnio'n debycach i Sosialydd na'r aden chwith ar adegau. Yr oedd y cyfan yn ymddangos i mi, fel gwyliwr o'r tu allan, yn enghraifft o anhrefn, anghytundeb, a gogoniant democratiaeth. Y mae holl wallau democratiaeth yn amlwg iawn yn y Blaid Lafur, ac yn arbennig yng nghynhadledd flynyddol y Blaid, ond mae llawer o ragoriaethau democratiaeth yno hefyd. Gellid yn hawdd dychmygu beth a ddigwyddai pe byddai'n rhaid i Nikita Kruschev wynebu'r fath feirniadaeth gyhoeddus yn y Praesidium; a phrin hefyd y gellid gweld pobl mor werinol ac anwleidyddol a chyffredin a phenderfynol â Ted Hill yn traethu yn y fan honno. A'm helpo, pe na bai dewis arall yn bod, byddai'n filmil gwell gennyf bleidleisio i anhrefn swnllyd, cecrus, ymosodol y Blaid Lafur a welais ar y teledydd o Scarborough eleni na'r Blaid Lafur unedig, barchus, weddol drefnus a welais yn ystod yr Etholiad Cyffredinol. Mae'n f'atgoffa i rywsut o'r hyn a ysgrifennodd Gerard Manley Hopkins pan safodd uwchben Penmaenpool, gan edrych i lawr ar gynnwrf y dyfroedd: "God bless the wild and the wilderness yet". A dyna paham y mae rhywun yn teimlo mor drist wrth feddwl nad oes modd i blaid fod yn wir ddemocrataidd ar y naill law, ac yn llwyddiannus ar y llaw arall. Oherwydd nid oes amheuaeth o gwbl nad yw'r anhrefn a'r siarad plaen a'r ysbryd ymosodol gogoneddus yma yn argoeli dinistr y Blaid Lafur, a diwedd y mudiad Sosialaidd fel llywodraeth bosibl yn y wlad hon. "All life is a paradox," meddai Tagore, "it would not be life if it weren't"; wel, y mae bywyd yn y Blaid Lafur o hyd, a byddai'n llawer gwell gennyf i weld y Blaid yn suddo dan y dŵr yn llawn bywyd, yn gecrus ac yn fyw na pharhau i fyw yn farwaidd a di-antur fel y bu'n ceisio gwneud mor hir.

Yr wyf wedi bod yn ailddarllen dau o lyfrau'r Dr Pennar Davies, ei nofel, *Anadl o'r Ucheldir* a'i ddyddiadur ysbrydol *Cudd fy Meiau*. Gwn o'r gorau na fyddai ef yn dymuno cyhoeddusrwydd i'w lyfrau, ond ni allaf lai na theimlo bod y diffyg cyhoeddusrwydd a gafodd ei lyfrau ef yn adlewyrchu sefyllfa cwbl annigonol ein byd llenyddol. O safbwynt y deunydd, nid wyf yn credu bod nofel bwysicach nag *Anadl o'r Ucheldir* wedi ymddangos yng Nghymru wedi'r Ail Ryfel. Ac eto, adolygiadau prin a chrintachlyd iawn a gafodd gan ein beirniaid llenyddol; mae lle i feddwl nad yw'r rhan fwyaf o'n hadolygwyr yn darllen llawer o'r llyfrau y dylent eu darllen, a'u bod yn bodloni ar sylwi'n fras ac arwynebol ar lyfrau sy'n haeddu ymdriniaeth llawer mwy manwl. Os mai teimladau fel hyn a grëwyd ynof gan y nofel, yna creodd *Cudd fy Meiau* deimladau gwahanol iawn. Bob tro y darllenaf dudalen o'r llyfr, teimlaf mai rhyfyg, mewn gwirionedd, yw dweud gair amdano. Un tro, yr oedd cyffes gyhoeddus yn rhywbeth naturiol a chyffredin; bellach, aeth yn rhywbeth anodd dros ben, ac mae'r gonestrwydd ysbrydol sy'n disgleirio trwy'r llyfr hwn yn gwneud i rywun gywilyddio. Priodolwyd i'r Dr Pennar Davies yn ddiweddar y gosodiad mai haws o lawer yw cyffesu ein bod yn bechaduriaid na chyffesu ein bod yn cnoi ein hewinedd. Mae hyn yn ddychrynllyd o wir, a'r modd y mae'n trin gwallau, pechodau ac amheuon neilltuol sy'n gwneud hwn yn llyfr mor arbennig. Credaf ei fod yn perthyn i dras llyfrau fel *Apologia Pro Vita Sua* gan John Henry Newman, llythyrau Oliver Cromwell, a *Phererindod Ysbrydol* Ceri Evans, yn fath o lyfr sydd y tu hwnt i feirniadaeth, am fod gonestrwydd a gostyngeiddrwydd yr awdur wedi ei osod ef ei hun y tu hwnt i farn dynion amdano.

Mae'r bardd Waldo Williams yn y carchar. Nid wyf am drafod iawnderau talu neu beidio â thalu'r dreth incwm, ond hoffwn feddwl bod pawb yn sylweddoli mai ffeithiau fel hyn sy'n dangos nad ydym eto mor oleuedig ag y dylem fod, hyd yn oed yn y wlad hon yn 1960. Gwrthun yw meddwl am Waldo fel troseddwr, fel gŵr gwrth-gymdeithasol, fel gŵr a ddylai gael ei gosbi gan y wladwriaeth. Mae ef yn fardd ysbrydoledig, yn weledydd cyfrin, yn ŵr tyner, yn ŵr hwyrach sy'n gallu dod yn agos iawn i dir y sant mewn rhai pethau; ac eto mae ef mewn carchar, a rhoddwyd ef yno gan lywodraeth a etholwyd ganddom ni, etholwyr y wlad hon. Er i ni weld paham y digwyddodd y peth, er i ni gydymdeimlo â'r ustusiaid, eto rhaid cyfaddef fod rhyw fath o wallgofrwydd wrth wraidd peth fel hyn, rhyw wrthdaro milain o hyd rhwng meddwl a gweithred, rhwng delfryd a ffaith, rhwng y Cristion a'r byd. I'r byd y mae'r rhan fwyaf ohonom yn perthyn – yn rhannol o leiaf – ond mae Waldo'n perthyn i'w farddoniaeth. Gall hyn swnio fel ymadrodd rhamantus ac ystrydebol, ond os y bu'n wir am ddelfrydwr erioed, y mae'n wir am Waldo Williams.

11 Tachwedd, 1960
Y WASG – AMERICA – YR OES O'R BLAEN

Digwyddodd dau beth pwysig ym myd y wasg Seisnig yn ddiweddar: daeth terfyn ar oes hir ac anrhydeddus y *News*

Chronicle ac fel welwyd cychwyn wythnosolyn newydd y *Weekly Post*; y mae'r ddau beth gyda'i gilydd yn ddeunydd trasiedi.

I gymryd terfyn y *News Chronicle* yn gyntaf. A chaniatáu nad oedd y papur yn rhyw wefreiddiol iawn yn ystod y misoedd – neu yn wir y blynyddoedd – diwethaf, eto dyma un o'r papurau newydd dycnaf, gonestaf a mwyaf egwyddorol a geisiodd gipio'r farchnad boblogaidd erioed. Does dim dwywaith amdani; papur dewr iawn oedd y *News Chronicle*. Ar adeg Suez, er enghraifft, pan oedd ei ddyfodol eisoes yn ddigon tywyll, a'i gylchrediad yn beryglus o isel, daeth y papur allan yn syth a phendant yn erbyn yr antur, ac fe gollodd rhwng 30,000 a 40,000 o ddarllenwyr oherwydd hynny. Yr oedd y weithred ddewr, bendant ac annoeth hon yn nodweddiadol hollol o'r hen *News Chronicle*. Yn anffodus, collodd y papur ei bendantrwydd yn ddiweddar, rhoddodd yr argraff nad oedd yn gwybod yn iawn beth a fynnai fod, prun ai papur poblogaidd ynteu bapur mwy tebyg i'r *Times*, *Guardian* a'r *Telegraph*. Syrthiodd rhwng dwy stôl ac, fel canlyniad, aeth yn lastwraidd. Ar y perchnogion yr oedd y bai am hyn yn ddiddadl. Penodwyd Golygydd newydd, ifanc, mentrus, ar un pryd – Michael Curtis – ond pan ddangosodd hwnnw ormod o bendantrwydd a meddwl unigol, fe benodwyd Golygydd llawer llai mentrus a phendant yn ei le. Yn ôl pob tystiolaeth, dywedwyd sawl tro wrth y perchnogion bod eu polisi'n sicr o arwain i ddinistr y papur, ond gwrthododd Mr Cadbury a'i gyd-reolwyr gymryd unrhyw sylw o gwbl. Yn y diwedd, cafwyd datganiad hollol sydyn gan y rheolwyr nad oedd y *News Chronicle* yn bod mwyach am na ellid ei gynnal. (Yr oedd y datganiad mor sydyn nes i gritig drama'r papur wybod y newydd am y tro cyntaf pan gafodd y *Daily Mail* yn lle'r *News Chronicle* ar stepan ei ddrws yn y bore: mor sydyn hefyd nes peri i Mr Grimond deithio i lawr o'i etholaeth dan yr argraff ei fod i gyfarfod bwrdd y *News Chronicle* i drafod dyfodol y papur a chyrraedd Llundain i ddarganfod nad oedd y *News Chronicle* yn bod).

Yr un diwrnod, gyda llaw, cyhoeddwyd bod Mr L. J. Cadbury, i wario £3,000,000 i adeiladu ffatrïoedd yn yr Almaen; £1,500,000 oedd holl ddyled y *News Chronicle*, a byddai'r cymorth-dal y byddai'n angenrheidiol i'w gadw'n fyw pe gosodwyd ef mewn trefn yn rhywbeth tebyg i £5,000 yr wythnos, ar y cychwyn. Mae'n berffaith sicr y byddai'r hen Mr Cadbury wedi trefnu pethau'n well. At hyn, yn ôl adroddiad y *New Statesman* yr oedd trefniant yswiriant y cwmni yn gywilyddus o isel – cynigwyd wythnos o dâl i'r gweithwyr. Trefnodd Mr Cadbury bod unig bapur y Blaid Ryddfrydol yn tewi, ac ni ellid wedyn mynegi barn y Blaid Ryddfrydol ar bynciau'r dydd yn y wasg ddyddiol. Gall hyn effeithio'n bendant iawn ar gynydd y Rhyddfrydwyr oherwydd, fel y mae pethau, amhosibl yw cyrraedd calon, ac felly ennill pleidleisiau, y cyhoedd, heb feddu rhywrai o'r dulliau cyhoeddi poblogaidd. Ar wahân i ddylanwad unigolion ar y cwmnïau teledu masnachol, mae'r Blaid Ryddfrydol yn amddifad o'r fath ddulliau, gwaetha'r modd.

Tra bûm yn yr ysbyty, ac wedi wythnos o fethu cofio bod byd y tu allan o gwbl, dechreuais ddilyn awyren Kennedy a thrên Nixon o barth i bentan ar draws cyfandir rhyfeddol Gogledd America. Eu dilyn, wrth reswm, mewn dychymyg, a chyda phapur a phensal. A'u dilyn, gan amlaf, gyda chymorth y newyddiadurwr gorau yn y byd, Alastair Cooke. Wedi dod adref, cefais barhau'r siwrnai ar y teledydd, ac fel popeth arall, yr oedd y frwydr anferth yma'n llawer llai gwefreiddiol i'r llygaid real nag oedd hi i lygaid y dychymyg. Sut bynnag, wedi dilyn y ddau o Four Feathers, Mich. i Endeavour, Kan., ac o San Fernando, Cal. i Hope, S. Dak., gan ddychmygu'r un geiriau drosodd a throsodd, a chan adeiladu patrwm gwe pry cop ar fy map anhygoel a rhamantus, deuthum i ddau gasgliad y byddwn yn fodlon gamblo llawer arnynt, pe bawn i, fel John Kennedy, yn credu mewn gamblo. A'r cyntaf yw'r casgliad sy'n codi o'r ffaith ryfedd fod Kennedy, er mewn awyren, yn teithio llawer llai na Nixon mewn un diwrnod, a'i fod yn cymryd mwy o amser mewn un lle, a'i fod yn tueddu llawer mwy i gyfansoddi areithiau newydd wrth fynd ymlaen, yn hytrach na dibynnu ar ei bapur. Nid oes gennyf amheuaeth o gwbl, fel yr awgrymais wythnosau yn ôl, mai Nixon yw'r mwyaf galluog fel gwleidydd, ac fel gwladweinydd, ond nid oes gennyf amheuaeth ychwaith mai Kennedy yw'r mwyaf celfydd o bell ffordd fel hysbysebydd – ef sy'n gallu cyflwyno ei dalentau eang a'i bersonoliaeth hyfryd i'w gynulleidfa; y mae Nixon fel peiriant gwleidyddol o flaen torf, y mae Kennedy fel llywydd Undeb y Myfyrwyr – yn eiddgar, yn ifanc, yn llawn asbri, yn ymddangos braidd yn naïf, yn llawn hunanhyder. A'r casgliad? Wel, y bydd rhaid i rai miliynau bleidleisio yn ei erbyn oherwydd ei grefydd os ydyw Kennedy am golli'r etholiad; y mae Efrog Newydd ganddo, y mae California ganddo – ac nid oes unrhyw Arlywydd wedi mynd i Washington yn ystod y ganrif hon heb ennill y ddau le yna. Os y digwydd i Nixon ennill, bydd hynny'n dangos bod gallu anhraethol yn nwylo gweinidogion Ymneilltuol taleithiau'r De, ac nid wyf yn credu bod y fath allu yn eu dwylo. Mae'r ail gasgliad yn codi o ymadrodd treiddgar dros ben a wnaeth Alastair Cooke wrth sôn am Kennedy'n sgwrsio â myfyrwyr yn Los Angeles. "Nid oed dyn," meddai, "sy'n gyfrifol am ei aelodaeth o genhedlaeth arbennig." I mi, dyma un o'r gwirioneddau syfrdanol hynny sy'n rhan o brofiad dyn unwaith y mae wedi ei glywed. Y ffaith amdani, wrth gwrs, yw bod Emrys ap Iwan yn nes o lawer at y genhedlaeth ifanc o eglwyswyr yng Nghymru heddiw na llawer archddiacon ac Esgob a gododd ac a ddiflanodd yn y cyfamser; yn yr un modd, er bod Kennedy'n agos iawn at oed Nixon, eto, mewn agwedd a chymeriad, mae'n nes o lawer at y genhedlaeth sydd newydd ddod o'r colegau yn yr Unol Daleithiau. Dangosodd effaith personoliaeth Kennedy ar fyfyrwyr Los Angeles hyn yn glir unwaith yn rhagor. Er iddo geisio ymddangos yn ifanc, yn fodern, ac yn llawn asbri'r glaslanc, ofer yw ymgais Richard Nixon i drosglwyddo'r darlun o ddyn ifanc; beth bynnag a gais ef ei wneud, Jack Kennedy yw'r bachgen penfelyn. A chan fod yr Unol Daleithiau yn 1960 yn hoffi meddwl amdanynt eu hunain fel cenedl ifanc, egnïol, arweinwyr y byd a phenaethiaid y Gorllewin, dyna reswm arall paham y maent yn debyg o ddewis Kennedy yn hytrach na Nixon i gyflawni'r breuddwyd. (Erbyn i chwi gael *Y Llan*, bydd hyn i gyd yn wir neu'n gelwydd, ar lyfrau hanes, ond rwy'n fodlon mentro hynny).

Byddwn yn falch dros ben pe bai'n bosibl i mi gyfarfod rhai o'r Fictoriaid. Mwyaf yn y byd y mae dyn yn ei ddarllen am oes Fictoria, mwyaf yn y byd y mae'n synnu at amrywiaeth hunanhyder a llwyddiant gwirioneddol yr oes. Wedi'r cyfan, nid ar oes Fictoria y mae'r bai am y ffaith nad yw Cymru erioed wedi sylweddoli bod Fictoria wedi marw; nid arnynt hwy y mae'r bai fod llawer ohonom yn dal i ymddwyn fel pe bai problemau'r byd a'r betws yn agored i'w datrys gan bwyllgor o amaturiaid, fel pe bai popeth yn iawn yn y bôn, a phopeth yn debyg o syrthio i'w briod le unwaith y mae dyn wedi mynegi cydymdeimlad cyhoeddus â'r hen bensiynwyr, wedi condemnio'r hogiau Nedw, wedi anfon swllt neu ddau i gronfa'r ffoaduriaid.

Nid ar y Fictoriaid y mae'r bai am hyn oherwydd yr oeddynt hwy, Duw a ŵyr, yn ddiffuant ac yn egnïol. Y mae'r darlun a grëwyd gan G. M. Young yn ei glasur *Portrait of an Age* yn dangos hyn yn eglur iawn, ac yn dangos yn arbennig y gwahaniaeth aruthrol rhwng cyflwr y wlad wedi'r rhyfeloedd yn erbyn Napoleon a'i chyflwr ar ddiwedd y ganrif. Yr oedd y wlad hon yn wyllt, yn beryglus, yn gwbl ddi-drefn, yn gymdeithasol anghyfiawn, ac yn aneffeithiol fel gallu gwleidyddol ar ddechrau'r ganrif; erbyn y diwedd, bu llawer tro ar fyd a llawer gwelliant cymdeithasol. Trasiedi oes Fictoria oedd ei llwyddiant; hynny yw, bu'r Fictoriaid mor llwyddiannus nes peri i ni yn y ganrif hon gredu nad oedd angen gwneud dim amgen na chario ymlaen yn yr un modd. Y mae Suez, Notting Hill, Little Rock a Sharpeville, *Look Back in Anger*, Stalin, Hwngari, a Mao Tse-tung wedi dangos y camgymeriad. Ond mewn ambell i bentref yng Nghymru, y mae eto sustemau Fictoriaid mewn grym, gwaetha'r modd, sustemau sydd yn ei gwneud yn anodd iawn i ni edrych ar y Fictoriaid eu hunain gyda'r cydymdeimlad priodol. Yr oedd ail-ddarllen llyfr G. M. Young yn gymorth mawr i mi ailfeddwl ynghylch y Fictoriaid a dod i deimlo eu bod yn fwy dynion na ni, wedi'r cyfan.

Er yr holl sylwadau gwawdlyd ac ysgafnfryd sy'n cynyddu yn y wasg boblogaidd yr oedd achos Lady Chatterley yn un o ddigwyddiadau pwysicaf y blynyddoedd hyn, a dylem sylweddoli hynny ar unwaith. Nid digwyddiad llenyddol yn unig ydoedd, ond brwydr foesol. Gwell i mi ddweud yn ddidderbyn-wyneb bod y dyfarniad i mi yn fuddugoliaeth i'r farn oleuedig yn y wlad, ac yn fuddugoliaeth annisgwyl, gan fod y barnwr wedi pwyso'r glorian yn drwm ar ochr yr erlynwyr. Fe ddywed rhai mai dyfarniad yn enw penrhyddid, diffyg disgyblaeth, moesau llac, a phopeth croes ac anghristionogol mewn bywyd yw'r dyfarniad nad yw *Lady Chatterley's Lover* yn llyfr anllad. Nid wyf yn cytuno, a chredaf y gallaf egluro fy safbwynt – a safbwynt cynifer o lenorion blaenllaw Lloegr – orau trwy gyfeirio at dystiolaeth un o'r tystion yn yr achos. Pan alwyd enw Edward Morgan Foster yn y llys, daeth hen ŵr tawel, dinod yr olwg ymlaen, moesymgrymodd yn gwrtais i'r fainc, a datganodd ei gred bod y llyfr yn Biwritanaidd yn yr ystyr mai bwriad yr awdur oedd difa'r syniadau budr, aflednais a chywilyddus-slei ynghylch y weithred rywiol, a gosod yn eu lle y syniad bod rhyw yn anrhydeddus, yn brydferth ac yn gwbl gydnaws ag urddas â natur ysbrydoledig dynion a merched. Yr oedd yn amlwg nad oedd neb aelod o'r rheithwyr yn sylweddoli mai nofelydd Saesneg mwyaf – a mwyaf moesol – ein cyfnod oedd y gŵr bychan hwn, ond, er hynny, cafodd ei dystiolaeth ef, a thystiolaeth dawel a chadarn eraill fel Richard Hoggart, Rebecca West, a Helen Gardner, effaith ddigamsyniol arnynt. Yr oedd effaith diffuantrwydd y rhain, fel y digwyddodd, yn gryfach arnynt nag effaith Mr Merfyn Griffith-Jones a'r barnwr, a chafwyd dyfarniad yn enw gonestrwydd a safonau oedolion yn hytrach na rhagrith ac ofnusrwydd. Wrth y rhai sy'n dal i gredu mai gwarth a chywilydd yw'r fath ddyfarniad, ei fod yn tanseilio moesau ac yn agor y porth i bob math o gamymddwyn, ni allaf ond dweud rhywbeth a ddywedais hyd at syrffed eisoes: nid yw wynebu ffeithiau ac edrych ar y byd fel ag y mae yn debyg o danseilio moesau – eu cuddio a'u porthi'n ddistaw bach mewn unigrwydd yn y tywyllwch sy'n debyg o wneud hynny. Yr unig ffordd y gallai pobl fel Mr Merfyn Griffith-Jones (a nifer helaeth o boblogaeth Cymru, rwy'n ofni) gyflawni eu dymuniad fyddai drwy ddileu'r reddf rywiol o bersonoliaeth y ddynol ryw. Gan nad yw hyn yn bosibl (nac i'w chwennych, gobeithio), y peth moesol i'w wneud yw ceisio dangos sut y mae modd i'r duedd yma fod yn gydnaws ag urddas dyn, ac yn rhywbeth mwy na mochyndod anifeiliaid. Dyma a geisiodd D. H. Lawrence ei ddangos yn ei holl nofelau (yn aml yn fwy llwyddiannus, rhaid cyfaddef, nag a wnaeth yn *Lady Chatterley's Lover*) a dylid eu barchu oherwydd ei ymdrech yn hytrach na'i ddilorni, ei gondemnio, neu chwerthin yn slei ac adolesent uwch ei ben, fel y gwna llawer sy'n anghytuno â dyfarniad y llys.

18 Tachwedd, 1960

COFIO – U.D.A. – BRWYDR Y TAFARNAU

Fel un nad oedd yn ddigon hen i gymryd rhan yn y naill ryfel byd na'r llall, yr wyf yn ymwybodol iawn nad oes gennyf lawer o hawl i ddweud dim am y dulliau o goffáu'r meirw a ddewiswyd gan y gwahanol raglenni radio a theledu eleni. Er hynny, mentraf gymharu dwy raglen, a chroniclo'r effaith a gafodd y rhaglenni hyn arnaf fi fel gwyliwr gweddol niwtral. Yn y lle cyntaf, cafwyd rhaglen nos Sadwrn y BBC, rhaglen a orffennodd ychydig funudau yn ôl, *Gŵyl Goffa'r Lleng Brydeinig*. Mabolgampau milwrol hynod o effeithiol, disgybledig a phroffesiynol oedd y rhaglen hon, ynghyd ag ambell eitem addas gan y band pres. Fy nheimlad ynghylch y rhaglen hon oedd bod y trefnwyr wedi gwneud deunydd anghywir o achlysur mor drist. Ni allaf yn fy myw weld bod lle i hysbysu cenedlaethol, na llawer o bwrpas mewn sioe filwrol, ar Ddydd Coffa am feirw'r ddwy rhyfel. I mi, sy'n gorfod edrych ar yr holl beth o'r tu allan, teyrnged a ddylai'r achlysur fod i'r miliynau o bobl gyffredin, diniwed, cydwybodol a fu farw heb wybod yn iawn paham, nid teyrnged i allu a disgyblaeth milwrol. Aeth sawl un o bentrefi Cymru i farw'n llawer rhy gynnar yma a thraw dros y byd oherwydd y cawl gwleidyddol Ewropeaidd a achosodd y ddwy ryfel ddychrynllyd a welodd ein canrif ni; nid oeddynt yn gwybod yn iawn paham yr oeddynt yn mynd, ond yr oeddynt yn credu iddynt wneud y peth cywir; aethant i'w tranc yn ddifai ac yn ddiffuant, a dylid eu coffáu gyda diolchgarwch; ond os erys rheswm o gwbl yn ein gweithredoedd, ni ddylid clodfori'r dull o feddwl a roes fod i'r fath wastraff ar fywydau. Neithiwr, dewisodd y rhaglen ardderchog *Tonight* gynnal ei rhaglen goffa hefyd. Dangosodd yn gyntaf gorff y Milwr Cyffredin yn cael ei gyrchu o Ffrainc i Abaty Westminster, ac yna aeth â ni dros rai o feysydd mwyaf dinistriol y rhyfel Cyntaf, Ypres, Paachendale, y Somme, gan ddweud rhywbeth am y meysydd hyn wrthym, a chan groniclo nifer y Prydeinwyr a fu farw arnynt; yr oedd llais tawel, mater-o-ffaith Derek Hart yn asio'n berffaith i dristwch y darluniau, a dangosai'r rhaglen gyfan ddiffuantrwydd syml a oedd yn llawer mwy effeithiol na sblowt fawr y rhaglen a welsom heno. Meddai Williams Parry yn ei goffadwriaeth ef ei hun:

O Gofadail gofidiau tad a mam!
Tydi mwy drwy'r oesau
Ddysgi ffordd i ddwys goffáu
Y rhwyg o golli'r hogiau.

Onid hynyna sydd yn cael ei goffáu, mewn gwirionedd? Y rhwyg o golli'r hogiau? Onid yr hollti echrydus a ddigwyddodd ddwywaith ym mywyd y wlad a goffeir, er mwyn ceisio osgoi trydydd hollt o'r math? Wel, dyna oedd bwriad *Tonight*, rwy'n credu, ond ni ellir bod mor sicr ynghylch bwriad y rhaglen a welwyd heno.

Er bod amheuon ynghylch canlyniad etholiad yr Arlywydd o hyd, go brin y gwêl Richard Nixon gynnau tân yn y White House am bedair blynedd, fan leiaf. Mae'r sefyllfa, ar hyn o bryd, mor gymhleth ag y gall fod, er bod Nixon wedi dweud yn bendant nad yw ef yn fodlon cymryd mantais o unryw drawsnewid yn nyfarniad y taleithiau. Y munud yma, y mae gan Kennedy 273 o bleidleisiau pendant yng Ngholeg yr Etholwyr, a 269 oedd yn angenrheidiol i'w ethol yn Arlywydd. Yn awr, ag Illinois bron wedi gorffen cyfrif, y mae'n debyg y bydd pleidleisiau'r dalaith honno, 27 ohonynt, yn mynd i Kennedy hefyd, a'r cyfanswm tebygol hyd yn hyn felly yw 300 i Kennedy a 188 i Nixon. Ond dywed plaid Nixon nad oedd y pleidleisio yn deg mewn rhai taleithiau, ac yn arbennig mewn taleithiau pwysig fel Illinois a Texas. Dywedant hefyd bod Nixon yn debyg o ennill California ar bwys pleidleisiau'r etholwyr absennol sy'n pleidleisio drwy'r post; a chan fod cefnogwyr Kennedy – a phawb arall o ran hynny – wedi penderfynu eisoes bod California yn perthyn iddo ef, yna byddai effaith hyn i gyd, pe bai'r cyfan yn digwydd fel y mae cefnogwyr Nixon yn gobeithio, yn golygu mai Nixon fyddai'r Arlywydd. At hyn, wrth gwrs, dylid cofio am etholwyr Mississippi ac Alabama. Ym mhob talaith arall, anfonir cynrychiolwyr i bleidleisio dros ymgeisydd arbennig yng Ngholeg yr Etholwyr, yr ymgeisydd a gafodd bleidleisiau'r mwyafrif yn y dalaith honno. Ond yn Mississippi, gall y deuddeg etholwr bleidleisio i ba ymgeisydd bynnag sy'n apelio fwyaf atynt, a gall chwech o etholwyr Alabama wneud yr un peth. Yn y cyfarfod ethol felly bydd deunaw o etholwyr heb fod yn ymrwymedig i'r naill ochr na'r llall. Ni bu erioed etholiad a ddibynnodd ar bleidleisiau'r deunaw hyn, ond gallai ddigwydd eleni, a phe bai'n digwydd, y mae'n weddol sicr y byddent i gyd yn pleidleisio dros Kennedy, pe bai ond er mwyn cadw'r status quo, ac osgoi sgandal cydwladol a rhywbeth tebyg i ryfel cartref yn yr Unol Daleithiau. Er bod y mathemategwyr felly'n dal i ddweud y gall Nixon ennill, ychydig iawn iawn o siawns sydd ganddo i wyrdroi pethau mewn gwirionedd.

Calonogol dros ben yw clywed am ymdrechion hen ffyddloniaid y *News Chronicle* i ailsefydlu papur dyddiol radicalaidd yn Lloegr. Nodwedd ryfeddol y *News Chronicle* hyd y diwedd, oedd ffyddlondeb arbennig y staff, o'r prif ohebwyr i lawr. Yn ôl a glywn amdanynt, nid yw teimlad teuluol, teimlad o berthyn i antur y mae pawb yn rhan ohono, yn nodweddiadol iawn o bapur dyddiol, nac yn nodweddiadol o ysbryd cyffredin Fleet Street. Er hynny, ac er gwaethaf popeth a ddigwyddodd yn ystod y ddwy flynedd diwethaf, dyma'r teimlad a barhaodd i fodoli yn swyddfeydd y *News Chronicle*. Ac yn awr, ymddengys bod y teimlad mor gryf nes peri i'r hen staff fynd ati hi i geisio creu papur dyddiol newydd drostynt eu hunain. Ym marn y *Guardian*, byddai angen cyfalaf o filiwn o bunnau i gychwyn y fath bapur, a bod siawns y daw'r fath gyfalaf o rywle i'w gychwyn hefyd. Amcangyfrifir mai £20,000 yr wythnos fydd costau'r fenter, ac y gellid disgwyl incwm o £15,000 ar y cychwyn. Dechreuir gyda chylchrediad o gylch 200,000, a cheisir ei godi i hanner miliwn o fewn dwy neu dair blynedd; byddai codiad o hanner can mil yn y cylchrediad yn ddigon i ddileu'r diffyg ariannol yn gyfangwbl. Pe bai modd i staff y *News Chronicle* wneud hyn, ac ail-greu papur a oedd yn amhosibl i'w redeg yn ôl Mr L. J. Cadbury, yna byddai'n anodd iawn i Mr Cadbury ddangos ei wyneb yn Fleet Street wedyn, pa mor wyneb-galed bynnag yw trigolion y stryd honno. Yn bwysicach na hynny, byddai gan y Blaid Ryddfrydol gyfrwng mynegiant unwaith yn rhagor; rhywbeth, fel y dywedais y tro diwethaf, sy'n anhepgorol iddynt yn ystod y blynyddoedd nesaf.

Fel y gellid disgwyl y mae brwydr y tafarnau'n poethi, a'r mân ysgarmesoedd yn lledaenu dros y wlad. Y mae hwn yn gyfle rhagorol, wrth gwrs, i Gymru gynnal un o'i rhyfeloedd cartref hunangyfiawn a llawn sloganau moesol. Yr oedd Llygad Llwchwr yn proffwydo ar y teledu y dydd o'r blaen y byddai wyth sir 'sych' a phum sir 'wleb' yng Nghymru ar ddiwedd yr ysgarmes i gyd. (Fel mater o ddiddordeb, ei siroedd sych ef oedd Môn, Arfon, Meirionnydd, Aberteifi, Caerfyrddin, Dinbych, Maesyfed, Trefaldwyn, a'i siroedd gwlyb oedd Fflint, Brycheiniog, Penfro, Morgannwg a Mynwy). A gallwn fod yn berffaith sicr y bydd llawer o ddadlau eithaf chwerw cyn y gellir penderfynu beth fydd y drefn i fod. Ond, er cymaint y dadlau moesol a fydd, y mae'n anodd gweld bod hwn yn gwestiwn o foesoldeb. Pe byddai'n rhaid penderfynu a ellid yfed diodydd meddwol *o gwbl* ar y Sul, yna gellid meddwl am hwnnw fel pwnc moesol; neu pe gofynnid i ni benderfynu a ddylid gwerthu diodydd meddwol mewn tai tafarnau ar unrhyw ddiwrnod, yna gellid yn sicr meddwl am hwnnw fel cwestiwn moesol. Ond tra bo'r clybiau'n agored dros y wlad i gyd, yna nid pwnc moesoldeb yw pwnc y tafarnau; a phrin y gallai neb ddadlau, boed lwyr ymwrthodwr neu beidio, bod yfed diodydd meddwol ar y Sul yn hanfodol waeth nag yfed diodydd meddwol ar nos Sadwrn. Os nad ydyw'n gwestiwn o foesoldeb, paham y mae cymaint o fustachu yn ei gylch? Yn gyntaf, oherwydd bod llawer o bobl yn cymysgu parchusrwydd â moesoldeb; gellir dioddef creaduriaid chwil meddw gaib yn ei rhowlio hi adref heibio'r ffenest llofft ar nos Sadwrn, ond peth gwahanol iawn yw dod ar eu traws wrth fynd adref o'r Ysgol Sul. Gellir cydymdeimlo â'r agwedd yma, mae'n wir, ond prin y bwriadwyd i ni wneud rhyw gontract felly; ein bod yn fodlon gadael nos Sadwrn i'r Diafol os y cawn ni hawlio Dydd Sul i Dduw. Y mae yfed diodydd meddwol yn ganiataol i Gristnogion neu'n anfoesol i Gristnogion, ar y Sul ac ar bob diwrnod arall. Os y credwn fod yfed yn anfoesol, yna mae'n anfoesol bob amser; os y credwn nad ydyw'n anfoesol, yna mae'n rhaid i ni dderbyn y canlyniadau, a pheidio â checru os yr aflonyddir ar ein tawelwch ar brynhawn Sul.

Ond yn ail, y mae yma gwestiwn cymdeithasol go bwysig, ac ni fynnwn wadu hynny am foment. Erys y Sul i ryw raddau yn ddiwrnod o dawelwch yng nghefn gwlad Cymru, a theimlad llawer yw y dylid parhau felly, ac y byddai agor y tafarnau'n sicr o amharu ar y tawelwch hwnnw; y mae'r teimlad yma'n deimlad hollol deg, rwy'n credu, a dyma'r teimlad a glywir ei fynegi fynychaf yn yr ardaloedd gwledig. Yn y trefi, ac yng nghymoedd diwydiannol y De, nid yw'r sefyllfa mor glir; y mae yno wrthdaro rhwng cynrychiolwyr gwahanol genedlaethau a gwahanol gefndiroedd, a hwyrach bod mwy o reswm cymdeithasol dros agor y tafarnau yn y fan honno nag yng nghefn gwlad. Fodd bynnag, rwy'n credu bod achos cryf iawn dros adael y penderfyniad yn nwylo llywodraeth leol, yn hytrach na gosod cyfraith i weithredu dros y wlad i gyd. Gwn o'r gorau beryglon y fath beth, ac y byddai hyn yn codi ym meddyliau rhai pobl ddarluniau o ruthro gwyllt o sir sych i sir wleb ganol dydd bob Sul. Yn ymarferol, ni byddai hyn yn digwydd mewn llawer o siroedd, oherwydd bod proffwydoliaeth Llygad Llwchwr yn debyg o fod yn weddol gywir, ac y byddai Cymru'n rhannu'n ddau floc go glir (ar wahân hwyrach i Sir Fflint); pe ceisid deddfu ar gyfer Cymru i gyd, yna byddai drwg deimlad yn sicr o godi, beth bynnag a ddywedai'r ddeddf.

25 Tachwedd, 1960

PÊL-DROED – ANGHENION CENEDL

Sut fath o ddynion yw chwaraewyr pêl-droed wrth eu crefft? Ers talwm, arferid meddwl amdanynt, rwy'n tybio, fel creaduriaid mawr, araf, dwl, a oedd yn gallu, trwy rhyw wyrth, gicio pêl yn well na'r rhelyw; ond creaduriaid heb ddoniau eraill o gwbl. Rwy'n cofio gweld un tro hen hen ddarlun o dîm buddugoliaethus Aston Villa tua diwedd y ganrif ddiwethaf. A chymryd yn ganiataol bod pawb ohonynt, fel ein cyndadau ni i gyd, wedi gwneud ati hi i edrych yn hyll, yn chwyrn, yn annifyr ac ar goll o flaen y camera; a chymryd hefyd bod pawb ohonynt yn gwisgo mwstás mawr du, yna nid oedd yr un ar ddeg yma'n edrych yn annhebyg iawn i'r darlun o flaenoriaid Capel Seion,-----, am y flwyddyn 1903, a orweddai wrth ei ochr yn yr atig lle gwelais i'r ddau. Nid oeddynt, bid sicr, yn greaduriaid deallus iawn yr olwg, y pêl-droedwyr a'r blaenoriaid hyn, ond tybiaf eu bod, gyda'i gilydd, yn cynrychioli cymdeithas eu cyfnod yn weddol deg – cymdeithas werinol, hunan-addysgiedig i raddau helaeth, cymdeithas yn ennill ei bara trwy chwys ei llafur. Byddai darlun o flaenoriaid Seion heddiw'n edrych yn wahanol, a byddai darlun o dîm Aston Villa'n edrych yn hynod o wahanol hefyd. Mae'r gymdeithas wedi newid, ac fel y mae blaenoriaid capel, ficeriaid, esgobion, chwarelwyr a myfyrwyr coleg wedi newid, y mae chwaraewyr pêl-droed hefyd wedi symud gyda'r oes. Mae'r pêl-droediwr bellach yn aelod parchus iawn o gymdeithas, yn cyfrannu llawer at y cyfanswm anhygoel o ddifyrrwch a welir yn y wlad hon o ddydd i ddydd. Y mae hefyd yn aml yn ŵr ifanc deallus a galluog mewn llawer ystyr. Cymerer, er enghraifft, Gymro sy'n amlwg ar hyn o bryd fel un o flaenwyr gorau'r byd, Phil Woosman. Yr oeddwn yn adnabod Phil yng Ngholeg Bangor, a chymerodd radd mewn Gwyddoniaeth yno cyn symud ymlaen i ysgol yn Llundain a chlwb Leyton Orient, ac yn y man i chwarae pêl-droed yn llawn amser gyda West Ham. Bachgen tawel, diymhongar, a gwir alluog mewn llawer cyfeiriad oedd Phil, ond dewisodd chwarae pêl-droed yn hytrach na gwneud rhywbeth arall â'i fywyd, oherwydd bod ganddo dalent arbennig iawn i'r cyfeiriad hwnnw. Fe wnaeth yn iawn, yn sicr, i benderfynu defnyddio'i dalent. Y mae llawer tebyg iddo, ac i'r fath bobl ifainc synhwyrol a sensitif, y mae sefyllfa bresennol y pêl-droediwr yn gywilyddus. Awn mor bell â dweud ei fod yn un o'r cam-amseriadau gwaethaf sy'n aros yn ein cymdeithas. A'r sefyllfa yma, nid y cyflog wythnosol, sy'n gyfrifol am ddicter cynyddol Undeb y Chwaraewyr ar hyn o bryd. Wrth gwrs, o'u cyferbynnu â'r £50,000 y mae Tommy Steele yn gallu eu gweld ar ei lyfr banc ar ddiwedd y flwyddyn, nid yw'r arian a geir gan artistiaid fel Matthews, Wright a'r gweddill yn sylweddol iawn. Ond, wedi'r cyfan, gall y chwaraewyr enwocaf ychwanegu tipyn go lew at eu cyflog trwy hysbysebu, trwy gyfrannu i'r papurau newydd, ac yn y blaen. Nid yw'r chwaraewr cydwladol synhwyrol a gofalus yn debyg o fod yn dlawd pan ddaw'r amser i ymddeol. Na, er y dylid rhoi codiad sylweddol yng nghyflog y chwaraewyr gorau trwy ganiatáu i'r clybiau dalu'r hyn sydd o fewn eu gallu, nid dyma'r rheswm paham y dylem gymryd y ffrwgwd diweddar o ddifrif. Y ffaith amdani yw fod y pêl-droediwr wrth ei grefft y peth nesaf i gaethwas y gwyddom ni heddiw amdano. Yn ôl termau ei gontract, nid oes modd iddo ddewis ei glwb, nid oes modd iddo newid o un clwb i'r llall heb gael caniatâd y clwb. Rheolwyr y clybiau – dynion busnes go gyfoethog, fel arfer – sy'n rheoli bywydau ein chwaraewyr. Maent yn rheoli cymaint arnynt fel nad oes modd i'r chwaraewyr wneud un dim ynghylch eu sefyllfa heb beryglu eu bywoliaeth. Dyma oedd safle pob gweithiwr yn nechrau'r ganrif, ond yr ydym yn fwy goleuedig yn hyn o beth bellach, ac ni ddylai fod yn bosibl i neb gael cymaint o ddylanwad ar fywyd neb arall. Brwydr yn erbyn y gaethwasiaeth yma yw'r frwydr a glywn lawer amdani yn ystod yr wythnosau hyn, ac nid un arall o'r streiciau am arian; fel brwydr foesol y mae llawer o'r chwaraewyr yn edrych arni, ac, er i mi gydymdeimlo â sefyllfa ariannol llawer o'r clybiau, dylem gefnogi eu hymdrechion i gael chwarae teg fel pob gweithiwr arall.

Yr oedd tri neu bedwar ohonom yn sôn y dydd o'r blaen – mewn cysylltiad, fel yr oedd hi'n digwydd, ag Affrica – am anghenion cenedl newydd, a daethom i drafod pa sefydliadau oedd yn angenrheidiol i'r fath genedl cyn y gellid meddwl amdani fel gwlad annibynnol gyfrifol. Yn rhyfedd iawn, cytunodd pawb ohonom mai un o'r anghenion oedd papur dyddiol cyfrifol heb fod dan ddylanwad uniongyrchol y llywodraeth. Yr oeddym wedi synnu braidd ein bod yn unfryd ar hyn oherwydd i ni gynrychioli tair cenedl wahanol a dwy genhedlaeth, ac felly aethom ati hi i ystyried y broblem yn fwy manwl a chynnal cystadleuaeth trwy dynnu rhestr o'r sefydliadau angenrheidiol yn y drefn gywir. Fel mater o ddiddordeb dyma a ddigwyddodd; yn gyntaf, llywodraeth wedi ei hethol gan nifer helaeth o boblogaeth y genedl (nid oeddym yn sefyll allan dros bleidlais i bawb), ac yn annibynnol o unrhyw lywodraeth arall; yn ail, system gyfreithiol heb gysylltiad uniongyrchol â'r llywodraeth. (Yr oedd hyn, wrth reswm, yn gwneud yr Unol Daleithiau yn genedl anghyfrifol, ond boed hynny fel y bo!) Yn drydydd, heddlu dibynadwy, a allai hefyd weithredu fel man cychwyn byddin pe bai angen; yn bedwerydd, gwasanaeth sifil effeithiol; yn bumed, gorsaf radio a/neu bapur dyddiol. Yr oedd pawb ohonom yn cytuno hefyd mai anfantais i effeithiolrwydd y wladwriaeth ac i ddiffuantrwydd y grefydd fyddai cael Eglwys wladol swyddogol. Yn bersonol, byddwn yn rhoi bodolaeth papur dyddiol cyfrifol ar wahân i orsaf radio, ac ar flaen y rhestr. I mi, y mae angen papur dyddiol da ar genedl cyn y gellir sefydlu llywodraeth, gwasanaeth sifil ac yn y blaen. Y papur dyddiol sy'n gallu paratoi meddyliau'r genedl ar gyfer y gweddill, a pharhaf i feddwl, er pwysiced radio – ac yn arbennig teledu – mai'r gair printedig sy'n dal i ddylanwadu fwyaf ar feddwl cenedl. Heb fod bapur dyddiol tebyg i'r *Telegraph* neu'r *Guardian*, nid wyf yn credu y gall cenedl bellach dyfu'n uned gymdeithasol gyfrifol. Beth yw'r foeswers yn hyn i gyd? Wel, pe bawn i'n ennill £250,000 ar Littlewoods, byddwn yn dechrau meddwl am sefydlu papur dyddiol Cymraeg. Ond y mae hyn, rwy'n ofni, yn freuddwyd personol na wireddir fyth.

Bob prynhawn, y dyddiau hyn, gan mai eistedd wrth y tân yw fy rhan gan fwyaf, af allan i gymowta o gwmpas y pentref. Ac o'r lôn gefn, fel y gelwir hi acw, gellir gweld mynyddoedd

Arfon bron cystal ag y gellir eu gweld o'r A5 rhwng Gaerwen a Llanfairpwll, yn fur anwastad ac anghelfydd yn y pellter. A'r wythnos yma, o ddiwrnod i ddiwrnod, gan gychwyn gyda rhimyn bychan ddydd Mawrth, yr oedd yr eira'n sleifio i lawr y llethrau, yn is ac yn is. Yr oedd yn dda gennyf ei weld, a bu raid i mi gyfaddef i mi fy hun unwaith yn rhagor – rhywbeth sy'n codi cywilydd braidd arnaf – bod yn well gennyf y gaeaf na'r haf o lawer iawn, ac y byddwn yn fwy bodlon ym Mhegwn y Gogledd nag yn y Sahara, pe rhoddid y cynnig od hwnnw i mi rhywdro.

9 Rhagfyr, 1960
VATICAN – HEDDLU – LLYFRAU – AMERICA

Beth bynnag a ddywed y Vatican am oblygiadau ymweliad preifat, derbyniad oeraidd iawn a gafodd Archesgob Caergaint yn Rhufain. Nid oedd neb yn disgwyl i'r cyfarfod yma esgor ar un dim ymarferol, ond yr oedd llawer yn disgwyl, gwaetha'r modd, y byddai Eglwys Rufain yn arfer holl rigmarôl ymweliad brenhinol i groesawu'r Archesgob. Nid felly y bu hi. Gwnaeth y Vatican ei orau i ymddangos yn ffurfiol, yn boléit ac yn oeraidd. Gwrthodwyd caniatâd i'r ffotograffwyr dynnu lluniau y tu mewn i'r adeilad, pwysleisiwyd natur preifat yr ymweliad, ac aeth un o'r Curia mor bell â mynegi'r farn nad oedd gwahaniaeth yn y byd rhwng ymweliad Dr Fisher ac ymweliadau aelodau eraill o'r Gymundeb Anglicanaidd fel Esgob Southwark a Dr Dibelius o Berlin. Y mae hynny, wrth reswm, yn anghywir, ond dengys nad yw'r Vatican yn fodlon rhoi llawer o bwys ar y digwyddiad hanesyddol arbennig yma. O weled gweithredoedd goleuedig y Pab presennol, a'i Gristionogaeth gymdeithasol amlwg, y mae rhai pobl wedi colli eu pennau'n llwyr, ac wedi dod i gredu bod Eglwys Rufain am newid ei pholisi a'i bod hyd yn oed yn fodlon meddwl yn nhermau adundeb Cristionogol. Gall derbyniad yr

Archesgob eu gorfodi i wynebu ffeithiau: un math o adundeb yn unig a fyddai'n dderbyniol i Rufain, a hwnnw'n adundeb dan awdurdod y Vatican a than ben-arglwyddiaeth y Pab. Prif bwrpas Eglwys Rufain yw sefydlu teyrnas Dduw yma ar y ddaear: fe ŵyr o'r gorau sut y bwriada wneud hynny, teimla'n sicr bod yr holl wirionedd ganddi, ac ni bu erioed yn gaeth i syniadau democrataidd. Fe ddylai fod yn amlwg mai di-fudd fyddai i'r fath gorff grymus a hunanhyderus gyfaddawdu er mwyn ceisio plesio corff llawer llai, llawer mwy ansicr, fel y Gymundeb Anglicanaidd. Beth bynnag oedd agwedd y Pab ei hun at y peth, nid fel cyfarfyddiad dau bennaeth yr edrychai'r rhan fwyaf o Babyddion ar ymweliad yr Archesgob, ond fel mab afradlon yn cymryd y cam cyntaf i gyfeiriad ei dad. Dyma'n sicr agwedd y Curia, ac nid Rhufain fyddai hi pe bai'r Eglwys fel corff yn cymryd agwedd wahanol i hyn. Gweithredoedd Cristion gloyw a gostyngedig yw gweithredoedd y Pab Ioan, ond nid gweithredoedd Eglwys Rufain mohonynt; y mae llawer o aelodau eraill yr Eglwys yn eangfrydig, a rhyddfrydol eu naws, bid sicr, ond nid felly'r Curia. Fe ŵyr y corff hwnnw o brofiad oesol mai grym, awdurdod ac urddas gerbron y byd sy'n cynnal dylanwad rhyfeddol y Vatican. Gŵyr y swyddogion a fu'n gweithredu fel gweision gweinyddol yr Eglwys dan Pius XII hyn yn well hwyrach na'r Pab presennol. Ac y mae ef yn hen ŵr. Pan â yntau at ei dadau, fe ddychwel y Curia i'w hen ddull o weithredu. Yn y cyfamser, fe gaiff y Pab ymddangos yn eangfrydig, ond prin y caniateir iddo gymryd cam pendant i unrhyw gyfeiriad a fyddai'n debyg o leihau grym a dylanwad traddodiadol Rhufain yn y byd; a byddai derbyn y Dr Fisher gyda ffrwst ac urddas wedi bod yn gam i'r cyfeiriad hwnnw. Dyna paham y bu raid iddo fodloni ar dawelwch, sgwrs niwlog iawn – yn ôl adroddiad swyddogol yr Archesgob – a dim llun i'w roi yn ei albwm.

Penodwyd y llywodraethwr Menner Williams i fod yn is-ysgrifennydd gwladol yng ngweinyddiaeth Kennedy, gyda chyfrifoldeb arbennig dros gyfandir Affrica. Dyma fuddugoliaeth i aden chwith y Democratiaid, ond ofna rhai mai buddugoliaeth wag fydd hi, ac y bydd Kennedy'n teimlo'n fwy diogel yn awr i benodi'r Seneddwr Richard Fulbright i'r swydd bwysicaf, swydd yr Ysgrifennydd Gwladol. Deuheuwr yw Fulbright, un sydd yn erbyn polisi Hawliau Dinesig ei blaid, a chynrychiolydd Arkansas yn y Senedd. Fe gofiwch mai yn Arkansas y mae tref Little Rock, ac mai Orville Faubus yw llywodraethwr y dalaith. Y mae llawer yn amau a allai Faubus fod wedi ymddwyn fel y gwnaeth yn Little Rock heb gymorth Fulbright, neu ei gymeradwyaeth fan leiaf. Yn wyneb hyn, ni byddai Fulbright yn ddewis dymunol fel ysgrifennydd Cartref, ond y perygl yw mai ef a gaiff y swydd ac nid nac Adlai Stevenson na Chester Bowles. Y rheswm pennaf am hyn yw'r gred gyffredinol fod angen i Kennedy ymddangos yn gryf i Kruschev ac yn filain i Mao Tse-tung. Nid yw Stevenson yn debyg o gytuno i ymddwyn felly, ac nid yw Chester Bowles yn gallu bod yn filain, meddan nhw. Sut bynnag, gyda'r Athro Bell yn gynghorwr economaidd a Menner Williams yn Affrica, gyda Stevenson, Bowles, Ribicoff, Humphrey a Robert Kennedy'n aros eu tro, bydd y weinyddiaeth yma'n llawer mwy pwrpasol a goleuedig na gweinyddiaeth Eisenhower. A phe bai Chester Bowles yn cael ei benodi i'r Swyddfa Wladol, yna byddai'n fwy eangfrydig ar bapur nag odid unrhyw weinyddiaeth o ddyddiau Lincoln ymlaen. Ond beth wedyn a fyddai gan daleithiau'r De i'w ddweud am hynny? Hwyrach bod y gymhariaeth ag Abraham Lincoln yn rhy glos i fod yn gysurus, yn rhy glos, beth bynnag, i Kennedy fedru penodi Chester Bowles ar ben penodiad annisgwyl Menner Williams.

Fel arfer daeth amryw byd o lyfrau Cymraeg o'r wasg ar gyfer y Nadolig. Y mae rhai ohonynt yn gofyn sylw manwl, ac eraill heb ofyn sylw o gwbl. Ond fel y mae hi yn y byd adolygu, dyn a ŵyr pa lyfrau a adolygir cyn y Nadolig, pa bryd yr adolygir y gweddill, a pha lyfrau anffodus a anwybyddir yn gyfan gwbl. Y mae'r sefyllfa adolygu yng Nghymru Gymraeg yn arswydus o annigonol, ond gan i mi chwythu fy mhlwc ar y pwnc yma yn y rhifyn nesaf o'r *Haul*, bodlonaf yn awr ar hynyna o gŵyn, gan sylwi ar lyfr neu ddau a ddaeth i'm meddiant i hyd yn hyn. Y pwysicaf o'r llyfrau Cymraeg ar Nadolig llai cynhyrchiol na'r Nadolig diwethaf, beth bynnag a ddywed hysbysebion Llyfrau'r Dryw, yw *Y Lôn Wen* gan Kate Roberts. Dwrn o hunangofiant yw'r llyfr yma yn sôn am blentyndod Kate Roberts yn Rhosgadfan, ei theulu, yr ysgol, cymdeithas y pentref, ac yn y blaen. Y mae Kate Roberts yn un o'r pileri prin sy'n cynnal llenyddiaeth Gymraeg, ond siomedig yw'r llyfr yma gennyf i. Byddaf yn meddwl am hunangofiant fel rhywbeth personol, dadelfennol, yn dweud rhywbeth newydd wrthym am y natur ddynol trwy gyfleu darlun cyflawn a gonest o fywyd mewnol un unigolyn. Nid llyfr felly yw *Y Lôn Wen*, er holl allu Kate Roberts i ail greu byd plentyndod, y gallu a welwyd yn *Deian a Loli*, *Traed Mewn Cyffion*, ac yn arbennig *Tê yn y Grug*. Bodlona'r tro hwn ar dynnu llun o allanolion ei chymdeithas ym mynyddoedd Arfon, allanolion sy'n asio i wneud dogfen gymdeithasol o bwys, ond, oherwydd ei hanfodlonrwydd i ddatgelu, sy'n peidio â bod yn hunangofiant personol. Y mae hyn yn fwy siomedig fyth, rwy'n credu, oherwydd bod angen i dreiddio dan yr haen allanol yr ydym mor gyfarwydd â hi yn nofelau Rowland Hughes ac yng ngwaith Kate Roberts ei hun, a dangos i ni feddyliau a chymhellion a rhai o weithredoedd llai parchus y chwarelwyr hyn. Prin bod chwarelwyr a thyddynwyr Rhosgadfan mor barchus ag yr awgrymir yn *Y Lôn Wen*. Llyfr llawer llai parchus ond llawer llai proffesiynol ei gynllun hefyd, a llai sylweddol ei sylwadaeth yw *Lle Bo'r Gwenyn* gan John Rowlands. Gŵr ifanc yw John Rowlands, ac un sy'n teimlo bod awyrgylch gymdeithasol Cymru'n gyfoglyd o barchus. Oherwydd hyn, mae'n fwriadol yn gwneud rhannau o'i lyfr yn amharchus yn ôl safonau cefn gwlad Cymru. Y mae'n mynd ati i siocio. Teimlaf mai camgymeriad yw hyn. Mae gan John Rowlands ddoniau'r nofelydd. Gall greu cymeriadau a gall greu awyrgylch. Rhaid dweud i mi deimlo fy hun yn ôl yn fy nyddiau cynnar ym Mangor wrth ddarllen ei benodau cyntaf, ac y mae'n gallu ail-greu meddylfryd y myfyriwr i'r dim. Ond wrth fynd o'i ffordd i siocio, mae'n tueddu i golli gafael ar frodwaith ei ddeunydd, a thuedda'r nofel i fynd ar chwâl. Er hyn, dylai'r bobl hynny sy'n meddwl am y nofel Gymraeg fel adlewyrchiad diniwed o gefn gwlad ddarllen *Lle Bo'r Gwenyn*. Nid yw cefn gwlad mor ddiniwed â hynny, wedi'r cyfan!

16 Rhagfyr, 1960
DIENYDDIO – FFRAINC – Y GYFRES GRWYDRO

Mater o drai a llanw yw'r ymdeimlad diwygiadol yn y wlad hon. Daw ton o egni a dicter dros neu yn erbyn rhywbeth i gynhyrfu'r wlad, gan lwyddo i ennill llathen neu ddwy o'r anial draeth Philistaidd, di-ddelfryd, ac yna fe gilia'n ôl am gyfnod, cyn dychwelyd unwaith yn rhagor i boeni ac i brocio'r cydwybod cysglyd. Dyma a ddigwyddodd gyda chaethwasiaeth, a dyna sydd yn digwydd yn awr gyda dienyddiaeth. Rhywdro yn hwyr neu'n hwyrach, fe ddaw'r don yn ddigon pell i fyny'r traeth i ddinistrio castell tywodlyd y Philistiaid unwaith ac am byth. Digwyddodd hyn i gaethwasiaeth yng nghyfnod yr Esgob Wilberforce, ac fe all ddigwydd i ddienyddiaeth yn ein cyfnod ni. Ni allwn wybod i sicrwydd pa mor gref yw'r don bresennol o wrthwynebiad, ond gallwn ddweud bod dau ddigwyddiad diweddar wedi troi trai y llanw unwaith yn rhagor, wedi achosi'r Iarll Harewood i dderbyn llywyddiaeth panel o bobl sy'n benderfynol bod yn rhaid gwneud i ffwrdd â chrogi'n gyfan gwbl, ac wedi creu cynnwrf sy'n debyg o gynyddu yn Nhŷ'r Cyffredin yn ystod yr wythnosau nesaf. Y ddau ddigwyddiad yw penderfyniadau'r Ysgrifennydd Cartref i beidio ag ymyrryd yn nedfryd Forsyth a Harris ar y naill law, ac i achub bywyd Rogers ar y llaw arall. Ystyriwn droseddau'r bobl hyn. Mater o hwliganiaeth sioclyd a aeth yn llawer rhy bell oedd trosedd Forsyth a Harris. Cofiwn nad oedd mwrdwr yn yr achos yma'n fwriadol, a chofiwn hefyd mai Forsyth yn unig a gyflawnodd y weithred; dienyddwyd Harris am iddo fod gydag o. Yn achos Rogers, gwelwn fwrdwr bwriadol gan droseddwr cyson ac ystyfnig. Eto dienyddwyd Forsyth a Harris, ac achubwyd bywyd Rogers. Paham? Does neb ond Mr Butler a ŵyr, oherwydd problem iddo ef yn unig yw hi. Ond beth bynnag oedd y rheswm, mae'n amlwg nad yw'r dull presennol o weithredu'n foddhaol; byddai'n anodd cynllunio achos a brofai fod Rogers yn gymaint gwell dyn na Forsyth a Harris fel y dylid gadael iddo ef fyw, ac y dylid lladd y ddau arall. Gan na ellir gweithredu'r gyfraith bresennol felly'n deg a synhwyrol bydd y ddadl ar y pwnc yn Nhŷ'r Cyffredin yn danbaid ac yn bwysig dros ben. Oherwydd ffurfiwyd yr unig gyfaddawd posibl wrth lunio y gyfraith bresennol yn 1957. Y tro hwn, bydd rhaid dadlau ar y pwnc sylfaenol: a ddylid caniatáu i'r wladwriaeth ladd dynion mewn gwaed oer yn enw cyfraith gwlad? A'r gwarth i mi yw hyn. Bob tro y bydd pwnc o'r fath yn codi i'r wyneb, pwnc fel dienyddio neu'r Bom H, neu gaethwasiaeth, neu Sharpeville, y mae Cymru fel cenedl mor dawel â'r bedd, a'r Eglwys yng Nghymru fel corff yn anfodlon datgan barn. Y mae'n well gennym ni yng Nghymru redeg o gwmpas yn cyfarth ar ein twmpath lleol am agor tafarnau ar y Sul na thrafferthu i ffurfio barn gyfrifol ar bynciau o dragwyddol bwys fel y pwnc yma. Mewn gwirionedd, wrth gwrs, y mae eglwysi Lloegr yr un mor ddiffaith ynghylch pwnc dienyddio. Yn wir, y mae'r Cymundeb Anglicanaidd yn Lloegr yn mynd mor bell â chymeradwyo'r mwrdwr cyfreithlon trwy fynd i gell y carcharor gyda Llywodraethwr y Carchar i gyflawni'r weithred gableddus o weddïo dros enaid dyn y bwriedir ei ladd mewn gwaed oer o flaen ei lygaid. Iddew 'manqué' gyda chydymdeimlad mawr ag egwyddorion Cristionogion a wnaeth fwyaf yn Lloegr dros ddileu'r gosb farwol: Victor Gollancz, nid unrhyw aelod o Eglwys Gristnogol. Ni ellir dweud bod neb Cymro wedi gwneud llawer ynghylch y peth o gwbl. Yn awr, wedi darllen mor bell â hynny, gwn o'r gorau sut y bydd meddyliau rhai pobl yn gweithio. Byddant yn dweud nad dyletswydd yr Eglwys yw cymryd ochr ar fater fel hwn, na all hi wneud dim mwy na gosod y ffeithiau o flaen ei phobl, rhoi'r ffeithiau hynny yng nghyd-destun egwyddorion Cristionogol, a gadael pethau yn y fan honno; y mae Cristionogion, meddant, ar y ddwy ochr yn y mater yma, ac felly nid yw hi'n iawn i'r Eglwys gymryd agwedd arbennig. Gallaf dderbyn hyn hyd yn oed gyda chwestiwn y Bom H. Ond ni allaf ei dderbyn ynglŷn â chrogi troseddwyr. I mi, mae'r weithred yma mor gwbl ffiaidd, mor groes i egwyddorion sylfaenol Cristionogaeth, fel na ellir llunio dadl foesol na rhesymol dros ei chadw. Os y gall rhywun lunio'r fath ddadl, carwn yn fawr ei gweld yn *Y Llan*. Ond hyd hynny, ystyriaf mai difaterwch ac ofnusrwydd sy'n rhwystro'r Eglwys rhag datgan ei barn yn gadarn ar y pwnc.

Ynghanol yr holl ganmol ar ddewrder y Cadfridog de Gaulle, a'r holl gymariaethau rhwng ei ymarweddiad yn Algeria yn awr, a'i ymarweddiad fel arweinydd y Ffrancwyr gwladgarol yn ystod yr Ail Ryfel, dylid cofio am ddewrder gwahanol – dewrder Jean-Paul Sartre. Beth amser yn ôl, cyhoeddwyd maniffesto ym Mharis, wedi ei arwyddo gan ddeugain o lenorion, actorion ac artistiaid mwyaf amlwg Ffrainc, yn datgan y farn na ddylid gorfodi milwyr Ffrainc i frwydro yn Algeria, ac y dylid caniatáu i bawb arfer ei farn bersonol ei hun ynglŷn â'r mater. Daeth ymateb sydyn oddi wrth yr awdurdodau. Fe'i gwnaed yn amhosibl i'r neb a arwyddodd y siarter ymddangos yn gyhoeddus ar lwyfan, ar y teledu neu ar y radio sain trwy gyrrau Ffrainc i gyd; mewn gair, dinistriwyd bywoliaeth yr actorion, a rhoddwyd cadwynau am fynegiant y gweddill. Ymhen dipyn, cafwyd ail ddatganiad gan y Llywodraeth; ni chaniatawyd i waith y llenorion ymddangos ar lwyfan, nac ar y teledu na'r radio ychwaith. Yn y cyfamser, datganodd llawer mwy o artistiaid Ffrainc eu cytundeb â'r maniffesto, a daeth Siarter y deugain yn Siarter y cannoedd. Yna aeth y Llywodraeth gam ymhellach.

Dechreuodd ambell heddlu mewn ambell *département* osod cyfraith ar arwyddwyr y maniffesto oherwydd iddynt gymell milwyr Ffrainc i fradychu eu dyletswydd. Ond aelodau mwyaf dinod y criw bychan yma a safodd dros ryddid personol a ddaeth dan sylw'r *gendarmerie*; anwybyddwyd y llenorion amlycaf fel Sartre, Simone de Beauvoir, Andre Gide, ac actorion fel Gerard Philipe a Simone Signoret. Yr oedd yn amlwg bod y Llywodraeth am geisio cywilyddio aelodau mwyaf dylanwadol y grŵp trwy ddial ar yr aelodau mwyaf dinod. Gweithredodd Sartre ar unwaith. Galwodd gynhadledd y wasg yn ei dŷ, a heriodd y Llywodraeth yn gyhoeddus i'w garcharu yntau hefyd; dyna, meddai, oedd ei hawl amlwg ef fel dinesydd. Ni wnaeth y Llywodraeth ddim, ond peidiodd â charcharu aelodau eraill y grŵp, a gellid dweud i Sartre a'i gymdeithion ennill buddugoliaeth. Ond ni ddylai hynny ein dallu i barodrwydd llywodraeth Ffrainc i ymddwyn yn gwbl annheilwng yn y lle cyntaf. Y mae yn Ewrop, waeth i ni gyfaddef hynny na pheidio, fwy o wledydd unbenaethol nag o wledydd 'rhydd', beth bynnag yw ystyr y gair hwnnw mewn gwleidyddiaeth. Ac y mae llawn cymaint o gyfeillion y wlad hon yn unbenaethol ag o gyfeillion – neu ffug-gyfeillion – Rwsia. Meddylier, er enghraifft, am Portiwgal, Sbaen, a Twrci, pob un ohonynt yn gwbl ffiwdal yn eu dull o lywodraethu. Ond y mae Ffrainc yn llawer mwy o drasiedi na'r rhain i gyd gyda'i gilydd. Ffrainc a ysbrydolodd Wordsworth i'w frwdfrydedd gwerinol a'i gariad at ryddid, Ffrainc a greodd y Weriniaeth gyntaf yn y Gorllewin, yn Ffrainc y cododd Rousseau, Ffrainc a oedd piau Voltaire, a dros ryddid Ffrainc y brwydrodd de Gaulle ei hun yn ystod y rhyfel. Y mae'n beth eironig bod yr un Ffrainc bellach yn sefyll dros egwyddorion gwahanol iawn, a'r un arweinydd yn gorfod bod yn unben er mwyn sicrhau trefn gymdeithasol. Fe ddylai ddysgu pawb ohonom mai pethau cymharol iawn yw moesau gwleidyddol.

Ymysg eraill o lyfrau'r Nadolig, daeth dau o'r Gyfres Crwydro i olau dydd, yr ail ran o *Crwydro Sir Benfro* a *Crwydro*

Llŷn ac Eifionydd. Rwy'n sicr iawn bod cyhoeddi'r gyntaf yn achlysur trist iawn i lawer o gydnabod Llwyd Williams. Ni chefais i'r fraint o gyfarfod yr awdur, ond gallaf feddwl am deimladau'r rhai a fydd yn clywed ei lais wrth ddarllen y llyfr. Oherwydd hynny, nid dyma'r lle na'r adeg i osod llinyn mesur ar *Crwydro Sir Benfro*: cofeb Llwyd Williams yw'r llyfr yma, a dylid ei dderbyn felly. Mae'n rhaid cydnabod fy rhagfarnau ynghylch yr ail lyfr. Nid wyf yn credu y gallai neb ar wyneb daear fy modloni gyda llyfr ar wlad Llŷn. Mae'r lle ben ac ysgwyddau uwchben bob man arall yn fy nychymyg, a phob llecyn a chilfach yn cuddio rhyw gyfrinach am ddyddiau plentyndod, fel na allwn fyth geisio darllen llyfr am y fro yn wrthrychol. Er hynny, cefais flas mawr ar lyfr Gruffydd Parry. Llyfr personol iawn ydyw: hynny yw, yr ydym yn dysgu llawn cymaint am yr awdur ag am yr ardal wrth ei ddarllen. Ond dyma'r math o lyfr taith sy'n apelio ataf fi; nid wyf yn hoffi'r teithiwr sy'n mynd o gwmpas gydag atlas yn ei law, y Bywgraffiadur dan ei fraich, a chariad at fynwentydd yn ei galon. Y mae lle fel y cyfryw yn golygu rhywbeth gwahanol i bawb, a gwell gennyf glywed beth mae o'n olygu i'r awdur na chlywed rhestr o'i gysylltiadau ffeithiol hanesyddol. (Y mae allt ysgol Botwnnog, er enghraifft, yn golygu i mi mai ar waelod honno yr euthum ar fy mhen i gar modur ar gefn fy meic wrth ruthro'n ddifeddwl ar draws y ffordd fawr: ond prin y gallwn ddisgwyl i'r allt awgrymu'r un peth i neb arall). A chan Gruffydd Parry cawn ymateb clir, difyr a byw i bobman yn ei hoff ardal. At hyn, y mae'r llyfr wedi ei ysgrifennu'n dda iawn, mewn mannau yn odidog, a gwneir defnydd hyfryd o iaith Pen Llŷn drwyddo. Hoffwn ddyfynnu i brofi fy mhwynt, ond aeth fy ngofod, felly bodlonaf ar eich cymell i'w brynu a'i ddarllen.

23 Rhagfyr, 1960
HOSAN – LLYFRAU – TRICIAU – OFFEREN

Wrth sôn am y Nadolig, beth yw'r peth cyntaf a ddaw i'ch meddwl chi? Yr wyf yn cofio un bore Nadolig mor glir â'r bore heddiw. Yr oeddwn yn saith oed, ac wedi gofyn i Siôn Corn am feic fel anrheg. Yr oeddwn yn ymwybodol iawn bod y fath gais yn haerllug, ac nid oedd gennyf lawer o obaith y cyflawnid fy nymuniad. Ond yr oeddwn wedi hen fabwysiadu'r cynllun rhagorol hwnnw o ofyn iddo am fwy nag a obeithiwn ei gael, gan ddisgwyl felly cawn rywbeth go foddhaol yn y diwedd. (Gofynnais unwaith am long ryfel go iawn, i'w chadw ym mae Nefyn, a bûm yn petruso cryn dipyn cyn mynd i weld a oedd hi yno ai peidio; cymysgedd o siom a rhyddhad oedd fy nheimladau pan welais nad oedd un dim mwy urddasol nag ambell gwch pysgota'n llechu dan gysgod y Penrhyn). Y noson gynt, bûm yn petruso'n hir ynghylch beth i freuddwydio amdano yn ystod yr oriau di-fudd rhyngof a'r bore. (Pan ofynnais am y llong ryfel, breuddwydiais am bêl droed, ac fe'i cefais). Yn y diwedd, penderfynais lympio'r wyau i gyd i'r un fasged a breuddwydio'n galed am y beic. Ni wn beth oedd yr amser gan ddeffroais gyntaf, ond, wrth reswm, yr oedd hi'n dywyll fel y fagddu. A oedd Siôn Corn wedi bod heibio ai peidio? Ni allwn weld digon i ddweud a oedd yr hosan ar waelod y gwely'n llawn heb fynd yno i deimlo â'm dwylo. Cymerodd tua dau funud i mi benderfynu gadael fy nyth a chrwydro i'r oerni y tu allan. Yna dechreuais ymbalfalu tua throed y gwely, a'm calon yn curo fel injan trên. O'r diwedd, yr oeddwn yn ddigon agos i estyn llaw allan a theimlo'r hosan. Mae'n debyg bod teimlo hosan Nadolig lawn ganol y nos yn brofiad sy'n aros yn hir gyda phawb a'i profodd; nid oes un dim ar wyneb daear gyda siâp mwy aflêr, mwy annelwig, mwy cynhyrfus. Ar y gwaelod, wrth reswm, yr oedd yn ddigon hawdd datrys beth oedd y tu mewn; yr oedd popeth yn y fan honno'n llyfn ac yn grwn ac yn gyfarwydd.

Ond beth oedd y sgwâr bach caled ar ben yr oren? A beth oedd y parsel mawr, anystywallt, hirgul, yn gwthio cornel allan o ochr yr hosan hanner ffordd i fyny? A'r bocs fflat ar y gwely ei hun – mae'n debyg mai rhyw fath o gêm oedd honno. Chwilotais am hir, nes gosod ffurf a siâp ac ansawdd popeth yn ddiogel yn fy nghof, ac yna dechreuais edrych o gwmpas, heb fentro gobeithio, am y beic. Dechreuodd fy llygaid arfer â'r tywyllwch erbyn hyn, a gallwn weld sgwâr golau ffenestr yn nuwch y wal. Ac yna… ger y ffenestr… a allai hwnnw fod yn feic? Nid oeddwn yn credu'r hyn a welwn, a chaeais fy llygaid yn dynn. Ymlwybrais yn ôl i fyny'r gwely i gyfeiriad y gobennydd, a gwthiais fy hun i'r nyth unwaith yn rhagor. Yna dechreuais gyfrif. Un… dau… tri… pedwar… pump. Wedi cyrraedd y cant, agorais un llygad yn ofalus a syllais yn betrus i gyfeiriad y ffenestr. Yr oedd rhywbeth tebyg iawn i feic yno o hyd. Agorais yr ail lygad, ac ymbalfalu am y dorts drydan ar y bwrdd gwely. Fflachiais olau i gyfeiriad y rhyfeddod, ac yno, dan y ffenestr, yr oedd popeth yn sgleinio dan y golau, y gloch a'r olwynion newydd sbon. Neidiais o'r gwely gyda bloedd o lawenydd, rhedais at y ffenestr, a chanu'r gloch yn wyllt ac yn ddiderfyn. Yr oedd tincial, tincial, tincial y gloch yn diasbedain drwy'r tŷ, ac yr oedd Dydd Nadolig wedi dechrau go iawn. Y bore hwnnw oedd y tro cyntaf i mi ddechrau credu nad oedd gwyrthiau'n amhosibl, a bod rhywbeth annaearol yn perthyn i fore'r Nadolig.

Ac wedyn, wrth gwrs, yr oedd y Nadolig yn adeg i ddarllen llyfrau ers talwm. Nid y dydd ei hun ychwaith, diwrnod rhuthro o gwmpas i wylio'r ŵydd, i reidio beic, i chwarae gêmau newydd oedd hwnnw. Na, nid y dydd ei hun, ond oriau mân y bore. Yr oriau hynny ar ôl yr ymbalfalu a chyn y byddai gobaith i ddeffro neb arall. Mynd dan y dillad i ddadbacio llyfr newydd fyddai'r hanes wedyn, a darllen a syllu yng ngolau'r dorts drydan. A dau lyfr a gofiaf yn arbennig o'r oriau rhyfedd hynny. *Llyfr Mawr y Plant* oedd y cyntaf i mi ei ddarllen yn y dull hwnnw, rwy'n credu. Wel, nid *Llyfr Mawr y Plant* i gyd, ond storïau Siôn Blewyn Coch. Yr oedd y dyn mawr hyll hwnnw a'i wn dan ei fraich yn codi arswyd arnaf, a thŷ clyd Siôn a Sian Slei Bach dan y ddaear yn debyg iawn i'm cell fach i dan ddillad gwely. Yr oedd Martha Plu Chwithig yn y stori honno yn rhywle hefyd, os cofiaf yn iawn, a Nel Trwyn Tamp, a rhyfeddodau diddarfod oedd y cyfan ohonynt. Bûm yn cerdded o gwmpas am wythnosau wedi hynny'n snwffa o gylch ieir a cheiliogod Bryn Ffynnon, y ffarm gyfagos, rhag ofn bod rhai ohonynt hwythau'n gallu siarad hefyd. Ac yr oedd yno un ceiliog mawr, coch, cas, y byddwn wedi ei roi'n anrheg i'r hen Siôn unrhyw ddydd y digwyddai basio heibio. Y llyfr arall oed *Nicholas Nickleby*. Bûm yn ddigon ffodus i ddarganfod stori Dotheboys Hall ymron ar unwaith yn hwnnw, a dyna lle bûm i'n arswydo am oriau, yn arbennig gan fod y copi'n gopi gyda darluniau go lachar. Parodd y llyfr hwnnw i mi gynllunio llawer o dactegau diddorol pe bai f'ysgol i'n troi allan rhywbeth yn debyg i sefydliad uffernllyd Mr Squeers. Ac yna, wrth gwrs, *Christmas Carol*. Gresyn na fyddai gennym ni stori Nadolig Gymraeg i'w chymharu â *Christmas Carol*. Byddaf yn dal i ddarllen yr hanes godidog yma o bryd i'w gilydd, ond llawenydd pur oedd ei glywed am y tro cyntaf ar y noson cyn y Nadolig wrth y tân, y gwynt yn chwistlo trwy'r simdde, a minnau'n rhoi ambell gip i fyny'r twll rhag ofn y gwelwn i Siôn Corn yn paratoi ei swper...

Pan oeddwn i ffwrdd yn yr ysgol, yr oedd diwedd tymor y Nadolig yn achlysur pwysicach o lawer na diwedd y ddau dymor arall a phawb yn mynd bron yn wallgof ar y noson olaf un. Rwy'n cofio un tro i griw ohonom sleifio i lawr y grisiau tuag un o'r gloch y bore (nid oedd neb yn mynd i gysgu o gwbl ar y noson olaf) a dechrau ymyrryd â cherbyd un o'r athrawon. Yna cafodd un y syniad rhagorol o gario'r cerbyd yn ei grynswth oddi wrth ddrws yr ysgol a'i osod ar ganol cae cyfagos a'i adael yn y fan honno tan y bore. Aeth dau neu dri i chwilio am ragor o weithwyr i'r cynhaeaf, a dyna hen gwyno a stryffaglio ac ochain a fu am awr gron. Ar ddiwedd yr awr, gosodwyd y cerbyd ar ganol y cae, a diflannodd pawb i'r nos. Yn rhyfedd iawn, ni chlywsom air gan neb am y peth hyd y dydd heddiw. Y noson honno, wrth reswm, yr oedd pawb ohonom wedi bod yn ymddwyn fel angylion yng nghapel yr ysgol, wrthi'n mwrdro'r carolau, ac ambell un wedi gorfod darllen llith am y tro cyntaf (a hwyrach y tro olaf!) yn ei fywyd. Yr oedd y Gwasanaeth Carolau yn achlysur arbennig iawn, a'r unig adeg yn ystod y flwyddyn pan y byddai pawb yn ymuno yn ysbryd y gwasanaeth. Ger yr allor, byddai coeden Nadolig anferth yn sefyll, a than y goeden dwmpath o anrhegion i blant a oedd mewn ysbyty dros y Nadolig. Byddem yn gorffen casglu'r anrhegion wedi'r gwasanaeth, ac yn cario'r parseli i lawr am y stesion dan ganu wedyn – unrhyw esgus i fod allan yn yr oerni ar y noson olaf o'r tymor. Wrth ddychwelyd i fyny'r allt droellog i gyfeiriad yr ysgol, canem garolau wrth y drysau ac, fel pob plentyn ym mhobman, gwyddem yn union beth i'w ddisgwyl ym mhob tŷ ar hyd y ffordd. Mewn un tŷ yn unig y caem fynd i mewn, eistedd wrth y tân, a chael glasied bychan, bychan o win cartref. Y bwthyn diwethaf cyn cychwyn i fyny'r allt oedd y tŷ hwnnw, a hen wraig oedd yn byw yno. Nid wyf yn sicr pa mor hen oedd hi, oherwydd i ni yr oedd pawb dros hanner cant yn hen iawn, wrth reswm. Ond rhywdro yn y gorffennol, bu ei gŵr yn arddwr yn 'Y Coleg', ac yr oedd hithau'n meddwl y byd o'r lle. Dywedai hen straeon – yr un rhai bob tro – yna rhoi ei chôt am ei hysgwyddau a'n dilyn i'r drws. Cyn troi'r gornel ar yr allt, byddem yn chwifio ein dwylo, a dyna lle byddai hi'n sefyll, yn stwcan fach fochgoch yn erbyn golau'r gegin, yn chwifio ei llaw, ac yn gweiddi "Nadolig Llawen". Bûm yn meddwl sawl tro wedyn ai unigrwydd a barai i'r hen wraig honno wahodd criw o hogiau stwrllyd anystyriol i gymowta o gwmpas ei thŷ mewn esgidiau budron ar y noson honno o Ragfyr bob blwyddyn...

Rwy'n cofio hefyd y Cymun Hanner Nos yn y pentref. Pan oeddwn i ffwrdd yn yr ysgol y dechreuodd hwn, rwy'n credu, ac yr oedd yn dipyn o syndod ac o newyddbeth am flwyddyn neu ddwy. Byddai pawb o'r eglwyswyr yn dod i'r gwasanaeth yma, a'm pleser i a'm tebyg ynddo oedd cael ymdroi allan ar awr annaearol i sgwrsio â'r genethod ac i sôn am ddigwyddiadau'r wythnos ganlynol.

"Ma 'na steddfod yn y Sarn Bocsing Dê, wyt ti'n mynd?"

"Wn i ddim. Ti?"

"Wel, mae 'na fy`s Caerlloi..."

Neu:

"Drama ym Mhwllheli nos Sadwrn."

"Wyt ti wedi cael ticedi?"

"Na, dim eto, wyt ti'n mynd?"

"O, ma'n debyg, wsti....."

Ac felly y digwyddai'r trefniadau annelwig ar gyfer y gwyliau, er mai mynd i weld tîm pêl-droed Pwllheli'n cynnal dwy ornest flynyddol yn erbyn Caernarfon a roddai'r pleser mwyaf i mi yn y blynyddoedd arbennig hynny, gweiddi nerth fy ngheg, a mynd adref yn sarrug pan fyddai Caernarfon wedi curo. Ond, yn ôl at y Cymun Hanner Nos. Yn hwnnw, erbyn edrych yn ôl, y dechreuais sylweddoli'r gwahaniaeth rhwng gwasanaeth o addoli a gwasanaeth o gydymffurfio. Mae'n wir dweud mai dyma'r unig wasanaeth yn y flwyddyn a oedd yn wir wasanaeth o addoli i mi yn y cyfnod hwnnw. Yr oedd rhywbeth yn perthyn i awyrgylch y Nadolig na pherthynai i adegau eraill, a rhywbeth, dyn a ŵyr paham, a berthynai i'r adeg honno o'r nos na pherthynai i wasanaethau cyfforddus chwech o'r gloch. Pan glywais yn ddiweddarach am y goleuni'n lledaenu o gannwyll i gannwyll am hanner nos ar Noswyl y Nadolig yn Eglwys Gadeiriol Moscow, yn symbol o'r goleuni'n dyfod i'r byd, yr oeddwn yn gallu deall cyfaredd y foment yn iawn. Yr wyf yn ddiolchgar byth am y Cymun Hanner Nos.

Wel, wrth sôn am y Nadolig, gwell cyfaddef nad oes gennyf awydd yn y byd i fod yn realistig ac yn fodern ynghylch y cyfnod yma o'r flwyddyn. Yr wyf yn barod i lyncu'r sentimentaleiddiwch mwyaf trioglyd mewn perthynas â'r Nadolig, ac ni byddai un dim yn rhoi mwy o bleser i mi na chael mynd yn ôl ganrif a hanner mewn amser i gael profi un o wyliau Nadolig Dickens yn ei holl ogoniant eiraog. Wrth reswm, byddai'n rhaid i mi fod yn weddol gyfoethog i fwynhau ei ddarluniau, byw mewn plasdy go ddifyr yn y wlad, a chael mynd am dro mewn coets fawr trwy'r byd gwyn yn y prynhawn. Amser i freuddwydio ac anghofio'r byd mawr annifyr yw'r Nadolig, bid sicr, a dyna paham na cheisiaf ddweud undim mwy difrif yr wythnos hon na dymuno Nadolig Llawen, cyfoethog a chyforiog o atgofion i bawb ohonoch. Yr wythnos nesaf, ymunaf â'r ffasiwn gan fwrw trem yn ôl ar 1960. Yn y cyfamser, cofiwn gwpled Waldo Williams:

> Gaeaf ni fydd tragfyth:
> Daw'r wennol yn ôl i'w nyth.

30 Rhagfyr, 1960
GWREIDDIAU – GWLEIDYDD – CONGO – FFEFRYN NEU DDAU

Nofel abennig yw *Border Country* gan Raymond Williams, llyfr sy'n berthnasol iawn i sefyllfa bresennol y Gymru Gymraeg. Hanes darlithydd ifanc ym Mhrifysgol Llundain yw'r llyfr, ac mae'n dangos yr agendor rhwng ei gefndir yng nghefn gwlad Cymru a'i fywyd beunyddiol yn Llundain. Ar ddechrau'r llyfr, fe glyw'r darlithydd, Mathew Price, bod ei dad yn wael iawn gartref yng Nghlynmawr, ac mae'n cychwyn yno ato ef a'i fam, Ellen. Rywle ar y gororau y mae'r pentref, yn Sir Frycheiniog, mae'n debyg, a phentref bychan gwledig ydyw lle mae pawb yn gwybod hanes ac yn trafod busnes pawb arall. Y mae Matthew Price wedi bod yn Llundain am wyth mlynedd, wedi priodi yno, yn dad i ddau o fechgyn ac yn berchen ar dŷ ar ymylon y ddinas. Profiad chwithig iddo felly yw dychwelyd i Lynmawr a darganfod fod pawb yno'n dal i edrych arno fel llanc deunaw oed, yn dal i ymddiddori ym manylion ei fusnes, yn gwybod popeth am ei deulu a'i yrfa ac yn mynd i mewn ac allan o dŷ ei fam fel erioed. Sylweddola iddo ef, rywsut neu'i gilydd, dros wyth mlynedd, golli'r berthynas rhyngddo a'i gefndir, ei gyfeillion a'i hen gydnabod. Thema'r llyfr yw ei ymgais i gyfuno dwy agwedd ar fywyd, i wneud ei orffennol yn ystyrlawn ac yn fuddiol i'w bresennol. Dyma'r nofel Eingl-Gymreig gyntaf a ddarllenais i erioed sydd yn amddifad o ragfarn, gormodiaith a darlunio *grotesque*: gwelir ynddi well archwiliad o broblem sy'n wynebu llawer iawn o deuluoedd yng Nghymru nag a welir yn unman arall. Ond nid problem arbennig i Gymru yw'r broblem yma wrth reswm; problem sydd ynghlwm wrth ddatblygiadau'r ugeinfed ganrif yw hi. Lle bynnag y gwelwn blant yn dechrau byw mewn byd mwy eang, mwy gwybodus na byd eu rhieni, fe ddaw'r broblem i'r wyneb, y dieithrwch, y cenfigen hanner-cudd, y diffyg deall, yr anoddefgarwch. Er hynny, mewn cymdeithas ddi-ddosbarth, gymharol ddiaddysg fel yr hyn a geir mewn llawer pentref yng Nghymru o hyd, fe ddaw'n llawer mwy amlwg. Y duedd mewn llawer llyfr Cymraeg yw sôn am y broblem yma fel pe bai'r ateb yn ddigon amlwg a'r dewis moesol yn ddigon clir. Darlunir y Cymro a aeth o'r pentref ac a ymsefydlodd yn y dref – yn arbennig hwnnw a ymsefydlodd yn y dref Seisnig – un ai fel snob sy'n edrych i lawr ar ei hen gydnabod ac yn taflu ei ddysg o gwmpas yng nghwmni ei hen gyfeillion, neu fel rhyw fath o adolesent mewn oed sy'n edrych ar y pentref fel paradwys mewn byd uffernol, ac yn byw ar hiraeth ac atgofion am a fu. Ond sut bynnag y darlunnir ef, cymerir yn ganiataol mai'r pentref sydd yn iawn, a bod rhywbeth dieflig o raid yn perthyn i fywyd newydd y dref. Y mae hyn yn amlwg iawn yng ngwaith Islwyn Ffowc Elis, yn oblygeidig yng ngwaith Kate Roberts, ac yn tueddu i ymwthio i'r wyneb hyd yn oed yng ngwaith John Gwilym Jones. Mewn nofelau Saesneg, ar y llaw arall, y dref sy'n iawn. Rhyw le gwallgof, yn storws defnyddiol i atgofion od am blentyndod, yn gyrchfan ynfydwyr o wahanol fathau, yn gartref hen bobl, ac yn gefndir i ddigwyddiadau a chymeriadau mewn stori *bicaresque*, dyna yw cefn gwlad Cymru i rai fel Gwyn Thomas, Gwyn Jones a Rhys Davies. Dyna oedd o hefyd gwaetha'r modd i Dylan Thomas. Ond nid fel problem ddu a gwyn y mae'r rhan fwyaf o bobl cig a gwaed yn gweld y busnes yma. Y mae llawer iawn, fel Matthew Price, yn ceisio cynnal y ddau ddraddodiad o fewn eu personoliaeth, ac yn ceisio dwyn maeth oddi wrth y naill i gyfoethogi ac i gynnal y llall. Mae'n wir mai mewn rhan o Gymru lle nad yw'r iaith Gymraeg yn gyffredin yr oedd Matthew Price yn byw, ond atodiad at y broblem yw'r iaith, rhywbeth sy'n gwneud y gymysgfa'n fwy cymysglyd fyth. Fe ddylai pob Cymro a welodd brofiadau tebyg i brofiadau arwr *Border Country* elwa ar ddull doeth, tawel, diragfarn yr awdur o ymdrin â'r sefyllfa. Nid yw'n cynnig ateb pendant, ac ni ddisgwylir iddo wneud. Yn y mater yma, fel ym mhopeth arall o bwys, mae'n rhaid i bawb weithio allan ei ateb drosto'i hun; ond y mae clywed ochr rhywun arall bob amser yn help; a phan fo'r rhywun arall hwnnw mor ddoeth, a hefyd mor gelfydd, â Raymond Williams, yna ni ddylid colli'r cyfle i ddadwneud peth o ddrygioni ysgol Gwyn Thomas.

Rwy'n cofio Saunders Lewis yn dweud ar raglen deledu mai gwleidydd aflwyddiannus oedd ef oherwydd nad oedd ganddo'r gallu i fod yn arweinydd ymarferol. Wel, po fwyaf y mae rhywun yn darllen ar gofiannau gwleidyddion ymarferol, hwyrach nad yw bod yn wleidydd anymarferol yn ddrwg i gyd! Y cofiant diwethaf i ymddangos yw *The Young Disraeli* gan B. R. Jarmand. Mae'n ymddangos nad oes unrhyw reol osodedig ar gyfer y gwleidydd gobeithiol ar wahân i ystyfnigrwydd penderfynol. O ddyddiau Octavius Cesar ymlaen, y gŵr sy'n llwyddo i ganolbwyntio'n llwyr ar ei uchelgais sy'n ennill grym gwleidyddol. Oherwydd hyn, fel y gwelodd Mark Antony, Richard III, Charles I, Charles James Stewart, Walter Raleigh, y Randolph Churchill cyntaf, Danton, Robespierre, Adlai Stevenson, a miloedd tebyg, nid yw gormodedd o dalentau bob amser yn fantais i wleidydd ymarferol; maent yn tueddu i dynnu ei sylw oddi wrth y pinacl aur, prun ai sedd ar y Cyngor Sir ynteu sedd yn Nhŷ'r Cyffredin ynteu sedd ym mharlwr Chequers yw'r pinacl hwnnw. Cafodd Octavius lawer llai o dalentau na Mark Antony, ond, a dweud y lleiaf, nid oedd Mark Antony'n meddu'r ddawn i ganolbwyntio. A dyna Richard II wedyn; ar yr olwg gyntaf, gŵr llawer mwy dawnus na Bolingbroke, ond Bolingbroke a ddaeth yn Henry IV. A Richard a gollodd ei ben cyn ei amser. Sylwer ar restr Prif Weinidogion y wlad yma yn ystod y ganrif hon, a gwelir mai gwŷr o allu cymhedrol, uchelgais a greddf wleidyddol oedd y rhan fwyaf ohonynt yn hytrach na gwŷr o athrylith. Winston Churchill hwyrach yw'r unig eithriad amlwg, ac er gwaethaf ei Blaid y daeth ef yn Brif Weinidog, ar ôl iddynt osod eu hymddiriedaeth yn hytrach mewn gŵr mor gyffredin â Neville Chamberlain. Yr oedd Disraeli yn eithriad arall amlwg iawn. Yr oedd ef yn un o'r creaduriaid ffodus hynny – a chreaduriaid annymunol yn aml – sy'n gallu morio'i ffordd trwy fywyd yn berffaith ddidrafferth, sydd beunydd yn edrych o gwmpas am fydoedd newydd i'w concro. Dechreuodd fel llenor, fel nofelydd a golygydd. Fel golygydd, collodd £20,000 o fewn ychydig fisoedd i John Murray, ei gyhoeddwr, a chollodd £7,000 o'i arian ei hun. Yna aeth at ei nofelau o ddifrif, a llwyddodd i dalu i ffwrdd beth o'i ddyled. Ond parhaodd i fyw ar lefel go afradlon ar hyd yr adeg, a bu raid iddo fenthyca llawer iawn o arian gan ei gyfeillion, a phrin y gwelodd neb ohonynt lawer o arian yn ôl. Yn 1835, ac yntau mewn stad ariannol go bryderus, aeth drosodd i'r Iseldiroedd a cheisiodd sefydlu busnes cyfnewid arian yn yr Hague; bu hwnnw hefyd yn fethiant llwyr. Ond fel y dywed ei gofiannydd, "Disraeli was always broke, but never shabby." Ar ôl 1835, darganfu mai'r ffordd orau i ennill arian oedd trwy ddylanwadu ar wragedd dynion cyfoethog; ar yr un pryd, hyrwyddodd ei yrfa wleidyddol trwy swyn ei ddylanwad ar wragedd gwleidyddwyr. O'r diwedd, priododd y weddw gyfoethog, Mary Ann Lewis, anghofiodd ei uchelgais lenyddol, a chanolbwyntiodd fwy neu lai ar ei uchelgais wleidyddol. Cafodd sedd yn Nhŷ'r Cyffredin am ddeugain mlynedd, ond ni bu mewn swydd am fwy na deg o'r blynyddoedd hynny; treuliodd lawer gormod o amser yng nghysgod cawr y ganrif, Gladstone. A phan ddaeth llwyddiant llwyr, a moliant y cyhoedd o'r diwedd, yr oedd yntau'n rhy hen i wneud defnydd iawn ohono. Y mae'n sicr gen i i Disraeli wneud popeth a wnaeth yn bennaf er mwyn Disraeli, er mwyn gogoniant a gallu ac awdurdod iddo ef ei hun. A dyna'r unig reswm paham y llwyddodd i ganolbwyntio ar wleidyddiaeth yn ddigon chwyrn am ddigon o amser i dyfu'n Brif Weinidog. Ni allai neb a ddarllenodd y llyfr hwn awgrymu bod delfryd o wasanaeth y tu ôl i'w ymdrechion gwleidyddol, fel yr oeddynt yn rhannol y tu ôl i ymdrechion Gladstone. Edrychai'r hen wraig yn Windsor yn ddrwgdybus ac yn faleisus ar Disraeli. Yr oedd ef, meddai hi, yn llawer rhy *smooth*; yr hyn a feddyliai, mae'n debyg, oedd ei fod yn llawer rhy glyfar, yn rhy dalentog, ei fod yn gweld drwy'r holl adeilad ffug a greodd hi o'i chwmpas ei hun yn ei blynyddoedd diwethaf. Er iddo gyrraedd Downing Street o'r diwedd, yr oedd Disraeli yn llawer rhy glyfar i fod yn wleidydd cwbl lwyddiannus. Mewn democratiaeth, cyffredinedd sy'n dod i'r wyneb gan amlaf, nid athrylith, a gwell gan y cyhoedd un sydd yn chwarae golff yn rheolaidd nag un sy'n meddwl gormod.

Beth bynnag yw syniad Glyn Morgan am Patrice Lumumba, ni allaf gytuno bod y sefyllfa yn y Congo'n ymddangos mor fler ag yr awgrymodd ef yn ei ysgrif bythefnos yn ôl. Kasavubu a Mobutu sy'n rheoli yno yn awr, bid sicr, ond yn ôl tystiolaeth y rhan fwyaf o newyddiadurwyr y gellir dibynnu arnynt (hynny yw, cynrychiolwyr y *Guardian*, *Telegraph*, *New Statesman*, ITA, BBC a'r *Economist*) er holl feiau Lumumba, ef yw Prif Weinidog cyfreithlon y Congo yng ngolwg y rhan fwyaf o Affricanwyr. At hyn, y mae'r ffordd y deliodd milwyr Mobutu â Lumumba wedi cythruddo llawer o bobl niwtral yng nghanoldir Affrica. Trwy rym yn unig y mae Mobutu'n rheoli yn y Congo yn awr, a thrwy ei gyfeillgarwch â Mobutu y mae Kasavubu yn dal i fod yn Arlywydd. Camgymeriad mawr yw tybio bod pethau bellach yn ffein yn y Congo oherwydd bod Mobutu yn erbyn y Comiwnyddion a Lumumba mewn carchar. Yr hyn sy'n wynebu poblogaeth y Congo yw Rhyfel Cartref, ac ni ellir osgoi'r fath ryfel heb weithred bendant ar ran y Cenhedloedd Unedig. Ond ymddengys nad yw'r Cenedloedd Unedig yn fodlon ymyrryd yn y mater. Gan fod eu siarter yn dweud yn blaen na allant ymyrryd yng ngwleidyddiaeth cartref unrhyw wlad, gallai'r Cenhedloedd Unedig o leiaf alw cyfarfod rhwng Lumumba a Kasavubu, Mobutu, a Tshombe hefyd, oherwydd fe ddylai fod yn amlwg i bawb bellach na ddaw heddwch i'r Congo trwy hap a damwain. Os oedd Lumumba yn arweinydd annheilwng, yna nid y ffordd gywir o gael gwared ohono yn yr ugeinfed ganrif oedd anfon milwyr ar ei ôl, ei yrru i guddio mewn tref ddiarffordd, ei gondemnio yng ngolwg y cyhoedd heb ei osod mewn unrhyw lys barn, a'i gamdrin yn gorfforol ar ben hynny. Nid yw bod yn wrth-Gomiwnyddol yn esgusodi y math yma o weithredu, a phe bai'r wlad hon, (ac yn waeth fyth, y Cenhedloedd Unedig) yn ei gymeradwyo, byddai hynny'n bropaganda rhagorol i Kruschev, ar wahân i fod yn gwbl anfoesol, hyd yn oed o fewn terfynau gweithredu gwleidyddol. Er na ellir cymharu y drygioni yn y ddwy achos, eto dibwrpas braidd yw condemnio trasiedi Hwngaria ar y naill law a chymeradwyo dulliau Hitleraidd Mobutu ar y llaw arall. Ni ddylem gymeradwyo gwleidyddiaeth grym yn unman; dylem fod yn arbennig ofalus i'w dorri i lawr ar y cychwyn mewn gwlad newydd bwysig fel y Congo.

Ac yn awr rhestr anrhydedd 1960! Y llyfr a fwynheais fwyaf yn ystod y flwyddyn yn ddiamau oedd *Cider with Rosie* gan Laurie Lee, hunangofiant gwefreiddiol yn adrodd hanes bywyd mewn pentref yn y Cotswolds ar ddiwedd canrifoedd o dawelwch ac arwahanrwydd ynysig. Fel yr awgryma'r awdur, gall mai hwn fydd y llyfr diwethaf i allu sôn am gefn gwlad Lloegr yn y dull clasurol a ddefnyddiwyd gan awduron mor wahanol â Geoffrey Chaucer a Thomas Hardy. Personoliaeth arbennig y rhaglenni teledu Cymraeg yn ystod y flwyddyn, i mi, oedd Wyn Roberts. Fel arweinydd y rhaglen *Pwy Fuasai'n Meddwl* ac fel (rwy'n credu!) Siôn Corn yn y rhaglen a heriodd Siôn Corn, daeth â dull cartrefol, rhwydd a phroffesiynol i deledu Cymraeg, ac fe ddaeth yn bersonoliaeth teledu pendant iawn. Pe gofynnai rhywun i mi enwi personoliaeth radio sain, dewiswn W. H. Roberts. Ei gyfrinach ef, wrth gwrs, yw swyn ei lais, a gallwn wrando arno'n darllen Geiriadur y Brifysgol o'r dechrau i'r diwedd heb flino ar ei seiniau. Fel yr awgrymodd Bobi Jones yn y *Western Mail*, mae'n rhaid rhoi'r flaenoriaeth ym myd llyfrau Cymraeg i weithgarwch arbennig pennaeth Llyfrau'r Dryw, Emlyn Evans. Ond rhywbeth personol yn y bôn yw pob blwyddyn i bawb, a phe bai gen i anrhydeddau i'w rhoi mewn gwirionedd, fe'i rhoddwn i staff yr hen Penrhyn Ward yn Ysbyty Bangor (y ward sydd bellach wedi mynd yn grand iawn tan y teitl 'Men's Surgical Ward' yn entrychion yr adeilad newydd). Mae'r caredigrwydd a geir ganddynt hwy yn werth y byd, a charwn ddymuno Blwyddyn Newydd Dda iddynt yn anad neb arall. Mae gennyf syniad fod dwy o leiaf ohonynt o fewn cyrraedd i'r *Llan*.

1961

Ionawr 20, 1961

YN YR AWYR

Wn i ddim prun ai ymddiheuro am beidio ymddangos yr wythnos ddiwethaf yntau ymddiheuro am ddychwelyd yr wythnos hon yw'r peth gorau i mi ei wneud. (Gallai Daniel ateb y cwestiwn yma'n weddol rwydd, mae'n debyg, ond gofyn i mi fy hun oeddwn, wrth lwc, nid iddo ef). Sut bynnag, dyma ni, ac nid af i wahodd chwerthin gwawdlyd trwy geisio egluro'r bwlch.

O'm blaen yn awr y mae adroddiad blynyddol y BBC yng Nghymru. Cymerodd y feirniadaeth sarrug arferol ar holl weithgareddau'r BBC yng Nghymru gyfeiriad annymunol ac annheg yn ddiweddar, ac fe ddylid ceisio dychwelyd at y ffeithiau. Cyfaddefwn yn gyntaf nad yw gwasanaeth Cymraeg y BBC yn foddhaol. Ond wedi dweud hynyna, dylem sylweddoli mai anfuddiol ac anneallus yw beirniadaeth anghyfrifol sy'n anwybyddu terfynau'r posibl. A dyna'r math o feirniadaeth sydd i'w gael gan y *Cymro* a'r *Faner* y dyddiau hyn. Y mae TWW gyda'i raglenni amser te, yn gwneud llawer gwell cyfraniad na'r BBC i deledu Cymraeg y dyddiau hyn. Y mae rhaglenni amser cinio'r BBC ar awr hynod o anghyfleus i bawb, a'u rhaglen hwyr wythnosol yn fwy anghyfleus fyth. At hyn, rhy fyr yw rhaglenni amser cinio i gystadlu'n deg a rhaglenni amser te TWW.

Cyfaddefwn hefyd nad yw'r BBC yn cyflawni dymuniadau ei Gyngor Cymreig, bod hawl gan Gymru i fwynhau gwasanaeth dwyieithog *annibynnol*. Ac mewn adroddiad yn y *Guardian* yn ddiweddar, dywedodd rheolwr y BBC Mr Hugh

Carleton Greene, bod awdurdodau'r gorfforaeth yn dymuno rhoi "annibyniaeth technegol" i Gymru cyn gynted ag y gellid cael caniatâd gan y Llywodraeth i wneud hynny. Gofynnais i un o brif swyddogion y BBC yng Nghymru y dydd o'r blaen beth yn union oedd "annibyniaeth dechnegol" yn ei olygu. Eglurodd ef fod gwasanaeth teledu'r BBC yng Nghymru ar hyn o bryd ynghlwm yn dechnegol wrth dde-orllewin Lloegr. Pe gellid rhyddhau Cymru'n dechnegol, meddai, yna byddai'r BBC yn fodlon teledu awr o Gymraeg am awr resymol (o saith i wyth dyweder) bob gyda'r nos. Yr wyf yn fodlon derbyn gair y gŵr yma, ac felly erys un cwestiwn. Beth sy'n rhwystro'r annibyniaeth dechnegol yma, os yw awdurdodau'r BBC o blaid? A'r ateb yw, rwy'n casglu, fod y Postfeistr Cyffredinol yn anfodlon caniatáu'r donfedd angenrheidiol, ac felly'n gwrthod caniatâd i'r BBC fynd ymlaen â'r cynllun i greu annibyniaeth yng Nghymru. Ofer felly, dybiwn i, yw lambastio awdurdodau'r BBC yng Nghaerdydd am fod yn ddiog ac aneffeithiol; ar y Postfeistr Cyffredinol y mae'r bai, a dylid lambastio hwnnw yn hytrach na'r BBC (Os oes rhaid lambastio'r BBC, yna llambastier Mr Hugh Carleton Greene am fethu dylanwadu'n ddigon effeithiol ar y gweinidog). Sut bynnag, y mae dau bwynt pwysig ynghylch hyn i gyd, a dylem eu cofio cyn sôn dim rhagor am ddiffygion BBC Caerdydd.

Yn gyntaf, y mae TWW ar hyn o bryd yn gwneud cystal gwaith ag y gellir disgwyl iddynt ei wneud, gan mai cwmni masnachol ydynt. Ni fyddent yn meiddio rhoi rhaglen Gymraeg ymlaen gyda'r nos, oherwydd gŵyr pawb fod cwmni masnachol yn dibynnu ar ewyllys da'r cwsmeriaid. A phrin bod siawns iddynt hawlio rhagor o amser yn ystod y dydd. A byddai hyn yn wir am unrhyw gwmni masnachol a geisiai deledu yng Nghymru. Byddai'r ochain a'r llefain yn llawer rhy gryf i'r fath gwmni fentro rhoi rhaglen Gymraeg ymlaen yn ystod gyda'r nos a thrwy hynny ei gwneud yn amhosibl i boblogaeth Cymru weld rhaglen Saesneg ar eu sianel hwy yn ystod y cyfnod hwnnw. Y BBC yn unig, pe bai'r annibyniaeth hirhoedlog yma'n digwydd, a allai fentro anwybyddu'r feirniadaeth, a hawlio awr o Gymraeg bob gyda'r nos. (Wedi'r cyfan, maent wedi anwybyddu digon o feirniadaeth o bob math eisoes, gall corfforaeth sefydlog sy'n bod er mwyn gwasanaethu'r cyhoedd fforddio gwneud hynny, ond prin y gall cwmni masnachol fentro cythruddo'r cyhoedd.)

Yn ail, os yw'r dyfodol yn nwylo'r Postfeistr Cyffredinol, yna nid yw hwnnw'n debyg o roi annibyniaeth dechnegol i Gymru tra bo'r holl gecru anghyfrifol ynghylch rhaglenni'r gorfforaeth yn dylifo dros Glawdd Offa. Bydd yn llawer gwell ganddo gadw'r donfedd ar gyfer rhyw achos mwy teilwng a llai rhanedig.

Ein polisi gorau ni fel Cymry Cymraeg felly yw pwyso ar y Llywodraeth i ryddhau Cymru oddi wrth orllewin Lloegr ar unwaith, er mwyn rhoi siawns i'r BBC ddangos bod geiriau'r siarter a gosodiadau'r Cyngor Cymreig yn golygu rhywbeth mwy na phrint ar bapur i awdurdodau'r gorfforaeth. Bydd hyn yn wrs llawer mwy buddiol a llawer mwy ffrwythlon na'r cecru anghyfrifol, dinistriol, nodweddiadol Gymreig a gawn y dyddiau hyn.

Wedi dweud hynyna, yr wyf finnau hefyd am wneud un gŵyn ddistaw yn erbyn un agwedd o bolisi Cymreig y gorfforaeth. Paham y mae'r BBC yn cymryd yn ganiataol na all y Cymro Cymraeg siarad Saesneg. Yn ddiweddar iawn, clywsom Kate Roberts a John Gwilym Jones yn trafod llenyddiaeth hefo Gwyn Thomas a Gwyn Jones. Ond eithriad o'r eithriadau yw'r fath raglen. Anaml iawn y gwahoddir Cymro sy'n amlwg fel Cymro Cymraeg i drafod un dim yn Saesneg. Bob tro y mae angen gŵr i drafod llenyddiaeth, cerddoriaeth, gwleidyddiaeth, cymdeithaseg yn Saesneg eir i chwilio am Eingl-Gymro addas, Pam? Byddai'n gwneud lles mawr i undod Cymru a chyd-ddealltwriaeth o fewn ein cymdeithas pe gellid cael llawer mwy o drafod yn Saesneg rhwng rhai Cymry Cymraeg a Chymry di-Gymraeg. Gallem weld wedyn ein bod o leiaf yn byw yn yr un byd.

Bûm yn casglu nifer o ysgrifau at ei gilydd yn ddiweddar i greu cyfrol yn adlewyrchu syniadau nifer o Gymry Cymraeg dan bymtheg ar hugain oed at eu Cymreigrwydd. Nodwedd arbennig yr holl ysgrifau hyn oedd anfodlonrwydd yr awduron i gymryd eu Cymreigrwydd yn ganiataol. Yr oedd y cyfan yn holi a dadlau ynghylch gwerth eu cenedligrwydd. Yr oedd nifer helaeth ohonynt hefyd yn pwysleisio'r agwedd grefyddol ar genedlaetholdeb. Gan mor ddidwyll oedd yr ysgrifau, gellid gweld ynddynt adlewyrchiad eithaf teg o agwedd Cymru heddiw ati hi ei hun. Y mae'n agwedd amheus, ansicr ar y cyfan, ond er hynny'n agwedd sy'n fodlon wynebu ffeithiau, yn awyddus i ddadansoddi, ac yn berffaith sicr bod gwerth a phwrpas mewn Cymreictod, hyd yn oed yng nghanol yr ugeinfed ganrif. Sut bynnag, caiff darllenwyr *Y Llan* gyfle i farnu drostynt eu hunain cyn bo hir.

27 Ionawr, 1961
BYD A BETWS

Rhyw fath o ail Bab Ioan yw Archesgob penodedig Caergaint, yn ôl pob tebyg. Dywedir stori amdano, ac yntau newydd ei benodi'n Esgob Durham, yn eistedd mewn cornel tŷ tafarn yn y ddinas yn ystod wythnos y "ceffylau". Sleifiodd rhyw greadur bychan, ceffylog, gwargam tuag ato, a gwthiodd ddarn o bapur i'w law. Agorodd yr Esgob y papur a gwelodd wedi ei ysgrifennu arno "Castle Durham, 2 bob e.w." Yna cododd ei ben, a dywedodd yn eithaf cwrtais, "I'm sorry, I'm not your bookie, I'm the Bishop of Durham." Edrychodd y bychan arno o'i ben i'w gorun, gan gymryd i mewn holl fanylion ei gorff sylweddol, ac yna mynegodd ei siom a'i ddicter, "My God, what's up with the Church then?" Mae'n anodd gwybod beth a ddywedai'r eglwyswr sydêt hwnnw erbyn hyn, ond y mae Dr Ramsey yng Nghaergaint bellach, beth bynnag yw ei ymateb. Yn rhyfedd iawn, ychydig o wybodusion y wasg ddyddiol a broffwydodd y penodiad, a rhoddwyd eiliad o obaith i Southwark, Exeter, Peterborough, Manchester, Chester, Southwell, ac amryw eraill yn eu tro. Clywais sôn fwy nag unwaith hefyd am Archesgob Capetown, Dr Joost de Blank. Ond Dr Ramsey, mae'n debyg oedd y dewis naturiol, y personoliaeth mwyaf grymus a'r meddyliwr amlycaf o ddigon ymysg Esgobion presennol Lloegr. Yr unig nodwedd annisgwyl ynddo yw ei duedd tuag at uchel-eglwysyddiaeth, ond siawns nad yw'r hen ddyddiau drwg o ryfel cartref rhwng uchel ac isel-eglwyswr y tu ôl i Eglwys Lloegr bellach, a gellir disgwyl i'r Archesgob newydd ddilyn yr Archesgob presennol yn ei ymdrechio i arwain y gymuned Anglicanaidd i gyfeiriad adundeb Cristionogol. Sut bynnag, gall Dr Ramsey roi arweiniad mwy pendant a rhyddfrydig i'r Eglwys ar bynciau cymdeithasol nag a gafwyd gan ei ragflaenydd, ac y mae angen arweiniad llawer mwy ar bynciau cyfoes. Gobeithio y bydd yn fodlon rhoi'r fath arweiniad, oherwydd fe allai arweiniad cryf o'r ochr draw i Glawdd Offa ddeffro peth ar arweiniad pitw yr Eglwys yng Nghymru. Gallwn fod yn sicr, o leiaf, y byddai esiampl o weld arall yn debycach o fywiogi ein harweiniad ni nag un dim sy'n debyg o ddigwydd y tu mewn i Gymru ei hun.

Wrth sefyll ar risiau'r Capitol yn Washington, a syllu allan ar y miloedd terfysglyd o'i flaen, beth oedd teimladau a meddyliau John F. Kennedy? Y mae ef wedi cyrraedd pinacl y byd ac yntau'n ddigon ifanc i gredu bod newid yn bosibl, ond tybiaf mai stori bersonol oedd yn rhedeg drwy ei feddwl, ac mai buddugoliaeth deuluol oedd hon. Oherwydd, o'i flynyddoedd cyntaf, ail ffefryn yn y teulu oedd John Fitzgerald. Yr athrylith, y personoliaeth, y bachgen penfelyn, oedd Joseph ei frawd. Yn yr ysgol ac yn y byd wedyn, proffwydai pawb, Offeiriaid a chyfeillion ac athrawon, ddyfodol arbennig i Joseph. Dechreuwyd sôn, gan chwerthin, mai Joseph fyddai'r Pabydd cyntaf, a'r Kennedy cyntaf, i gyrraedd y gris uchaf. Fe laddwyd Joseph yn y rhyfel, ac o hynny ymlaen cymerodd

Jack ei le, ef bellach oedd yn obaith ac yn symbol i'r teulu. Wel, fe gyrhaeddwyd; trwy ddyfalbarhad ac uniongyrchedd fe gyrhaeddodd. Ac y mae'n ddyn rhyfeddol iawn. Yr oedd ei araith i'r dorf, a barnu oddi wrth y dyfyniadau a gafwyd yn y wasg, yn wead graenus a chyfrwys o osodiadau cryf, cadarn, o gyffyrddiadau treiddgar, sloganaidd. "Let us not negotiate in fear, but let us never fear to negotiate," ac o'r rhestrau manwl, perthnasol hynny o ffeithiau a ffigurau sy'n ddychryn i ddyn ymhob un o'i areithiau. Yr oedd yn araith unigryw, wreiddiol, hollol hunanhyderus; teimla dyn ei fod yn golygu'r hyn a ddywedodd pan ddatganodd fod yr awenau bellach yn nwylo cenhedlaeth newydd, ac mai ef ei hun sydd i gynrychioli'r genhedlaeth honno, a neb arall. Gallwn ddisgwyl anturiaethau a helyntion o Washington bellach, stŵr a syndod a sydynrwydd, a gallwn ddechrau cymryd llawer mwy o sylw o osodiadau swyddogol y White House. Oherwydd y mae Kennedy'n golygu'r hyn a ddywed yn gyhoeddus; cyn belled ag y mae hynny'n bosibl, fe ddywed yr hyn sydd ar ei feddwl. Un peth diddorol iawn yw ymateb sydyn a rhanedig y Dwyrain i'w apwyntiad. Croesawodd Pravda yr Arlywydd newydd, gan ddweud bod gobaith i wella'r sefyllfa gydwladol yn awr, a gobaith i ehangu'r cysylltiadau rhwng Rwsia a'r Unol Daleithiau. Yn y bore, daeth ymosodiad milain dros y gwifrau o Peking. Yr oedd teulu Kennedy, meddid, yn rowlio mewn arian, yr oedd ef ei hun yn gyfrifol am lawer o weithredoedd gwrth-werinol, ac yr oedd yn symbol addas iawn o gymdeithas bwdr yr Unol Daleithiau. Y mae hyn yn ymgais amlwg iawn i danseilio polisi heddychlon Kruschev, ac ymddengys bellach fod Mao Tse-tung yn fodlon dilyn polisi hollol annibynnol, a hollol groes i bolisi Moscow os bydd hynny'n debyg o'i osod ef yn fwy pendant yn erbyn polisi'r Unol Daleithiau. Y mae Kennedy o leiaf yn gwybod lle mae'n sefyll ar ddechrau ei bedair blynedd; gall ddisgwyl cyfeillgarwch, neu barodrwydd i fod yn gyfeillgar, o gyfeiriad Moscow; ni all ddisgwyl dim amgen na gwawd, gelyniaeth a chasineb o Peking. Y mae'n anodd gwybod prun yw'r gwaethaf, y wên ar wyneb y teigr yntau'r llid yn llygaid ei wraig.

Dywedais yn *Y Llan* dro byd yn ôl mai mater o egwyddor yn fwy na mater o arian oedd cweryl y chwaraewyr pêl-droed a'u meistriaid. Bellach, enillodd y chwaraewyr ran helaeth o'r frwydr, a phrofwyd pwysigrwydd yr egwyddor. Yn anffodus, y mae amryw byd o'r chwaraewyr yn ymddangos yn gyhoeddus fel pe baent heb glywed am y fath beth ag egwyddor, ac, wrth reswm, y mae cynrychiolwyr y Gynghrair wedi dal allan o'r cychwyn mai mater o arian yn unig ydoedd. Yn ffodus, yr oedd arweinydd y chwaraewyr, Jimmy Hill, yn ddoeth, yn deg, ac yn ddidderbyn-wyneb. Dywedodd ef drosodd a throsodd bod dau beth yn angenrheidiol cyn y gellid dod i gytundeb, sef dileu'r rheol na ellid talu mwy nag ugain punt yr wythnos i chwaraewyr, a'i gwneud yn bosibl i bob chwaraewr weithio allan dermau ei gytundeb (*contract*) ei hun. Mewn ateb, cynigiodd y Cynghrair ragor o arian. Gwrthododd Hill. Yna gofynnodd Mr Joe Richards, Cadeirydd y Cynghrair, beth yn y byd oedd y chwaraewyr eisiau, os nad oeddynt eisiau arian. Yr oedd Hill, wrth reswm, wedi dweud hynny wrtho eisoes, fwy nag unwaith, ond gwnaeth ddatganiad pellach mewn dull cwrtais a chymedrol. Dywedodd Mr Richards eilwaith nad oedd yn deall beth oedd amcan y chwaraewyr. Yn sydyn, dydd Mercher, daeth Mr Richards a'i ysgrifennydd, Mr Hardaker, i ddeall yr amcanion, ond ychydig iawn o raff sydd wedi cael ei roi ar fater y cytundeb o hyd. Y mae'r Cynghrair o'r cychwyn wedi ymddwyn yn gywilyddus yn yr achos yma. Y mae Mr Richards wedi gwadu'r ffaith bod gan y chwaraewyr gŵyn ddiffuant o'r cychwyn, wedi bod yn gyndyn i drafod, yn araf i sylweddoli bod Jimmy Hill a'i gyd-weithwyr o ddifrif. Bu raid iddo roi'r Siarter i'r chwaraewyr o'r diwedd, ac fe'i rhoddwyd yn ddigon crintachlyd ac fe dyfodd peth chwerwder yn ystod y misoedd o ymgecru. Ond trwy'r cyfan bu ymarweddiad Jimmy Hill, arweinydd y chwaraewyr, yn urddasol a'i geisiadau yn gymedrol, ac yr wyf yn falch dros ben iddo sefyll allan dros gytundeb rhydd, yn hytrach na derbyn yr arian a gynigwyd. Dangosodd felly i bawb bod ganddo egwyddor bwysig i sefyll drosti; enillodd yr egwyddor honno i ryw raddau a rhwydd hynt iddo ennill parch ychwanegol i'w gyd-chwaraewyr yn y dyfodol.

Bûm yn meddwl sawl gwaith am ysgrifennu un paragraff o'r golofn hon yn Ffrangeg, i weld a fyddai unrhyw un, ar wahân i'r Golygydd, yn sylwi. (Dylwn ychwanegu enw Daniel eto mae'n debyg, gan gymryd yn ganiataol ei fod yn siarad Ffrangeg!). Wrth roi cipolwg yn ôl dros rai misoedd o'r hyn a ysgrifennais, rwy'n sylwi i mi ddweud rhywbeth gwyllt, gwrthun, neu hollol ddwl o leiaf unwaith bob pythefnos ers tro byd. A hynny fel arfer heb godi bw na be. Rwy'n berffaith sicr, pe bawn i'n darllen y fath bethau, a hwythau'n waith rhywun arall, y byddwn yn gandryll yn aml iawn. Nid wyf am ddarllen yn ôl trwy'r sylwadau hyn eto.

Wrth deithio i fyny o Aberystwyth i'r gogledd y dydd o'r blaen, gwelais Atomfa Trawsfynydd ar ei hanner, a goleuadau'r gwersyll yn dechrau sbecian o'r llethrau gyferbyn. Y mae'r cyfan o'r cychwyn wedi fy atgoffa o'r ffilmiau hynny am deithio yn y gwagle a glanio ar y lleuad. Yn wahanol i bob safle ddiwydiannol arall a welais erioed, y mae rhywbeth oer, iasol, annaearol yn perthyn i'r lle, i'w foelni, i'w bileri, a'i ddieithrwch. Ni allaf fynd heibio iddo heb arswydo, ac ni allaf fyth ymgynefino â'i fawredd amhersonol. Teithiais trwy stad ddiwydiannol Trefforest ychydig ddyddiau ynghynt, ac yr oedd popeth ynghylch amrywiaeth a phensaernïaeth ddelfrydol y stad honno yn wrthgyferbyniad cryf iawn ag oerni moelni Trawsfynydd.

3 Chwefror, 1961

RHAI SYNIADAU AM Y MUDIAD ECIWMENAIDD

Clywais y dydd o'r blaen fod pensaer un o esgobaethau Cymru wedi mynegi syndod, o weld dwy gath ym mhopty un o offeiriaid amlycaf y dalaith. "Gwelais," medd (yn Saesneg, wrth reswm, gan mai Saesneg yw iaith penseiri) "gwelais byjamas lawer gwaith mewn popty offeiriad, ond ni welais gath o'r blaen." O feddwl dros hyn, credais y dylai penseiri Esgobaethol fod y tu hwnt i bob syndod bellach, o ystyried yr amrywiol ryfeddodau sydd i'w cael y tu ôl i furiau gwyngalchog, preifat, sefydlog ein ficerdai. I gyfyngu eu sylw mewn poptai'n gyson: cwrw cudd y ficer sychedig, Pekinese, cardiau Nadolig y deng mlynedd blaenorol, glo, pethau da (rhag y plant), *Women's Own* oesoedd a fu, uwd (i'w gadw'n sych) a thrôns gaeaf archddiacon a oedd yn arswydo rhag y posibilrwydd o gael tamp i'w aelodau. Ond o symud o boptai i'r gegin gefn, neu'r stydi, neu'r ystafell wely wag, wel... Wel... ia, mae'n well aros yn y popty rwy'n credu, y mae'n weddus cadw peth o gyfrinachau'r offeiriaid, a chuddio ei feiau rhag y werin, hyd yn oed yn 1961.

10 Chwefror, 1961

KENNEDY – ISIS – Y WASG – PENTREF – SYLFEINI

Y mae un dyn ambell waith, gydag un weithred neu osodiad neu lyfr, yn gallu troi syniadau'r byd a'r betws wyneb i wared mewn mater o oriau. Dyna a wnaeth yr Arlywydd Kennedy yn ei araith i'r Gyngres ar "Gyflwr yr Undeb". Aeth dyn i gredu bod pethau mor gymhleth, dynoliaeth wedi ei gosod i sefyll mor simsan ar le mor gyfyng, nes bod i wleidydd siarad yn blaen yn amhosibl. Am wyth mlynedd, bu Eisenhower ac Anthony Eden, ac yna Eisenhower a Macmillan, yn lledaenu'r athrawiaeth mai aros yn berffaith lonydd oedd piau hi, a pheidio â symud y naill ffordd na'r llall. Wel, chwythodd araith Kennedy'r syniadau hyn i'r gwynt. Y mae'n wir i'r rhan fwyaf o'i araith gynnwys cyfres o ystrydebau gwleidyddol fel, "We seek in Asia, and indeed in all the world, freedom for peoples and independence for governments.". Ond pan oedd yn mynegi ystrydeb, teimlai dyn ei fod yn ei gredu, ac y byddai'r mwyafrif o bobl yn yr Unol Daleithiau yn ei gredu hefyd. A dywedodd lawer peth solet, plaen a beiddgar, a rhoddodd gryn sioc i'w wrandawyr, a oedd wedi arfer clywed gosodiadau dymunol, glastwraidd Eisenhower. O'r dechrau i'r diwedd, dangosai'r araith benderfyniad Kennedy i ddangos o'r cychwyn ei fod yn bwriadu newid pethau; ac yr oedd y cyfan yn feirniadaeth ddidrugaredd ar weinyddiaeth Eisenhower, yn rhybudd miniog fod y sefyllfa gydwladol yn echrydus, yn osodiad clir o sefyllfa gymdeithasol anfoddhaol yr Unol Daleithiau."I shall not delegate decisions to any one," meddai ar y cychwyn, "neither shall I seek to avoid the consequences of any decision." Ac yna aeth ymlaen i sôn am yr anghysondebau ym mywyd cymdeithasol yr Unol Daleithiau. "Too many Americans have too little money to pay for items which cost too much." "Medical science has achieved new wonders, but these wonders, for financial reasons, are too often out of the reach of too many people." Pan ddaeth at faterion cydwladol, gwnaeth yn eglur fod Rwsia, a'r Comiwnyddion, yn gyffredinol, ymhell ar y blaen yn eu hymgais i ddylanwadu ar, ac i gynorthwyo, gwledydd newydd. Gwnaeth yn eglur hefyd ei fod yn ystyried y Comiwnyddion yn beryglus, ond, ar yr un pryd, dywedodd fod yn rhaid cyd-fyw, ac os am gyd-fyw, fod y Rhyfel Glaear presennol yn wrthun. Fe ddylai'r naill ochr a'r llall gystadlu fel cwmnïau masnachol, meddai, er mwyn gweld yn glir pa system a roddai'r bywyd mwyaf boddhaol i'r bobl gyffredin. "For if freedom and Communism could compete for man's allegiance in a world at peace, I would face the future with increasing confidence." Dyma arweinydd gwleidyddol penderfynol, cryf, hyderus a newydd. Y mae hefyd yn swnio fel arweinydd eangfrydig, a chyda cydwybod cymdeithasol byw iawn. Ond cawn weld am hynny pan ddaw'r amser i weithredu yn hytrach nag areithio. Yn y cyfamser, ef yw'r arweinydd mwyaf i droedio'r llwyfan gydwladol ers dyddiau Roosevelt a Churchill.

Y mae *Isis*, papur y myfyrwyr ym Mhrifysgol Rhydychen, mewn trwbl unwaith yn rhagor. Y tro hwn penderfynodd y golygydd, Mr Paul Foot (un o'r Footiaid enwog) gynnal arolwg ar safon darlithio yn y Brifysgol. Fel mor aml yn y gorffennol, gwrthododd y proctoriaid ganiatáu iddo ymddangos yn y papur. Pethau preifat oedd darlithoedd, meddai'r proctoriaid, ac nid oedd hawl gan y papur i'w trafod yn gyhoeddus. Y mae hyn, i ddechrau, yn egwyddor amheus iawn; awn mor bell â dweud na ellir yn hawdd ei amddiffyn ar dir rhesymegol. Ond yna, nid oedd angen gwneud hynny. Nid yw'r proctoriaid yn gorfod egluro paham y maent yn gweithredu mewn dull arbennig – hwy sydd yn rheoli, ac nid oes modd apelio yn erbyn eu penderfyniadau. I fod yn gwbl wrthrychol, y mae hyn yn wrthun, ac yn ddull cwbl anfoddhaol o drin myfyrwyr yn 1961; y mae'n fwy gwrthun fyth pan ystyriwn fod Rhydychen yn ymfalchïo mai hi sydd yn cynhyrchu'r mwyafrif o arweinwyr gwleidyddol a chymdeithasol ein gwareiddiad democrataidd ni. Fel yr awgrymodd Paul Foot ar y radio, y mae'n hen bryd adolygu holl berthynas y proctoriaid a'r myfyrwyr, gan geisio sefydlu rhyw gorff llai ffiwdal i lywodraethu dros wylltineb trigolion Rhydychen. Hyn i gyd yn wrthrychol. Ond ow, a bod yn bersonol ac yn berffaith onest, beth yn y byd fyddai'r ymateb pe bai Papurau Prifysgolion eraill yn cydio yn y syniad? Papurau Prifysgol Cymru, er enghraifft? Nid wyf o blaid sensro, ond fe fyddai'n well ambell waith i olygydd dewi, er hynny. Pa les i goleg wybod fod dau allan o bob tri o'i ddarlithwyr yn mwmblian, yn anniddorol, yn ddiog, yn hen ffasiwn, yn anymarferol? Mae'n debyg fod pawb yn gwybod hynny eisoes sut bynnag, a phrin y byddai modd cael neb gwell i gymryd eu lle, gan mor brin yw darlithwyr byw ac ysbrydoledig. Na, gadawer y peth i orffwys, neu gollynger fom ar ein holl brifysgolion. Y mae rhai gwendidau na allwn wneud dim yn eu cylch, a chyda gwendidau felly, wel, mae'n well ar y cyfan i ni beidio â chlywed gormod amdanynt.

Beth bynnag a ddywed y gŵr siriol, cyfrwys, hwnnw, Roy Thompson, ac fe ddywed lawer cyn y bydd terfyn ar y busnes, tuedd peryglus yw tuedd bresennol y wasg Seisnig. "Let us keep a sense of proportion about this," meddai'r Prif Weinidog y dydd o'r blaen, mewn ateb i gwynion aelodau Llafur ynghylch y fonopoli gynyddol ym myd y wasg. "We still have 150 daily and Sunday newspapers, even if a few have died." O'r gorau, gadewch i ni gadw'n pennau ac ystyried y ffeithiau. Pa faint o bapurau dyddiol a allwch chwi eu cyfrif yn awr? Ni allaf ddarganfod rhagor na deg papur dyddiol cenedlaethol yn y llawlyfrau arferol; rhaid felly mai papurau taleithiol, lleol, a phapurau gyda'r nos yw'r gweddill. A dyma, petai'r Prif Weinidog ond yn sylweddoli hynny, yw'r gŵyn. Nid bod y papurau'n mynd yn fwy prin, ond fod y papurau dylanwadol, cenedlaethol, yn mynd yn llai amrywiol a chytbwys eu barn. Y mae gwahaniaeth aruthrol rhwng y ddau beth. Nid nifer y papurau sy'n bwysig, ond yr amrywiaeth barn a fynegir gan y cyfan ohonynt fel corff. Ar hyn o bryd, mae gennym saith papur dyddiol sy'n mynegi rhyw wedd at Geidwadaeth, un papur annibynnol-ryddfrydol, un papur llafur sydd eisoes mewn perygl, ac un papur Comiwnyddol sy'n cael ei gefnogi'n hael o pwy a ŵyr o ble. Nid oes gennym un papur yn adlewyrchu barn swyddogol y lleiafrif pwysig sy'n aelodau o'r Blaid Ryddfrydol. Nid oes gennym un papur cwbl annibynnol. Y mae tri o'r papurau sydd gennym yn rhoi llawer mwy o sylw i nifer y darllenwyr nag i ansawdd eu deunydd (*Express*, *Mirror*, *Sketch*). Y mae gormod o'r papurau yn cefnogi'r llywodraeth i'r sefyllfa fod yn foddhaol. Ac y mae un papur dyddiol pwysig wedi marw yn ystod y flwyddyn ddiwethaf, ac un arall wedi bod mewn perygl. Yn awr, beth bynnag yw barn y Prif Weinidog am fod yn gall a gofalus eu hymateb, y mae hon yn sefyllfa sy'n creu pryder, a dylid cydnabod hynny. Y trwbl sylfaenol, wrth gwrs, yw'r ffaith anffodus mai busnes masnachol yw papur newydd yn y bôn, yn hytrach na chyfrwng mynegiant. Nid am eu bod yn caru buddiannau'r *Herald* y mae'r rhan fwyaf o siar-feddiannwyr y papur hwnnw heddiw'n sylwi'n fanwl ar gynigion amrywiol Roy Thompson, y *Daily Mirror* a'r *Daily News*, ond oherwydd eu bod yn caru eu buddiannau eu hunain. Y mae'n rhaid i berchennog papur newydd heddiw fod yn ofalus dros ben i sicrhau na fydd ei siar-feddiannwyr yn colli ceiniog o arian. Hyn, ac nid unrhyw gynllun cyfrwys ar ran Roy Thompson na neb arall sydd wrth wraidd sefyllfa anfoddhaol y wasg, ac y mae'n ffaith na ellir bellach ei newid.

Pe bai rhywun rhywdro yn ysgrifennu hanes Nefyn, byddai'r teitl yn cynnig ei hun ar unwaith. *Y Llong Wen*. Wrth ddarllen ysgrif C.C. bythefnos yn ôl, teimlais fod angen mwy o lyfrau hanes pentrefol yn Gymraeg. Diwylliant pentrefi a threfi masnachol bychain yw diwylliant y Cymry Cymraeg, ac ambell dref neilltuol ei chymeriad ac annibynnol ei naws sy'n rhoi amrywiaeth a chyfoeth iddo ar ei orau. Ac y mae i Nefyn gymeriad arbennig. Cynrychiolir y cymeriad hwn, i mi fel i awdur ysgrif, gan y llong wen ar yr hen eglwys. Rwy'n cofio syllu sawl gwaith ar y llong yn tindroi uwchben y tŵr pan oeddwn yn fychan, a cheisio dyfalu sut a phaham yr aeth llong i'r fath le. Bellach y mae'r llong, bob tro y'i gwelaf, yn gyrru'r dychymyg ar waith. Mae'n cynrychioli cerddi Glyn Davies, a sigl *Fflat Huw Puw*, sŵn morthwylion yn taro'n ôl oddi ar greigiau pen Penrhyn yn y cyfnod pan adeiladwyd llongau'r pysgotwyr penwaig yn y fan a'r lle, prynhawniau yn yr haf pan fyddai'r llong yn tynnu sylw am funud neu ddau ar ein ffordd i'r môr, mae'n cynrychioli cymeriad y lle, ac yn annog rhywun i fynd ati hi i ysgrifennu'r hanes a gasglodd o'i chwmpas; byddai'r hanes hwnnw'n hanes llawer pentref a bro ar arfordir Cymru, a Nefyn a ddewiswn i i sefyll dros y cyfan ohonynt. Y mae hanes o'r fath yn arbennig angenrheidiol mewn cyfnod sy'n bygwth dileu'r diwylliant hwnnw a'r bywyd pentrefol ei hunan.

Pan oeddwn yn yr ysbyty, clywais bregeth yr Athro D. W. T. Jenkins ar Sylfeini Addysg. Yr oedd ei sylwadau yn codi dau gwestiwn. Yn gyntaf, beth yw dyletswydd yr athro o Gristion mewn cymdeithas anghristionogol? Ac yn ail, os mai ymdrechu bob amser i addysgu trwy ac yn enw credoau Cristionogol yw ei ddyletswydd, sut y mae modd iddo gysoni hynny â'r galwadau cyson arno i wthio'r cynifer ag y bo modd o'i blant trwy'r arholiadau allanol? Credaf, gyda'r Athro, mai bod yn bropagandydd hollol ddigywilydd yw swydd pob Cristion yn y byd sydd ohoni, ac mai hyn yw swydd yr athro o Gristion yn anad neb arall. Ond y broblem heddiw, fel erioed, ond yn fwy o lawer nag erioed o'r blaen, yw sut i addasu'r weledigaeth ardderchog at ofynion bara llaeth ysgolion yma ac acw dros Gymru. Y mae'n fuddiol ac yn ysbrydoledig i ni glywed datganiad delfrydol, aruchel, am amcanion addysg o dro i dro, ac fel datganiad felly yr oedd hwn yn gryf ac yn raenus ac yn gall. Ond y mae stormydd bywyd mewn cymdeithas gystadleuol yn tueddu'n rhy aml i ddinistrio'r pontydd rhwng gosodiadau o'r math yma a gweithredoedd ymarferol mewn ysgolion go iawn. Yr hyn sydd eisiau – sydd eisiau fel y mae India eisiau rhagor o fwyd i'w phobl a'r Congo eisiau heddwch i'w thir – yw arweiniad manwl, concrit, cadarn ar y broses o greu'r credo'n weithred a throi'r datganiad yn realiti. Y mae llawer iawn gormod o negyddiaeth niwtral, difater, ac o geidwadaeth ddiogel, ddi-antur yn naws ac awyrgylch ein dysgu. Nid ydym yn llwyddo i gyfleu sialens, antur a gogoniant y bywyd Cristionogol i'r plentyn a'r adolesent mewn iaith sy'n ddealladwy iddo fo. Y mae cymaint o athrawon yn bod sy'n amddifad o fenter ac athroniaeth bywyd eu hunain nes bod yr angen i hyrwyddo'r athro o Gristion yn ei ymdrechion i gyfleu natur yr "uchel alwedigaeth" yn hanfodol bwysig ac yn fater o frys. Diolch am sylwadau'r Athro Jenkins, ond a ellir yn awr gyfieithu'r sylwadau hyn i dermau ymarferol?

17 Chwefror, 1961

SEREN GOMER – DEUSWLLT – LLANWERN – BROGYNIN

Yr wythnos hon, rhoddwyd hoelen ychwanegol yn arch adundeb eglwysig. A hon oedd ysgrif olygyddol Lewis Valentine yn *Seren Gomer*. Y mae ef yn defnyddio rhesymeg cymysglyd dros ben i brofi na all yr Eglwys yng Nghymru fod o fudd i fywyd cymdeithasol a chenedlaethol Cymru. Y mae'n ei chorlannu'n dwt gydag Eglwys Rufain fel "anobeithiol". Yr unig obaith bellach, meddai, yw iddynt ddadebru agwedd ymosodol Ymneilltuaeth Cymru, ac anghofio am yr Eglwys yng Nghymru. Dywedais eisoes yn y colofnau hyn bod llawer gŵr – ymhob rhan o Eglwys Crist – yng Nghymru, sy'n gwrthwynebu'r syniad o adundeb Cristionogol. Y mae rhai eglwyswyr amlwg – yn Offeiriaid ac yn lleygwyr – na allant oddef y syniad o gyd-fyw mewn addoliad a gwasanaeth ag Ymneilltuwyr; ac y mae llawer Ymneilltuwr sy'n meddwl am yr Eglwys yng Nghymru fel gelyn i Gymreigrwydd ac am Eglwys Rufain fel merch y diafol ei hun. Yr oedd pawb ohonom, yn ddistaw bach, yn gwybod hyn ar hyd yr adeg, ond digalon yw gorfod cyfrif Lewis Valentine ymysg y fath bobl. Y mae ef yn ŵr diwylliedig, galluog, unplyg a dewr; y mae'n wir Gristion. Beth a feddyliwn felly pan fo dyn fel Lewis Valentine yn defnyddio ffiloreg a ffug-ymresymu er mwyn creu rhwyg o'r newydd rhwng Anglicaniaeth ac Ymneilltuaeth? Ar bwy y mae'r bai fod yr ewyllys da a'r awydd i gydweithredu wedi diflannu gyda'r gwynt yn ddiweddar? Y mae peth o'r bai ar bawb ohonom, oherwydd i ni fynd i gredu y byddai undeb yng Nghrist yn dod yn rhwydd ac yn anochel, ac oherwydd i ni gael peth sioc yn awr wrth sylweddoli nad yw'r gwir Eglwyswr, Bedyddiwr ac Annibynnwr gam yn nes at ei gilydd yn awr nag oeddynt ugain mlynedd yn ôl. Yn wyneb gosodiadau fel pregeth Trebor Lloyd Evans, erthygl Lewis Valentine, a rhuadau "Daniel" ar y naill law, a gwrthebau – a gwrthwynebau – ein hesgobion a ni ar y llaw arall, y mae gwir angen i bawb sy'n dymuno gweld gwell ysbryd yn bodoli gadw'n dawel, ymwrthod â phob temtasiwn i gynnal brwydr enwadol, bod yn ofalus iawn beth i'w ddweud ar goedd, a pharhau i weithredu'n dawel fach i gyfeiriad cyd-ddealltwriaeth. Y mae'n rhaid i ni eglwyswyr arfer y fath amynedd hyd yn oed pan fo gŵr o safon Lewis Valentine yn cymryd barn ein harchesgob fel barn yr Eglwys gyfan. Fe ddylai wybod yn well, ond dyna fo.

Y mae Kennedy wedi cychwyn Gwasanaeth Iechyd yn yr Unol Daleithiau yr wythnos hon, ac y mae Enoch Powell wedi parhau i ddinistrio'r Gwasanaeth Iechyd yn y wlad hon. Credaf fod aelodau'r Blaid Lafur yn iawn i brotestio yn erbyn y codiad yn y tâl am bapur doctor oherwydd mater o egwyddor ydyw, ac nid mater o swllt. Y mae'n wir fod delfryd ardderchog Aneurin Bevan wedi ei chymylu pan godwyd y swllt am gyffuriau yn y lle cyntaf, ond bob tro yr ychwanegir at y gost bresennol i rai sy'n defnyddio'r gwasanaeth, mae'r cyfan yn mynd yn llai o wasanaeth, ac yn cymryd cam yn ôl i'r ganrif ddiwethaf. Ond nid ffrae ynghylch swllt neu ddeuswllt a ddylid ei wneud. Dylid ymladd dros y syniad cyffredinol o gael gwasanaeth rhad i bawb ar bwys eu cyfraniadau insiwrans yn unig. Dyna holl bwynt y gwasanaeth o'r cychwyn. Ofer i Mr Powell gyfarth ar draws y tŷ fod gan bawb foddion bellach i dalu deuswllt am offer meddygol, nid dyna'r pwynt. Pe bai raid, gallai'r rhan fwyaf fforddio i dalu hanner can punt am driniaeth lawfeddygol hefyd, ond nid dyna'r pwynt chwaith. Y pwynt yw fod y Llywodraeth, am unwaith mewn hanes, wedi penderfynu bod yn gyfrifol am iechyd corfforol y boblogaeth gyfan heb wahaniaeth dosbarth na chyfoeth na dim.

Peth anfoesol, yn awr, yw ceisio cael elw o'r Gwasanaeth Iechyd trwy osod pris ar hyn a'r llall o'i fewn. Yn yr awgrym diweddaraf, gwelwn ymgais bellach i wthio'r terfynau yn ôl, a lleihau cyfrifoldeb y Llywodraeth. Yn yr Unol Daleithiau, gwelwn weithred sy'n hollol i'r gwrthwyneb. Yn ei fesur i ddarparu Gwasanaeth Iechyd i bensiynwyr, y mae Kennedy'n gosod sylfeini gwasanaeth cynhwysfawr yn y dyfodol; y mae ef yn dechrau gwthio'r terfynau allan. A phan fyddwn ni yn y wlad yma wedi dychwelyd i gyflwr anffodus y ganrif ddiwethaf, gallwn syllu'n genfigennus dros yr Iwerydd, a chofio mai oddi yma y daeth y syniad am eu Gwasanaeth Iechyd hwy yn y lle cyntaf. Y mae'r cyfan yn atgoffa dyn o'r gân gynhyrfus-ddoniol honno gan Harry Secombe, 'I'm walking backwards to Christmas', ond prin y byddai Aneurin Bevan yn chwerthin, pe rhoddid cyfle iddo ateb y mesur hwn yn y Tŷ.

Y mae'n amser gwneud rhywbeth o ddifrif iawn ynghylch y busnes o yrru lorïau'n gystadleuol mewn cynlluniau adeiladu fel cynllun Llanwern. Yr hyn sy'n digwydd yw fod gyrwyr lorïau'n cael eu talu yn ôl y nifer o lwythi a gludir ganddynt yn ystod y dydd. Y canlyniad yw fod pob gyrrwr yn gyrru'n frysiog er mwyn ennill rhagor o arian, a bod llawer gormod o ddamweiniau'n digwydd. Y mae lle i ofni hefyd y cyflogir llawer o yrwyr nad ydynt yn gymwys i yrru lorïau o gwbl, ac y mae hyn hefyd yn cyfrannu at nifer y damweiniau. Dylid dweud yn gadarn fod y cyflogwr yn yr achos yma ar fai, a bod y weithred o dalu yn ôl y gwaith a wneir yn yr achos arbennig hwn, yn weithred anfoesol. Gellir gweld peth bai ar y gyrwyr, bid sicr, ond ar y cyflogwyr y mae'r bai sylfaenol am y 90 o ddamweiniau a ddigwyddodd mewn cysylltiad â'r lle. Y mae'r peth wedi digwydd o'r blaen, bu cwyno o'r blaen, ac eto ni newidiwyd y dull o gyflogi. Yn awr, dyma un o'r achosion moesol cwbl amlwg y dylai ein harweinyddion crefyddol lefaru arno'n ddiamwys. Y mae'r cyflogwyr hyn yn mentro bywydau eu gweithwyr trwy eu temtio i fod yn wyllt a diofal. Y mae'r fath beth yn warth, ac yn ddull cwbl anghymwys o wneud proffid ac o orffen gwaith.

Bûm ym Mrogynin yr wythnos hon. Brogynin, wrth gwrs, yw man geni, a chartref mebyd Dafydd ap Gwilym. Y mae'r lle yn enghraifft ragorol o'n parlys anobeithiol fel cenedl, ac y mae'n beth da iawn nad yw rhaglen deledu Saesneg fel *Tonight* wedi cael gafael ar stori'r lle. Dafydd ap Gwilym yw bardd mwyaf y gwledydd Celtaidd, ac enw mwyaf ardderchog ein llenyddiaeth ni. A thra bo miloedd o fân gerfluniau yn coffáu pob math o gongrineros mewn eglwys a mynwent a sgwâr yn ein trefi a'n pentrefi ar hyd a lled y wlad, gadewir Brogynin i bydru'n ddibarch, a chedwir dau fochyn yn ei adfeilion gan wraig o Saesnes na chlywodd erioed am Ddafydd nac am farddoniaeth Gymraeg. Y mae'n wir bod yn rhaid cael lle i fwydo'r moch, ond odid na allai llengarwyr Cymru gynnig lle mwy addas na hyn i'r wraig hon? Pan gyfarfu'r Gyngres Geltaidd yn Aberystwyth yr haf diwethaf, nid aeth neb i holi am Frogynin. A da hynny. Pan eir i'r Alban a gweld y parch a roddir i froydd mebyd Burns a Scott, i'r Iwerddon a gweld sôn am Yeats yn un pen i'r llall o Sligo i Kerry, i Swydd Efrog i weld cartre'r chwiorydd Brontë, hyd yn oed i Lydaw i weld y sylw a roddir i Max Jacob yn Menyser, beth a wnawn ond rhegi'n rhydd? Dros Glawdd Offa, fe'n gelwir yn genedl chwyddedig a rhagrithiol. Wrth feddwl am Philistiaeth pwdr sy'n cyfrif am gyflwr Brogynin, mor agos i goleg Aberystwyth ac yng nghysgod cyfoeth canrifoedd yng Ngogerddan, pwy a wâd y cyhuddiad?

24 Chwefror, 1961
ADDYSG GREFYDDOL

Bûm yn darllen yn ddiweddar lyfr ysgubol Simone Weil, *Waiting on God*. Ochr yn ochr â phregeth yr Athro D. W. T. Jenkins ar addysg, byddai'n werth gosod pennod Simone Weil ar amcanion addysg yn y llyfr hwn. I'r sawl sy'n dod at y datganiadau yma heb wybod beth i'w ddisgwyl, y mae beiddgarwch a symlrwydd y peth yn gwneud i rywun gipio'r anadl. Ambell waith, pan fo dyn yn darllen rhywbeth aruthrol o syml sydd ar yr un pryd yn gwbl wreiddiol hefyd, mae'n teimlo fel torri allan i chwerthin, mae rhyw lawenydd od yn tonni drwy'r meddwl a'r dychymyg, ac y mae bywyd, am foment, yn edrych yn gwbl resymol wedi'r cyfan. Ac y mae datganiadau Simone Weil yn ddatganiadau o'r natur yma. Gwrandawn ar baragraff cyntaf y bennod (pennod a elwir, gyda llaw, 'Reflections on the Right Use of School Studies'):

> The key to a Christian conception of studies is the realisation that prayer consists of attention. It is the orientation of all the attention of which the soul is capable towards God. The quality of the attention counts for much in the quality of prayer. Warmth of heart cannot make up for it.

Y mae, wrth gwrs, yn ddatganiad terfynol ar natur gweddi yn ogystal ag yn gychwyn ysgubol i ysgrif ar addysg. Y mae'r awdur yn mynd ymlaen i bwysleisio pwysigrwydd ansawdd y sylw a roddir i unrhyw waith mewn llaw, ac yn dweud rhywbeth sy'n gyffredinol wir bellach, mai arfer y gallu i sylwi a chofio yw un o brif amcanion addysg. Ond mae'n mynd ymhellach. Y mae'n gwneud yn berffaith glir mai gwir amcan yr athro o Gristion wrth wneud hyn yw ymarfer y gallu i sylwi, i ganolbwyntio'r holl bersonoliaeth ar un peth, er mwyn hyrwyddo gallu'r plentyn i weddïo. Mewn gair, mae'n gosod yr egwyddor sylfaenol mai perthynas y plentyn â'i Dduw sy'n bwysicaf iddo bob amser, a bod natur y berthynas yma'n dibynnu i raddau helaeth ar allu'r plentyn ei hun i ganolbwyntio ei sylw. Y mae hyn yn mynd yn llawer pellach na gosodiadau'r Athro Jenkins, ac y mae'n ysgubo o'r ffordd holl lawlyfrau addysg y ganrif hon, yn tanseilio Freud, Macdougall, Valentine, Dewey a'r cyfan. Iddi hi, nid paratoi ar gyfer cymdeithas, nid ennill swydd, nid hyd yn oed adeiladu cymdeithas well yw prif amcan addysg, ond gwneud dyn yn gymwys i ddod i gysylltiad â'i Dduw.

Y mae hyn, y ffaith hanfodol ddiymwad yma, wedi ei anghofio gan y mwyafrif hyd yn oed o'r mwyaf crefyddol a Christionogol o'n hysgolion. Cymylir yr amcan gogoneddus sylfaenol gan bob math o ystyriaethau bydol a chnawdol ac ymarferol. Y gwir yw ein bod ofn cyfaddef mai ein gwaith ni fel athrawon Cristionogol, yn anad un peth arall, yw dysgu'r plentyn i garu Duw. Yr ydym yn ofni llid rhieni, gofynion arholiad, gwawd cymdeithas, popeth dibwys ac amherthnasol. Ond, petaem ond yn sylweddoli hynny, os y bodlonwn ni ar ganolbwyntio ar brif bwrpas bywyd y Cristion, fe ddaw'r gweddill yn sgîl hynny, ym myd addysg fel ym mhob byd arall. Fel y dengys Simone Weil, os y gallwn ddysgu'r plentyn i ganolbwyntio ar weddi, ar ddod i gysylltiad â Duw, yna gall ganolbwyntio'n llawer gwell hefyd ar ei oruchwylion beunyddiol a'i waith ysgol. Yr oedd yr Athro Jenkins yn mynegi egwyddor; y mae Simone Weil yn dangos sut i weithredu'r egwyddor honno: dyma'r gwahaniaeth, a dyma sydd eisiau.

3 Mawrth, 1961
YMSON AR ŴYL DEWI

Nonsens y *New Statesman*

Yn y *New Statesman* yr wythnos yma, ymddengys arolwg ar Gymru, sef pedair erthygl gan W. John Morgan, Goronwy Rees, Kingsley Amis a Gwyn Thomas. Wrth ddarllen y math yma o bantomeim newyddiadurol ystrydebol, ysgubol ac arwynebol, ni all y Cymro Cymraeg ond rhegi. Bûm yn trafod y berthynas rhwng y Cymry Cymraeg a'r Cymry di-Gymraeg gyda'r Athro Gwyn Jones, ymysg eraill, y dydd o'r blaen a dywedodd ef y pryd hwnnw fod yr Eingl-Gymry'n baglu dros ei gilydd i fod yn garedig wrth y Cymry Cymraeg yn eu gwaith ysgrifenedig. Wel, tra pery cylchgronau fel y *New Statesman* i feddwl mai'r gŵr gorau i ysgrifennu'n deg am Gymru yw Goronwy Rees, a thra pery Gwyn Thomas i fyrlymu geiriau anghyfrifol i bob cyfeiriad ar gorn popeth y mae'r Cymro Cymraeg yn ceisio'i gadw, prin y byddwn yn credu'r Athro Gwyn Jones. Biti garw na fyddai'r *New Statesman* am unwaith, fel jac, yn caniatáu i'r anifail od hwnnw, y Cymro Cymraeg, siarad drosto'i hun, a dangos paham y mae'n gwneud a chredu pethau sydd mor annealladwy i Kingsley Amis, Goronwy Rees a Gwyn Thomas. Ond gellid bod wedi darllen pob gair o'r arolwg presennol ar

Gymru yn y *New Statesman* (ar wahân i ysgrif John Morgan) bymtheng mlynedd yn ôl; gellid bod wedi darllen pethau fel hyn o lyfrgell Gwyn Thomas. "When the seat fell out of your trousers, the bottom fell out of your faith, and you were seen no more amongst the elect." A gellid yn hawdd fod wedi darllen peth fel yma gan Goronwy Rees cyn iddo geisio bod yn Gymro drosto'i hun am gyfnod mor fyr: "Of all the Welshman's sources of self-deception, none is more productive of comedy, or even farce, than this successful effort to persuade himself that the Land-of-Heart's-Desire is geographically and historically identical with the country which he actually inhabits today..." Nid yw'n ceisio bod yn gytbwys a gwrthrychol (ar wahân eto i ysgrif eithaf didramgwydd John Morgan) nid yw'n amcanu dangos paham y mae'r Cymry gwallgof hyn yn glynu wrth hen iaith a thraddodiad. Mewn gair, y mae ffeithiau Mr Rees a Mr Thomas am Gymru'r un mor ffantastig a hen-ffasiwn a'r agweddau comedi-cegin y maent hwy'n ymosod mor ffyrnig arnynt.

Nid cuddio mewn siôl Gymreig o'r ganrif ddiwethaf yw bod yn Gymro Cymraeg yn y ganrif hon. Yr hyn y mae'n ei olygu yw fod nifer o Gymru'n sylweddoli gwerth iaith a llenyddiaeth lleiafrif, yn fodlon amddiffyn y pethau hynny oherwydd eu gwerth, ac yn credu y gellir byw bywyd ystyr lawn heddiw wrth siarad Cymraeg yn union fel y gellir byw bywyd ystyr lawn trwy siarad Saesneg. O na roddid cyfle i Gymro Cymraeg egluro hyn unwaith ac am byth yng ngholofnau papur fel y *New Statesman*. Nid wyf yn gwybod pa genedl arall ar wyneb daear a fyddai wedi dioddef ffugiwr ffôl fel Gwyn Thomas mor amyneddgar am gymaint o amser, ac y mae'n hen bryd i gylchgronau fel y *New Statesman, Spectator* a *Time and Tide* a phapurau fel yr *Observer* a'r *Guardian* dyfu'n llawer mwy cyfrifol yn eu hymwneud â Chymru a gochel gwasanaeth digrifweision bas ac arwynebol.

"It is cardinal sin to pillory a whole nation," meddai'r bardd ifanc o'r India, Rama Ran, "for a nation is composed of individuals, not of easily parodied types." A dyma bechod parod y *New Statesman* a'i debyg, Goronwy Rees a'i debyg, a phob newyddiadurwr anghyfrifol; maent yn gwneud cartŵn o bob dyn, yn darlunio byd fel theatr i bypedau chwerthinllyd. Ond nid felly mae hi. Y mae pob gwlad yn cynnwys unigolion, pobl o gig a gwaed, gyda'u nodweddion a'u problemau a'u temtasiynau personol eu hunain, ac ymgais i osgoi sylweddoli hyn, i symleiddio ac unioni popeth, yw'r ymgais i wneud cenedl yn gartŵn, ac i wneud dwy filiwn a hanner o bobl yn destun sbort. Nid dyna waith wythnosolyn o radd y *New Statesman*, ond dyna a wna bob tro y dewis sôn am Gymru, ac yn arbennig am yr iaith Gymraeg.

Bûm yn ailddarllen *Canlyn Arthur* gan Saunders Lewis yr wythnos hon, a chyn i mi wneud hynny nid oeddwn wedi sylweddoli mor bell y cerddodd Plaid Cymru o'r sylfeini gwleidyddol a osododd ef iddi yn ei ysgrifau o 1926 hyd 1936. Ar wahân i'r deg pwynt polisi a osododd ef ar gychwyn ei lyfr, deg pwynt digon eang ac amhendant, yn wir, ond deg pwynt na ellid bellach sôn amdanynt fel seiliau'r blaid, er hynny, sylwer ar baragraff cyntaf yr ysgrif cyntaf yn *Canlyn Arthur*. Cenedlaetholdeb a Chyfalaf:

> Pan gychwynnom fudiad politicaidd newydd, peth da yw bod yn sicr o'n Seiliau. Er mwyn hynny y bwriadai'r Blaid Genedlaethol Gymreig gynnal Ysgol Haf fis Awst. Er mwyn hynny hefyd y sefydlwyd y cylchgrawn hwn (*Y Ddraig Goch*) a rydd inni gyfle i draethu ar egwyddorion ein plaid ac i egluro'n dyheadau a'n hathrawiaeth.

Yn awr, a hithau'n gyfnod Gŵyl Dewi, trist yn wir yw darllen *Canlyn Arthur* a'r deg pwynt polisi, a ffurfiwyd yn 1933. Yn 1961, ac mae'n debyg, yn 1962, 1963, 1964 ac yn y blaen i'r dyfodol diamgyffred, tra bo Saunders Lewis yn bwyta gyda'r publicanod diwydiannol yng Nghaerdydd, mae'r Blaid yn gwneud popeth ond trafod sylfeini ei hegwyddorion. A throdd y *Ddraig Goch* ers llawer blwyddyn, i ymosod ar bawb a phopeth y tu allan i'r Blaid, yn hytrach na rhoi sylw i'w gwendidau a'r anghysondebau y tu mewn iddi. A'r canlyniad yw fod y weledigaeth wedi hen ballu, y Blaid wedi colli llawer o'i *raison d'être*, a Saunders Lewis wedi mynd mor bell â dweud fod un o ddiwydiannwyr Caerdydd yn fwy o fudd i'w blaid ef na dau gant "of our little schoolteachers". Pan oedd yn ysgrifennu *Canlyn Arthur* credai Saunders Lewis mewn cenedl amaethyddol, gydweithredol (Babyddol, mae'n debyg) a allai fod yn esiampl wleidyddol i wledydd bychain y byd. Wel, y mae gwledydd bychain y byd wedi gorymdeithio heibio, Ghana, Nigeria, Ciwba, yr Aifft, Guinea, Cyprus, ac eraill, i osod eu hesiamplau amrywiol eu hunain, a dyma ni, ar Ŵyl Dewi 1961, mor siaradus, mor gecrus, mor aneffeithiadol ag erioed, heb gerdded fawr yn nes i hunanlywodraeth, heb dyfu modfedd yn wleidyddol er pan sefydlwyd Plaid Cymru. Er yr awgrymais uchod nad oes esgus i gylchgrawn fel y *New Statesman* ddilorni'n anwybodus genedl gyfan, eto fe ŵyr y rhai ohonom sydd o'r tu mewn i'r genedl honno a'i helynt bod llawer o esgus dros agwedd y fath gylchgrawn.

Y mae llawer iawn o Gymry Cymraeg ymdrechgar a diffuant yn byw ac yn bod yng Nghymru heddiw, ond, o ystyried y patrwm llawn, ac o feddwl am gyflwr pwdr ein gwlad, yn grefyddol ac yn wleidyddol, nid oedd gennym un dim i'w ganmol ar Ddydd Gŵyl Dewi eleni, ar wahân i drugaredd anesboniadwy'r Rhagluniaeth sy'n caniatáu i ni barhau fel cenedl o ryw fath.

Ar yr ochr arall i'r glorian, wrth gwrs, os nad oes llawer i'w ddweud dros Gymru fel cenedl ar y funud arbennig yma mewn hanes, pan nad oes ganddi arwr i'w ganmol na llywodraethwyr i'w beirniadu, eto y mae i'r Cymro Cymraeg ei fanteision. Ac y mae i'r llenor o Gymro fanteision arbennig iawn yn y byd sydd ohoni. Yn Lloegr, y mae dramodwyr fel N. F. Simpson, Harold Pinter, Shelagh Delaney, yn chwilio am ddulliau mwy a mwy artiffisial ac anuniongyrchol o fynegi eu hunain mewn geiriau ar lwyfan. Maent yn gwneud hyn am nad oedd ganddynt un dim pendant i'w ddweud, er mor gelfydd ydynt fel technegwyr mewn geiriau; nid ydynt yn sefyll dros ddim, nac yn credu mewn dim. Llenorion dadfeiliad gwareiddiad ydynt, a gŵyr y rhan fwyaf ohonynt hynny'n eithaf da. Yng Nghymru, i'r Cymro Cymraeg o lenor y mae rhesymau pendant dros ysgrifennu a chredo cymdeithasol i'w arddel o hyd, y mae brwydr i'w hymladd a chrwsâd i'w hennill, a dyweded y *New Statesman* a fynno, y mae hyn yn fantais aruthrol i lenor. A hyn hwyrach sy'n cyfrif am yr adfywiad pendant a chynyddol mewn llenyddiaeth Gymraeg yn ystod y blynyddoedd diwethaf, adfywiad sydd wedi digwydd er gwaetha'r gymdeithas ac yn nannedd pob math o broffwydo ynghylch tranc iaith a diwylliant. Nid yw eto wedi dod i'w lawn dwf, ond gall roi inni rywbeth i'w ganmol erbyn 1970, os pery'r afiaith cyhyd, os nad â'r addewid bresennol i'r un cyfeiriad â syniadau Saunders Lewis yn *Canlyn Arthur*.

Meudwy o fath oedd Dewi, gŵr a ymneilltuodd oddi wrth y byd i osod esiampl ddisgybledig ac asetig i Gristionogion a phaganiaid ei oes, i ganolbwyntio ar y pethau bychain.

Wrth edrych ar Enlli o benrhyn Uwchmynydd, bûm yn troi a throsi posibiliadau'r fath beth heddiw yn fy meddwl sawl tro. Yn ei gerdd 'Little Gidding' un o'r 'Four Quarters', disgrifiodd T. S. Eliot antur o'r fath yn Lloegr, a disgrifiodd eglwys Little Gidding fel "A place where prayer has been valid." Hwyrach fod angen gwneud mwy na throi i mewn i eglwys ar y Sul ac ar ambell noswaith yn y Garawys er mwyn gwneud gweddi'n effeithiol. Hwyrach fod mwy o angen eto am yr hyn a eilw Christopher Dawson yn "powerhouses of prayer", a llai o alw nag a dybiwn ni am ruthro o bwyllgor i bwyllgor, o gynhadledd i gynhadledd, o gynllun i achub yr iaith i gynllun i uno'r enwadau. Pe bai grŵp o Gymru Cymraeg heddiw'n meddiannu lle fel Abaty Enlli, a'i sefydlu'n ganolfan gweddi a mawl ynghanol yr ugeinfed ganrif i ba raddau y byddai hynny'n gyfraniad i fywyd ysbrydol ein gwlad? Gallem wneud cymaint o gyfraniad ag a wnaeth Abaty Iona i fywyd yr Alban.

10 Mawrth, 1961

PENBLETH – CENEDL – AWDURDOD – ADDYSG

Tybiaf, i ddechrau, fod yr amser wedi dod i'r Eglwys ailystyried ei pherthynas ag addysg yn gyffredinol. Oherwydd, er mor grefyddol yn y bôn oedd darpariaethau cyfraith 1944, a mesur Butler yn y flwyddyn honno, yr ydym yn byw mewn cymdeithas anghristionogol sy'n darparu addysg anghristionogol i'w phlant. Yn awr, rwy'n gwybod o'r gorau fod pob diwrnod ymhob ysgol i ddechrau gyda gwasanaeth crefyddol, fod yn rhaid i bob plentyn (ar wahân i blant sy'n ddeiliaid crefyddol gwahanol) gael gwersi mewn hyfforddiant crefyddol ac mai'r gwersi hynny yw'r unig wersi sy'n orfodol i bob ysgol eu dysgu dan amodau mesur 1944. Ond rhith yw hyn i gyd.

Yn gyntaf, y mae ansawdd a dull y gwasanaeth boreol yn dibynnu'n llwyr ar brifathro neu brifathrawes mewn ysgol unigol. Os yw'r prifathro yn Gristion ymwybodol ac ymarferol, yna gall sicrhau fod y gwasanaeth hwn yn weithred o addoliad, fel y mae mewn llawer ysgol, ac yn arbennig mewn ysgolion cynradd; ond os mai Cristion "parch" yn unig, neu agnostig, neu ŵr gwrth-Gristionogol yw'r prifathro, y mae'r peth yn dirywio i fod yn ddim amgen na mumbo-humbo diystyr a chyfle i wneud datganiadau am wisg ysgol, a materion gweinyddol eraill o ychydig bwys. Ac y mae cymaint o fywyd llawer ysgol mor ffurfiol a chonfensiynol fel y gall gwasanaeth boreol gymryd ei le'n daclus gyda Shibbolethau eraill, diystyr i lawer o'r plant, fel distawrwydd yn y llyfrgell, a chodi cap i athrawon. Ni ellir dibynnu ar y gwasanaeth boreol fel cyfrwng hyfforddiant crefyddol.

Yn ail, y mae darpariadau mesur Butler â gwersi crefyddol wedi esgor ar ddrwg yn ogystal ag ar beth lleshad. Y mae llawer yn tybio, gan fod rhai gwersi penodedig yn delio â chrefydd, y dylid bod yn ofalus i ddileu crefydd o weddill y cwrs. Rhoddwyd crefydd yn dwt mewn cornel o'r cwrs lle ni all amharu ar y pethau gwir fuddiol sydd raid i blentyn eu dysgu,

93

pethau fel Saesneg, Mathemateg, Ffiseg, a Chemeg, Coginio, Gwnïo a Lladin. Ac o edrych yn fwy manwl i'r gornel lychlyd yma, nid oes llawer o le i orfoleddu. Y mae'n rhaid cyfaddef, i ddechrau, mai pwnc a gymerir yn ysgafn iawn gan y rhan fwyaf o'r plant (ac yn wir o'r athrawon) yw'r astudiaethau crefyddol bondigrybwyll. Mae'r rhieni'n rhoi pwyslais ar fuddioldeb mewn addysg, ac y mae'r plant yn gweld nad oes "budd" o gwbl i'r pwnc yma. At hyn, yn aml iawn, rhoddir rhywun-rhywun i ddysgu'r pwnc, unrhyw athro sy'n digwydd bod yn rhydd ar yr amserlen. A phan wêl bechgyn y pedwerydd dosbarth, cewri'r plant bach a brenhinoedd yr iard, yr athro Ffrangeg neu Fathemateg yn dod i mewn i bydru'n eithaf dieneiniad trwy wers ar Foses, neu'r athro Cemeg digrefydd yn sôn yn wawdlyd am y genedl yn cyrchu drwy'r Môr Coch, prin y gellid disgwyl iddynt gymryd y busnes o ddifrif. At hyn hefyd, rhoddir gwers grefyddol ddiarholiad yn y chweched dosbarth, ac oni bai fod yn yr ysgol athro arbennig iawn, iawn, a allai gymryd y fath wers, dan yr amgylchiadau presennol y mae mwyafrif helaeth plant y chweched dosbarth yn trin gwers ddiarholiad fel jôc fach eithaf diniwed. Dyna'n anffodus y sefyllfa yn y "gornel grefyddol" mewn llawer ysgol.

Y tu allan i'r gornel hon, fel yr awgrymais, y mae traddodiad o niwtraliaeth foesol wedi ennill tir yn ein hysgolion yn ystod y ganrif hon, ac y mae'r syniad na ddylai athro drosglwyddo ei egwyddorion moesol a chrefyddol ei hun i'r plant yn syniad cyffredin iawn. Ac y mae'n syniad sydd raid ei danseilio. Fel y mae hi ar hyn o bryd, y mae plant yn byw mewn byd o niwtraliaeth foesol, lle mae rhyw fath o bragmatiaeth dros dro yn faen prawf i bopeth, lle mae hi'n ffasiynol i ddilorni pob math o egwyddor barhaol sylfaenol. Ac fe dyfodd yr un agwedd yn gyflym iawn i du mewn i'r ysgol am resymau gwahanol. Daeth yr athro i gredu, gan ddilyn, yn ymwybodol neu'n anwybodol, Rousseau, Pestalozzi, a Dewey, fod yn rhaid i'r plentyn benderfynu drosto'i hun ar bynciau moesol. Y ffaith yw, wrth gwrs, na all plentyn wneud hyn, ac mai canlyniad pragmatiaeth o'r math yma yw cyfleu i'r plentyn y syniad nad yw moesau'n bwysig mewn bywyd, gan fod yr athro'n eu hanwybyddu, yna fe dueddu'r plentyn i wneud hynny hefyd. Oherwydd hyn i gyd, tybiaf y dylem newid ein syniadau ynglyn â pherthynas crefydd i addysg seciwlar. Fel y mae'r Comiwnydd o athro'n cael ei ddrwgdybio oherwydd ei duedd i bregethu Comiwnyddiaeth, fe ddylai pob Cristion o athro fod mewn sefyllfa i gael ei ddrwgdybio oherwydd iddo dueddu i bregethu ei Gristionogaeth. Os ydym yn credu rhywbeth mewn gwirionedd, yr ydym o raid yn awyddus i gael pobl eraill i gredu hynny hefyd, ac os ydym mewn cysylltiad â phlant sydd eto heb ffurfio credoau pendant, y mae'n ddyletswydd arnom geisio cael y plant hyn i weld gogoniant y grefydd Gristionogol, os y tybiwn ni ein hunain mai gogoneddus yw. Ni thâl niwtraliaeth mewn addysg, fwy nag mewn gwleidyddiaeth; ac y mae'n rhaid i'r Eglwys gydnabod y camgymeriad a wnaethpwyd wrth osod crefydd mewn cornel ddiarffordd o'r system wladol, ac wrth fethu ag ymladd yn erbyn y syniad mai rhywbeth niwtral, ffeithiol yw addysg i fod. Ni syrthiodd y Pabyddion erioed i'r camgymeriad yma, a hwyrach nad yw hi'n rhy hwyr i ninnau ddechrau bod yn llawer mwy ymosodol.

Pa bryd yr ysgrifennwyd y llyfr Cymraeg sy'n cynnwys y geiriau hyn? Yn 1760, 1860, yntau 1960?

Nid oedd ef namyn Indiad syml o isel radd, a hawdd deall iddo betruso mynd â neges o'r fath i'r Esgob. Pwy yn wir a gredai i'w ymadrodd ef? Fodd bynnag, gryfed oedd ei ffydd yn ei weledigaeth fel nad hir petrusodd ac yn ei flaen ag ef i'r ddinas hyd at balas yr Esgob. Nid oedd i un fel ef fynediad rhwydd i ŵydd Pen yr Eglwys yn y wlad, ond llwyddodd o'r diwedd ac adroddodd y gŵr mawr yr hyn a ddigwyddasai iddo.

Wel, credwch hynny neu beidio, ysgrifennwyd llyfr cyfan yn yr arddull Feiblaidd, urddasol, araf, cain a chelfyddydol yma yn 1960. Soniaf am y llyfr yr wythnos nesaf.

17 Mawrth, 1961

SIMONE WEIL – CARU BRO – LLYFR

Gofynnwyd i mi ddweud rhagor am Simone Weil, yr awdures y cyfeiriais at ei gwaith yr wythnos ddiwethaf. Un o athronwyr moesol olaf y ganrif hon oedd Simone Weil, yn ôl pob golwg, merch a gyfrannodd yn hael i gronfa feddyliol Cristionogaeth oherwydd na chlywodd erioed am y rheol gyfoes sy'n honni na all athroniaeth nac athronwyr wneud unpeth mwy uchelgeisiol nag astudio ystyron geiriau a phatrymau ymadroddion. Rhoddodd ei sylw i athroniaeth er mwyn ceisio darganfod ffordd o fyw o ddydd i ddydd â'i gwnai'n fwy teilwng o gariad Duw, nid er mwyn gosod ei llinyn mesur ar hyd a lled geiriau arbennig. Yr oedd yn meddwl i fyw, nid yn byw i feddwl.

Fe'i ganed ym Mharis, yn 1909, mewn tŷ ar y Boulevard de Strasbourg. Pan oedd yn chwech oed, darllenai Racine; yn ddeg, astudiai Voltaire; ym bymtheg, yr oedd yn barod i fynd i'r Brifysgol. Aeth i'r École Normale Supérieure ym Mharis i astudio Athroniaeth, ac oddi yno yn 1931 fel athrawes Athroniaeth i ysgol yn ardal Puy. Yng nghwrs ei hamser mewn ysgolion yng nghyffiniau Puy, Auxerre, a Roanne, cymerodd ddiddordeb arbennig yng ngwrthryfel y gweithwyr yn erbyn eu safonau hwy, ac aeth i weithio'n rhan-amser yn y gwinllanoedd er mwyn gweld eu hamgylchiadau drosti'i hun. Bu'n siarad yn gyhoeddus ar faterion y gweithwyr, ac yn ymddiddori'n gynyddol yn eu problemau; ac felly, yn 1933, gadawodd ei swydd fel athrawes ac aeth i weithio'n amser llawn yn ffatri moduron Renault gan fyw bywyd beunyddiol real y gweithiwr. Aeth o'r ffatri yn 1936 i Sbaen, lle'r oedd y Rhyfel Cartref newydd dorri allan, aeth yno i weld drosti'i hun beth oedd yn digwydd yno, a pham. (A'r "pam" fel bob amser, yn llawn pwysicach na'r "beth"). O hyn ymlaen, gwaethygu'n gyson a wnaeth ei iechyd, iechyd a fu'n fregus erioed, a chyn hir bu raid iddi roi'r gorau i bob math o waith cyson. Er hynny, parhaodd i astudio Athroniaeth, ac i ddarllen yn arswydus o helaeth yn athroniaeth Groeg a'r India'n fwyaf arbennig. Trwy grefydd y Buddha, daeth at Gristionogaeth, a throdd ei meddwl fwyfwy o gylch perthynas dyn â'i greawdwr o hyn ymlaen. Gadawodd Ffrainc ym mis Medi 1942, er mwyn osgoi'r Gestapo, a hwyliodd am Efrog Newydd. Ond pan gyrhaeddodd yr Unol Daleithiau, cafodd fod llywodraeth de Gaulle yn Llundain am iddi weithio iddynt hwy yno, a hwyliodd yr Iwerydd unwaith yn rhagor. Bu'n gweithio am rai misoedd ar gynlluniau gwleidyddol de Gaulle ac ar bolisi cyfansoddiadol Ffrainc Rydd. Ond yn ystod yr holl gyfnod wedi'r ymfudo o Ffrainc, mynnodd rannu'r rhan fwyaf o brofedigaethau ei chyd-wladwyr a oedd gartref o hyd, a gwrthododd fwyta undim ond y bwyd prin, di-faeth a fwyteid yn Ffrainc yr adeg honno. Yr oedd hyn a'r teithio mynych wedi bod yn ormod i'w chorff helbulus; aeth i mewn i ysbyty yn Ebrill 1943, a bu farw yn yr ysbyty honno ym mis Awst. Aeth i'w bedd yn 34 oed.

Y dylanwad personol amlycaf ar ei meddwl yn y blynyddoedd olaf oedd y Tad Perrin, un o feddylwyr Pabyddol praffaf ei gyfnod yn Ffrainc a phennaeth meithrinfa Montpellier. Iddo ef yr ysgrifenwyd rhan helaeth o'r ysgrifau a'r llythyrau a gynhwysir yn y llyfr a grybwyllais yr wythnos ddiwethaf, *Waiting on God*. Ei gwaith pwysicaf, mae'n debyg, oedd yr astudiaeth o berthynas yr unigolyn a'r wladwriaeth a wnaeth i lywodraeth Ffrainc Rydd. Cyhoeddwyd ef dan y teitl *L' Enracirement* ac fe'i cyfieithwyd i'r Saesneg fel *The Need for Roots*. Y mae'n cynrychioli'r penllanw'r meddwl Pabyddol eangfrydig yn y ganrif hon, ac fe ddylai pob Cymro gwlatgar ei ddarllen.

Ychydig a gynhyrchodd Simone Weil, ond y mae'r ychydig hwnnw mor dreiddgar, mor olau, mor wreiddiol, mor sanctaidd ei naws, nes bo'i henw bellach yn sefyll gydag enwau Thomas Aquinas, a John Henry Newman. Gall ei gwaith yn hawdd dyfu'n ganolbwynt i'r gred newydd mewn trefn ac awdurdod sy'n tueddu i ymddangos mewn syniadaeth foesol. Anodd yw rhoi syniad teg o feddwl y fath berson o fewn ychydig eiriau, ond credaf fod y geiriau hyn o'i hastudiaeth o'r cymal *Gwneler Dy Ewyllys* yn y Pader yn crynhoi ei hagwedd yn ei blynyddoedd mwyaf cythryblus:

> We have to desire that everything which has happened should have happened, and nothing else. We have to do so, not because what has happened is good in our eyes, but because God has permitted it, and because the obedience of the course of events to God is in itself an absolute Good.

Er iddi deimlo bob amser ei annheilyngdod ei hun, a'i deimlo mor gryf nes gwrthod cael ei bedyddio a'i derbyn i'r Eglwys, eto cyrhaeddodd dangnefedd trwy ddarganfod gwyleidd-dra. Cydnabu, o'r diwedd, benarglwyddiaeth Duw ar ei bywyd, ac ar ei meddwl ardderchog, ond nid ystyriodd ei hun erioed yn deilwng i fod yn aelod o Eglwys Grist. Teimlodd, er hynny, fod Duw am ei defnyddio, er mor wael ydoedd, fel llestr i dderbyn peth o'r gwirionedd tragwyddol a'i drosglwyddo i eraill.

Wedi byw bywyd o boen meddyliol a chorfforol didrugaredd, wedi cael ei llethu beunydd gan wendid ysbrydol a swmbwl materol, eto gallai ddweud hyn yn ei llythyr olaf i'r Tad Perrin:

> Even if there were nothing more for us than life on earth, even if the instant of death were to bring us nothing new, the infinite superabundance of the divine mercy is already secretly present here below in its entirety.

Daeth Simone Weil i gysylltiad dirdynnol â Christ a'r Groes; mewn gair, aelod o eglwys neu beidio, yr oedd yn un o Saint yr oesoedd. "Canys beth bynnag sydd yn egluro, goleuni yw," meddai Sant Paul yn yr Epistol am y Sul nesaf; dyma'r math o oleuni a dywynnodd ym mywyd archolledig y ferch a grisialodd lawer o gwestiynau'r ganrif yn ei llythyrau i'r Tad Perrin.

Yn ei sgwrs ar y radio ar Ddydd Gŵyl Dewi, dywedodd Nora Chadwick hyn:

> One of the great gifts which a small nation has to give to its children is a great love for a native, localised part of that nation.

I ba raddau tybed yr ydym yn sylweddoli fod y syniad o Gymru'n sefyll neu'r syrthio wrth gywirdeb y gosodiad yna? Teimlwn yn ddig yn aml fod y Cardi'n gymaint o Gardi, a'r Hwntw'n gymaint o Hwntw, ac mai Sir Fôn yw popeth i'r gŵr o'r Berffro neu Walchmai; credwn y dylai'r fath bobl edrych ar eu Cymreictod, eu cenedligrwydd eangach. Ond Sir Aberteifi yw Cymru i'r Cardi, Tregaron yw Cymru i bobl Tregaron, a Bryngwran yw Cymru i bobl Bryngwran. Pobl sy'n dibynnu ar ein plwyfoldeb am ein nerth, am ein gwreiddiau, am gyfiawnhad i'n bodolaeth; dyna'r math o bobl ydym a chystal i ni gael gwared â'r ystyr difriol arferol i'r gair "plwyfol" os ydym am ddeall ein math arbennig ni o genedligrwydd yn iawn. Awn o gwmpas Cymru, bid sicr, yn edmygu Eryri, Dolanog, Trefforest, a Phenrhyn Gŵyr, ond cymharu'r cyfan â'n Llan arbennig ni yr ydym o hyd, oherwydd hwnnw, os rhywbeth yw'n Cymru ni. Nid ydym damaid gwaeth am hynny, ond i ni sylweddoli, fel Nora Chadwick, mai dod â realiti iawn i'n bywyd lleol a'n hoffter at ein bro gynefin yw'r ffordd orau i ni ddwyn iechyd i holl fywyd ein cenedl o dipyn i beth. Y mae'n bryd i ni ailddechrau canmol ein pentrefi, a'u gosod i fyny mewn cystadleuaeth y naill yn erbyn y llall; lle mae cystadleuaeth, y mae bywyd, a lle mae bywyd, y mae, o leiaf, obaith.

Beth oedd y llyfr y dyfynnais ohono yr wythnos ddiwethaf? Wel, llyfr taith ydoedd, gyda'r llyfr taith hynodaf a gyhoeddwyd yn Gymraeg erioed, *Sajama*, gan T. Ifor Rees. Y mae'n llyfr hynod yn rhinwedd ei gynnwys, ei arddull a'i ddiwyg, ac y mae'r math o lyfr y gall cyhoeddwyr llyfrau Cymraeg ymfalchïo ynddo. Ni welais erioed gystal lluniau ychwaith mewn llyfr Cymraeg, a dyn a ŵyr fod y cyfan yn esiampl i'r gyfres Crwydro Cymru. Cofiwch, y mae'r llyfr yn 30/- i'w brynu, ac ni ellid meddwl am gyhoeddi'r fath lyfrau'n gyson yn Gymraeg y dyddiau hyn. Ond pleser, a phleser gyda pheth hiraeth am yr amhosibl yn gymysg ag o, yw gweld llyfr moethus, graenus, hamddenol a chelfydd yn ymddangos ar y farchnad Gymraeg.

24 Mawrth, 1961

DE AFFRICA – YSGOL AC AWYRGYLCH – LLYFRAU

Y mae gwledydd y Gymanwlad wedi penderfynu na ellir cynnwys yn ein clwb arbennig ni gymdeithas seiliedig ar wahaniaethau lliw. Wrth groesawu'r penderfyniad hwn, dylem gofio ei fod yn benderfyniad – ac yn gondemniad – nad yw'r Eglwys Anglicanaidd fel corff yn yr ynysoedd hyn erioed wedi mentro'i wneud. Gwrthododd Eglwys Loegr gondemnio apartheid sawl tro, a mynegodd Archesgob Cymru'r farn nad oedd gennym ni yma'r hawl i gondemnio'r peth gan fod ein tŷ ni gartref mewn cymaint o gawl. Ceisiaf bwyso grym dadl ein harchesgob ni yn y man, ond sylwn yn gyntaf ar fethiant Eglwys Loegr ac arafwch anweddus Archesgob Caergaint yn y mater yma.

Cyfaddefwn yn gyntaf y gwaith aruthrol a wnaed gan offeiriaid ac esgobion unigol yn Ne Affrig. Y mae hwn yn amser cymwys i gofio llafur unig, digefnogaeth rhai fel Michael Scott, Trevor Huddleston ac eraill a'u henwau'n llai adnabyddus; dyma'r amser hefyd i gofio nerth Archesgob Joost de Blank a gwroldeb cyn-Esgob alltud Johannesburg. Ond wrth gofio gwaith yr arweinwyr hyn a'r math o waith tawel a di-ganmoliaeth sy'n cael ei ddarlunio mewn llyfr fel *Cry, the Beloved Country* y mae'n rhaid cofio hefyd na fu condemniad canolog a chadarn ar y cythreuligrwydd yma, a chofio'n arbennig agwedd yr Eglwys yng Nghymru. Mewn gwirionedd y mae'r weithred hanesyddol hon y tro cyntaf mewn hanes i unrhyw wlad gilio o gasgliad diplomataidd o wledydd oherwydd natur ei pholisi mewnol, a'r tro cyntaf i wladweinyddion cymundeb byd-eang sefyll yn gadarn dros gydraddoldeb o flaen y gyfraith, wedi ei chyflawni gan wleidyddion seciwlar heb lawer iawn o anogaeth ar ran crefyddwyr "swyddogol". Yng nghyfnod Crist, nid y crefyddwyr "swyddogol" oedd bob amser yn cynrychioli cariad, brawdgarwch a meddylfryd oleuedig – yr oedd pysgotwyr môr Galilea yn fwy addas i dderbyn neges a olygai goleddu'r pethau hyn na'r Phariseaid. Ac yn ein cyfnod ni, y mae gwleidyddion o bawb, wedi cymryd cam pwysig ar lwybr cyfiawnder tra bo'r Eglwysi'n dal i drafod ac i gynghori gofal a "doethineb". Y mae rhai pethau sydd raid eu condemnio, a'u condemnio'n ddidderbyn-wyneb, ac nid yw'n stad bechadurus ni ein hunain yn gwneud gronyn o wahaniaeth i'r ddyletswydd honno. Ac y mae hyn yn ein harwain at ddatganiad Archesgob Cymru ar y pwnc. Ei gred ef yw na ddylai rhywun sy'n euog o bechod gondemnio'r pechod hwnnw pan wêl ef mewn arall. Nid wyf yn gweld fod hon yn egwyddor ddefnyddiol o gwbl, neu byddai'n rhaid i bawb ohonom ymatal rhag condemnio dim – neu wneud yr hyn sy'n waeth, a bodloni ar gondemnio'r pethau na themtiwyd ni erioed i'w gwneud. Sut bynnag, y mae arweinyddiaeth gwledydd y Gymanwlad wedi condemnio apartheid, ar waethaf Notting Hill, stad yr aborigine yn Awstralia, ac unbennaeth Ghana. Ac y mae'r condemniad yn ddigon i godi cywilydd ar Gristionogion, ac ar yr un pryd i beri llawenydd. Yn y ganrif ddieflig hon, y mae gweithred y Gymanwlad, ochr yn ochr â phethau fel y Marshall Plan a'r Gwasanaeth Iechyd, yn cynrychioli gobaith am oleuni. Dylid mynd ymlaen yn awr i roi sylw i bethau fel Notting Hill a chyflwr yr aborigine. Y mae rhai pobl yn ofni ac yn drwgdybio gweithred y Gymanwlad oherwydd y gallai arwain i lawer o ymyrryd o'r fath ym mholisi mewnol y gwledydd unigol. Wel, os mai'r cymhellion presennol sy'n debyg o lywodraethu'r fath ymyrryd, yna gorau yn y byd os y cawn weld llawer mwy o ymyrryd yn y dyfodol. Dyma'r unig ffordd i atal y cenhedloedd "gwyn" rhag cerdded y llwybr sy'n arwain i ddinistr anochel, llwybr truenus De Affrig. Ar bob tir, ar dir cyfiawnder, brawdgarwch, tegwch a moes, a hefyd ar dir buddioldeb syml, credaf fod polisi Dr Verwoerd yn anghywir, yn annoeth ac yn wrth-Gristionogol. Hwyrach y bydd modd i arweinwyr y Cymundeb Anglicanaidd gyfaddef hyn bellach heb ofni tramgwyddo'r gwleidyddion.

Fe'm cyhuddwyd o fod yn negyddol ac yn niwlog ar bwnc addysg. Dywedodd dau offeiriad wrthyf mai ofer oedd cynnig beirniadaeth ddinistriol ar y sefyllfa bresennol, a dywed prifathro ysgol uwchradd wrthyf fod yr hyn a ddywedais yn gywir ond yn anochel, ac fe'm gwahoddodd i fod yn fwy manwl ynghylch yr hyn a gredaf a ddylai ddigwydd.

O'r gorau, ond y mae hyn yn dipyn o gontract, a cheisiaf ddelio â rhai agweddau ar y pwnc yn ystod yr wythnosau nesaf. Bwriadaf gychwyn trwy sôn am un ysgol arbennig. Ysgol ar gyfer plant methedig ym Mhenarth, ger Caerdydd yw hon – ysgol breswyl Erw'r Delyn. Y mae'r ysgol hon yn cael ei rhedeg ar y rhagdybiad fod cariad yn rhywbeth ymarferol, ac y mae awyrgylch yr ysgol yn wefreiddiol. Ceir tua chant ac ugain o blant yno, yn dioddef – er nad yw hon yn ferf gymwys i'w defnyddio, fel y gŵyr pawb a ymwelodd â'r lle – gan wahanol glefydau meddyliol, a chorfforol. Y mae amryw byd o'r plant yn dioddef effeithiau poliomyelitis, eraill yn blant â rhyw fath o barlys ymenyddol yn effeithio ar eu llefaru, eu symudiadau, a'u meddyliau. Y mae eraill, y grŵp mwyaf torcalonnus o bell ffordd, yn dioddef muscular dystrophy; golyga hyn fod gewynnau'r plant yn mynd yn llipa ac aneffeithiol o dipyn i beth, ac yn y diwedd fe wna hyn hwynt yn anabl i symud braich na choes na hyd yn oed eistedd i fyny. Marwolaeth yw terfyn anochel y clefyd hwn. Y mae rhai yn yr ysgol sydd heb fod yn dioddef anhwylderau mor ddifrifol â chleifion y polio, spastig (fel y gelwir dioddefwyr y parlys ymenyddol fel arfer), a'r muscular dystrophy. Ond gwaith yr ysgol yw rhoi addysg gyffredinol i'r plant i gyd, ac y mae'n llwyddo i wneud hyn mewn ffordd sydd ymron yn wyrthiol.

Y mae'r prifathro, gŵr o'r enw Garrett o Swydd Efrog, a gŵr sydd yn meddu ar ystyfnigrwydd, pendantrwydd a dycnwch y rhan honno o Loegr, yn gosod ei stamp arbennig iawn ei hun ar y lle. Y peth cyntaf sydd raid ei wneud yn yr ysgol, meddai'r prifathro, yw cael y plant, fesul un, i adnabod eu hunain yn hollol onest, fel ag y maent mewn gwirionedd, heb gelu dim na chuddio gwendidau. Wedyn, meddai, maen nhw'n dod o dipyn i beth i ddysgu byw â'u hanawsterau, ac i fagu cyfrifoldeb, annibyniaeth a nerth cymeriad. Wel, dyma'r union beth sy'n digwydd yn yr ysgol. Y mae'r plant methedig, trwsgwl, trafferthus, truenus hyn yn gyfrifol, yn annibynnol ac yn gymeriadau cyflawn. Ychydig iawn o fychander, cenfigen a checru wrth chwarae a welir ac a glywir o gwmpas caeau a choridorau'r adeilad, oherwydd y mae'r rhain, wrth ddysgu byw â'u gwendidau eu hunain, wedi dysgu byw â gwendidau pobl eraill hefyd. Mae yna awyrgylch prin o gydfyw a chydddeall. At hyn, y mae'r plant yma'n llawen. A theimlaf eu bod yn llawen oherwydd mai cariad sy'n sail i'r cyfrifoldeb a'r annibyniaeth i gyd. Ychydig o reolau sydd yma, a dim gorfodaeth amlwg iawn, ond y mae cwrteisi a chydweithrediad y plant yn amlwg. Pan fo plentyn yn gwneud rhywbeth o'i le, y mae'n cael gwybod hynny mewn ffordd hollol onest a hollol resymol, ond nid yw Mr Garrett yn credu o gwbl mewn seilio ufudd-dod ar ofn.

Yn awr, yr hyn sy'n taro dyn ar unwaith yn Erw'r Delyn, yn arbennig yn ystod amser chwarae neu amser gwely, yw'r awyrgylch didensiwn, rhydd a'r hapusrwydd sy'n llenwi'r lle. A'r hyn a ddaeth i'm meddwl oedd y ffaith fod llawer iawn yn hawlio fod y wyrth, sy'n ffaith yn Erw'r Delyn mewn gwirionedd, yn amhosibl – nad oes modd creu cymeriadau gwaraidd, disgybledig heb seilio'r ddisgyblaeth ar ofn. Y mae hyn yn amlwg yn gelwydd noeth – y mae'r celwydd yn amlwg mewn ambell ysgol gynradd ragorol ynghanol gwlad – ond yma y mae prawf pendant o'r hyn sy'n bosibl trwy gariad a hir amynedd yn unig. Os yw'n bosibl gwneud hyn mewn ysgol fel Erw'r Delyn, pam nad ymhob ysgol? Paham nad ymddiriedir yn y ffaith fod egwyddorion Cristionogaeth yn ymarferol, gan sylfaenu awyrgylch pob ysgol ar yr un cariad doeth gonest a welir yn yr ysgol hon? Tybiaf fod y peth yn berffaith bosibl, a dyma fyddai'r man cychwyn i mi mewn unrhyw system addysg a fyddai'n anelu at fod yn system Cristionogol. Fe ddywedai rhai, rwy'n sicr, bod athrawon arbennig i'w cael ar gyfer ysgol fel hon, a bod rhieni'n llawer mwy bodlon i ysgol o fath arbennig lunio ei pholisi eu hun nag y mae rhieni plant sydd mewn ysgol gyffredin. Y mae'r ddau beth yn wir, gwaetha'r modd, ond nid mater o gael athro arbennig yw hi, ond mater o greu meddylfryd arbennig ymhob athro, meddylfryd Cristionogol. Nid mater o allu anarferol yw dysgu trwy gariad, ond mater o agwedd anarferol, ac y mae'n rhydd i bob athro fabwysiadu'r agwedd yma.

Ond fe fyddai hyn yn ei dro yn golygu troi ein sylw at yr athrawon, a'r dulliau o'u hyfforddi hwy. (Down at y rhieni ymhellach ymlaen.) Yn ystod y bythefnos nesaf felly, ceisiaf ddweud rhywbeth am swyddogaeth coleg mewn addysg Gristionogol, gan gofio fod y coleg ar yr un pryd yn fan terfyn addysg ffurfiol un genhedlaeth, ac yn fan cychwyn addysg ffurfiol cenhedlaeth arall. Yno y mae'n rhaid dechrau'r chwyldroad addysgol, nid yn yr ysgol gynradd nac yn yr ysgol uwchradd, oherwydd yno y mae'r had yn dechrau tyfu.

Nid wyf yn gwybod i ba raddau y mae darllenwyr *Y Llan* yn gyfarwydd â'r gyfres ragorol o lyfrau crefyddol sy'n ymddangos y dyddiau hyn dan nawdd cwmni Fontana, ond y mae yma gyfoeth o ddeunydd darllen crefyddol na ellid ei gael o'r blaen ond mewn llyfrau trwchus, drud. Pris arferol llyfrau Fontana yw 2/6. Maent yn cynnwys ymysg llyfrau eraill dri llyfr gan y llenor Cristionogol, syml ei arddull a threiddgar ei sylwadau, C. S. Lewis, *The Problem of Pain, Reflections on the*

Psalms, a'i hunangofiant *Surprised by Joy*. Maent yn cynnwys hefyd glasur Archesgob Ramsey ar yr Atgyfodiad, y llyfr mwyaf uniongred a ysgrifennwyd erioed ar uniongrededd, *Orthodox*, G. K. Chesterton, *Primitive Christianity* cyfieithiad o glasur Almaeneg yr Athro Bultmann, *Letters and Papers from Prison* gan Bonhoeffer ac amlinelliad o ddiwinyddiaeth Karl Barth. Ceisiaf gyfle i sôn am rai o'r llyfrau hyn yn ystod yr wythnosau nesaf.

31 Mawrth, 1961
BETH YW GWAITH YR SCM

Mae'n ddrwg gennyf darfu Mr Ellis C. Williams gyda'r hyn a ddywedais am addysg grefyddol. Ond y mae gwahaniaeth rhwng beirniadu system a beirniadu'r bobl sydd ynghlwm wrth y system honno. Mentrais feirniadu goblygiadau Deddf 1944 mor bell ag yr oedd y ddeddf honno'n ymwneud â chrefydd; a thrwy hynny mentrais feirniadu system sy'n gwthio crefydd i gornel fechan o'r cwrs yn hytrach na'i wneud yn sylfaen i'r cyfan. Nid cyfystyr hyn â gosod llinyn mesur ar athrawon arbennig, ac yn sicr nid yw'n golygu o gwbl i mi gondemnio "holl ysgolion y wlad", prun bynnag a ydwyf yn fy llawn bwyll ai peidio – a pherffaith ryddid i Mr Williams farnu fel y myn – ni fentrwn mor bell a hynny! Ond y *mae'r* ddeddf yn gosod crefydd mewn cornel gyfyng o'r cwrs – yn arbennig mewn ysgolion uwchradd – ac y *mae* traddodiad o niwtraliaeth crefyddol wedi tyfu ymysg athrawon, fel canlyniad i dermau'r ddeddf. Gall fod llawer o athrawon ac ysgolfeistri yn gosod eu stamp arbennig eu hunain ar fywyd crefyddol eu hysgolion, ond erys y ffaith nad yw gofynion y system yn rhoi rhyw lawer o gymorth iddynt.

O'm blaen, y mae adroddiad blynyddol Mudiad Cristionogol y Myfyrwyr (yr SCM) 'Life and Mission', a bûm yn ei ddarllen gyda diddordeb. Cefais achos yn ddiweddar i ddod i gysylltiad unwaith yn rhagor â'r mudiad, a bûm yn meddwl am natur ei swyddogaeth. Y mae llawer yn teimlo mai aneffeithiol a di-fudd yw'r SCM ochr yn ochr â'r mudiad Cristionogol amlwg arall sy'n bod yn y colegau, y Mudiad Efengylaidd (yr IVF). Yn awr, nid wyf am geisio creu rhwyg rhwng y naill fudiad a'r llall, ond y mae un neu ddau o bethau y dylid eu dweud ynglŷn â swyddogaeth y mudiadau hyn .

Yn gyntaf, mudiad pendant, ymosodol yn ei hanfod yw'r IVF, mudiad milwrol yn ei ddull o weithredu, mudiad Efengylaidd. Er na allaf dderbyn daliadau ffwndamental y rhan fwyaf o aelodau'r IVF yng Nghymru gallaf edmygu eu pendantrwydd a pharchu eu hegni a'u diffuantrwydd. Ond annheg fyddai disgwyl, fel y mae rhai pobl yn disgwyl, i'r SCM wneud yr un peth. Pe bai'r SCM yn ceisio Efengylu yn y dull yma, pe bai'n ceisio dynwared yr IVF, yna byddai'n camgymryd ei swyddogaeth. I mi, y mae'r SCM yn un o'r ychydig iawn o gymdeithasau a sefydliadau sy'n ennill tir trwy fod yn amhendant, trwy wrthod bod yn fanwl ynghylch rheolau a dogmau. Oherwydd nid "mudiad" yw'r SCM mewn gwirionedd, ond fforwm, nid man cychwyn ond man cyfarfod. Ac y mae fforwm crefyddol eang a diwylliedig yn gwbl hanfodol i fywyd coleg.

Y mae fforwm crefyddol mor bwysig oherwydd fod cynifer o bobl yn dod i mewn i'n colegau heb feddwl erioed am broblemau crefyddol. Y mae nifer helaeth o'r rhain, wrth reswm, yn mynd allan o'r coleg yn yr un stad o fodlonrwydd anneallus. Ond y mae llawer yn dechrau meddwl am y tro cyntaf yn ystod eu blynyddoedd coleg; yr oedd rhai o'r rhain eisoes yn Gristionogion "parch" yn dilyn crefydd teulu, neu'n mynd i'r Ysgol Sul er mwyn y gymdeithas adolesent yno, ond y mae llawer ohonynt hefyd yn agnosticiaid sy'n dechrau gweld pwynt crefydd am y tro cyntaf. Yn awr, lle bo Cristionogion yn dechrau chwilio am sylfeini canolog eu ffydd, yn dechrau trafod a holi ac amau, a lle bo agnosticiaid yn dechrau ymddiddori mewn crefydd, y mae'n hanfodol fod cyfle i'r naill a'r llall gyd-gyfarfod a chyd-drafod. Dyma ran o swyddogaeth yr SCM.

Ond y mae i'r mudiad swyddogaeth bwysicach hyd yn oed na hyn, fel y mae pethau heddiw. Oherwydd, ar hyn o bryd, nid yw naw allan o bob deg o Gristionogion yn gwybod yn fanwl beth yw eu credo. Ac fe ddylai pawb gytuno mai peth drwg yw hyn; ofer ceisio adeiladu adundeb ar anwybodaeth. Bûm yn sgwrsio'r noson o'r blaen â dwsin o fyfyrwyr, ac yn trafod pynciau fel y Sacramentau, offeiriadaeth, a chonffyrmasiwn. Yr oedd Eglwyswyr, Annibynnwyr, a Methodistiaid yn y grŵp, ond prin y byddai'n bosibl bob amser i'r gwrandawyr wybod pwy oedd yn perthyn i ba ran o'r Eglwys. Yr oedd rhai Methodistiaid yn berffaith fodlon derbyn y syniad Eglwysig am Offeiriadaeth, rhai Eglwyswyr yn gwrthod cydnabod yr agwedd gyfriniol ar ystyr y Cymun Bendigaid i'r Cymun Anglicanaidd. Os yw hyn yn wir y tu mewn i'r colegau, lle y mae cyfle i bobl feddwl, a lle mae meddyliau mwyaf deallus pob cenhedlaeth at ei gilydd wedi ymgynnull, beth yw'r sefyllfa y tu allan? "If golden rust, what shall iron do?" A chredaf fod gwaith triphlyg y gall yr SCM ei wneud i'r cyfeiriad yma. Yn gyntaf, gall roi help i'r myfyriwr ddod i adnabod ei gredo ei hun, gall ei helpu i weld ymhle y mae ef ei hun yn sefyll ar gwestiynau sylfaenol y ffydd Gristionogol. Gall wneud hyn trwy drafodaethau ar athrawiaeth, trwy ddysgu yn uniongyrchol, a thrwy symbylu'r myfyriwr unigol i feddwl yn ddwys am y pethau hyn. Yn ail, ac yn ail mewn trefn amser hefyd, gall wedyn helpu'r myfyriwr sydd eisoes yn gwybod beth y mae ef ei hun yn ei gredu i weld beth yn union y mae mathau eraill o Gristionogion yn sefyll drosto, er mwyn sylweddoli paham y mae gwahaniaethau yn bod, er mwyn gweld nad mater o symud ambell ragfarn ac ambell gulni yn unig yw adundeb, er mwyn sylweddoli mai mater dyrys ydyw, ac er mwyn gweld sut y gall pobl o ddaliadau gwahanol i'w daliadau hwy fod llawn mor ddiffuant a deallus ynghylch y daliadau hynny. Yna'n drydydd, gallai myfyrwyr sicr eu seiliau a gwybodus eu cefndir fynd ati i drafod adundeb yn gall ac yn feddwl agored.

Awgrymaf y gallai'r SCM fynd mor bell â gwneud hyn yn fath o gwrs triphlyg i'w haelodau, gan ddysgu'r myfyriwr sydd am fod yn aelod buddiol o'r mudiad i adnabod ei feddwl ei hun yn gyntaf, i adnabod meddwl pobl eraill wedyn, ac yna'n olaf, ac yn ofalus, i geisio gweld ymhle mae'r tir cyffredin a beth yw pwysigrwydd y gwahaniaethau. Gellir dadlau nad mater i fyfyrwyr mewn coleg yw peth fel hyn, eu bod yn rhy ifainc a dibrofiad, nad ydynt yn gymwys i drafod yr athrawiaethau sylfaenol. Y mae pedwar pwynt i'w hystyried mewn ateb i'r fath ddadl.

1. I ddechrau nid trafod gwirionedd dogmâu a fyddai pwrpas trafodaethau'r SCM ond ceisio gweld ymhle y mae'r aelodau unigol yn sefyll ochr yn ochr â sylfeini crefyddol y canrifoedd. Mater ydyw o ddysgu beth yw uniongrededd ar unrhyw bwynt, a seilio credo ar wybodaeth.

2. Dylid cofio fod cenedlaethau o grefyddwyr yng Nghymru wedi byw eu bywydau crefyddol heb fanteision y fath gefndir sylfaenol am wahaniaethau Cristionogion. A chan fod anwybyddiaeth yn magu casineb, drwgdybiaeth, cynnen a chenfigen, fe dyfodd y pethau hyn rhwng Cristion a Christion mewn pentref a thref ac ar yr aelwyd gartref, ac fe'i cadarnhawyd ym meddyliau cynulleidfa yn aml oherwydd agwedd eu harweinwyr, yn offeiriaid a gweinidogion. Daeth Methodist i feddwl mai mab y Diafol oedd Pabydd, ac Eglwyswr i feddwl am Annibynnwr fel am un a wadodd Crist. Aeth Cristionogaeth y Saint ar chwâl dros dir Cymru nid yn unig oherwydd gwahaniaethau athrawiaeth, ond hefyd oherwydd diffyg brawdgarwch ymarferol i bob cyfeiriad. Prin y byddai heb ohonom am i'r un peth ddigwydd eto. Ond, er hynny, fel y mae gwaetha'r modd, fe ddaw llawer o fyfyrwyr Cristionogol ar yr wyneb i golegau heb erioed ddysgu dim am hanfodion eu ffydd arbennig hwy. Hyd nes y bydd pob offeiriad a gweinidog yn wynebu'r gwaith hwn o ddysgu athrawiaeth

yn ogystal â hanes Beiblaidd, yna fe fydd yr addysg yma'n rhan o ddyletswydd cyrff fel yr SCM.

3. Ar hyn, hyd yn oed yn y gymdeithas sydd ohoni, bydd aelodau'r SCM yn mynd allan o'r colegau i arwain mewn rhyw gylch o fywyd y gymdeithas. A byddai'n gaffaeliad aruthrol i'r gymdeithas pe bai modd cael corff gwybodus, sicr ac eangfrydig o leygwyr ac offeiriaid a gweinidogion, yn britho'r pwyllgorau lleol, a'r cynadleddau crefyddol. Ar hyn o bryd, y mae llawer gormod o'n harweinyddion crefyddol yn anwybodus ynghylch eu daliadau eu hunain ar y naill law, ac yn rhagfarnllyd ynghylch daliadau pobl eraill ar y llaw arall.

4. Yn bwysicach hwyrach na hyn i gyd, y mae myfyrwyr fel arfer yn weddol feddwl-agored. Maent felly oherwydd mai bychan yw eu cyfrifoldeb cymdeithasol, oherwydd nad oes ystyriaethau swyddogol a swyddogaeth i'w siglo yn ôl a blaen, oherwydd fod ganddynt amser i feddwl. Ni all neb fod mor barod i drafod a chyfnewid syniadau wedyn ag y mae yn nyddiau coleg. Y mae hyn yn golygu y gallai'r SCM fod yn ganolbwynt eciwmeniaeth llawer mwy effeithiol na'r eciwmeniaeth swyddogol presennol os yw'n ofalus i roi cefndir ffeithiol addas ymlaen llaw.

Felly, er i mi weld yr angen mawr am bendantrwydd crefyddol yn y dyddiau hyn, rwy'n gweld angen hefyd am gyd-ddealltwriaeth a brawdgarwch wedi ei sylfaenu ar adnabyddiaeth onest o wahaniaethau. A dyma, i mi, briod swydd, a phriod swydd aruchel yr SCM ym mywyd ein cymdeithas. Fe fyddai'n drasiedi pe bai'n ymwrthod â'i chyfle fel fforwm deallus, ac yn ceisio bod yn fath arall, ac yn llai effeithiol o'r IVF.

Fe ddylai pawb ohonom dalu sylw gofalus iawn i'r gyfres rhaglenni teledu *Lifeline* ac i'r rhagdybion sy'n gorwedd y tu ôl iddynt. Yn y rhaglenni hyn, ac yn arbennig yn y rhaglen ddiwethaf, *Free Will and the Unconscious* gwneir astudiaethau i natur yr isymwybod a'r anwybodol, i batrwm yr holl beirianwaith ymenyddol ac emosiynol sy'n cael ei gynhyrchu teimladau, syniadau, a gweithredoedd pan fo'r bersonoliaeth ymwybodol yn cysgu neu o leiaf yn hepian. Yn awr, y mae perthynas y rhannau cudd, cyfrin ohonom i'n hewyllys a'n personoliaeth ymwybodol yn fater sydd o bwys aruthrol i'r Cristion, ac yn fater sydd heb ei astudio'n ddigonol o safbwynt Cristionogol. Ni ellir gwadu bodolaeth yr is-ymwybod a'r anymwybod; maent yn rhan mor ddiddadl ohonom â'r galon neu'r ymysgaroedd. Maent yn codi arswyd arnom oherwydd nad ydym yn hoffi cydnabod ein hanallu i lywodraethu ein holl weithredoedd a'u gosod dan reolaeth rheswm. Ond mae hi'n ddyletswydd arnom i ddeall ein hunain i wybod sut y mae'r rhannau hyn o'r bersonoliaeth yn gweithio ac i gymryd y cyfan i ystyriaeth wrth lunio patrwm ein bywyd crefyddol. Nid ydym ond yn ein twyllo ein hunain os anwybyddwn y darganfyddiadau seicolegol sydd wedi goleuo llawer ar y mannau cudd hyn yn ddiweddar, a'r wythnos nesaf ceisiaf roi peth sylw i'r darganfyddiadau hyn.

14 Ebrill, 1961

ALDERMASTON – KILLARNEY – RHAMANTWYR – PATAGONIA

Y mae rhyw fath o obaith y bydd gorymdeithwyr Aldermaston yn llwyddo i wthio'r maen i'r wal os y byddant yn pryderu ymlaen am ddeng mlynedd. Dywedaf hyn oherwydd fod arwyddion pendant o flwyddyn i flwyddyn nad yw poblogaeth yr ynysoedd hyn mor wawdlyd tuag atynt ag y buont. Yr oedd rhai papurau newydd, bid sicr, yn tynnu lluniau o grwpiau gwlyb, blêr, amharchus yr olwg o orymdeithwyr, gan adael i'r darllenwyr dynnu'r casgliadau priodol am gymeriad yr holl ymgyrch. Ond, fel yr awgrymodd J.P.W. Mallalieu, ar y rhaglen deledu *What the Papers Say*, prin y byddai gwell golwg ar y gohebydd a'r ffotograffwyr eu hunain pe baent hwy wedi cerdded o Glasgow neu Hull neu Cobblesdone-on-the-Wold trwy'r glaw a'r gwynt. Ni ellir disgwyl i'r gorymdeithwyr edrych fel eglwyswyr parchus ar fore Sul pan gyrhaeddant sgwâr Trafalgar, ac y mae'r rhan fwyaf o bobl yn sylweddoli hyn bellach. Ac, ar wahân i ambell ffotograff annheg, y mae agwedd y papurau'n gyffredinol ar orymdaith Aldermaston wedi newid yn arw o fewn dwy neu dair blynedd. Mewn gwirionedd, un yn unig o'r colofnwyr cyson oedd yn gwbl wawdlyd tuag at y busnes eleni, a Mr Randolph Churchill oedd hwnnw, gŵr sy'n ei chael hi'n anodd i agor ei geg heb fwrw sen ar rhywun.

Yr oedd papurau fel y *Guardian*, a'r *Herald*, hyd yn oed y *Times* a'r *Telegraph*, bron iawn yn gefnogol iddynt, ac yn sicr yn parchu eu diffuantrwydd. Ac y mae hyn i gyd yn hollbwysig, oherwydd, beth bynnag a ddywed y golygyddion, y mae agwedd y wasg genedlaethol yn llywodraethu agwedd y werin bobl mewn ffordd gyfrwys ond diymwad. At hyn, y mae gŵr gwahanol iawn, yr Arlywydd Kennedy, yn cefnogi Aldermaston yn ei ffordd ei hun trwy bwysleisio'r ffaith mai'r Unol Daleithiau yw arweinydd y Gorllewin mewn materion gwleidyddol, ac mai grym moesol yw grym pwysicaf Prydain Fawr. Yn bersonol, tybiaf y byddai ymwrthod ag arfau niwclear yn grymuso dylanwad moesol Prydain i'r byd, beth bynnag fyddai'r canlyniadau materol ac economaidd. Mewn gair, y mae'n edrych ar waethaf polisi presennol y llywodraeth, ac er gwaethaf y ffaith fod Gaitskell a Grimmond hefyd yn gwrthod coleddu polisi diarfogi, er gwaethaf y ffaith nad oes un papur dyddiol eto'n fodlon dod allan yn gryf yn erbyn arfau niwclear, mae'n edrych, er hynny, fod pethau'n dechrau cydweithio tuag at bolisi amddiffyn gwahanol yn yr ynysoedd hyn.

Bûm yn gwylio'r teledu fwy nag arfer dros y gwyliau, a chefais y wobr sylweddol o weld Alan Whicker, ar y rhaglen fyw, *Tonight*, yn prancio o gwmpas yn yr Iwerddon. Cyfeiriaf ato yma oherwydd i mi gredu fod Whicker, yn ei ffordd, gyda'r newyddiadurwr gorau sy'n bod, ac oherwydd nad oes ganddom ni un newyddiadurwr tebyg iddo yn y Gymru Gymraeg. Beth yw nodweddion ei newyddiaduriaeth? Wel, y mae ganddo'n gyntaf yr awydd a'r dycnwch i chwilio am yr anghyfarwydd ar strydoedd cefn bywyd, ac, yn ôl pob hanes, y mae'r oriau o waith a rydd i bum neu ddeng munud ar *Tonight* bob nos yn ddigon i lethu'r rhan fwyaf o bobl. Er enghraifft, yr wythnos hon, darganfu griw o Wyddelod cap-a-phig swnllyd, direidus, ymosodol yn chwarae gêm od iawn ar un o ffyrdd glaswelltog, annisgwyl, swydd Cork. Ac yna, pan aeth i gastell Blarney, rhoddodd dro bersonol hollol i'r stori gyfarwydd. Arwain hyn i nodwedd arall arbennig iawn yn ei waith. A hwnnw yw'r hiwmor "off-beat", byrlymog sy'n tasgu trwy'r cyfan a wna ac sy'n sleifio i mewn, ambell waith, i'w eitemau mwyaf difrif, bron yn ddiarwybod i Whicker. Ond nodwedd bwysicaf gohebu Whicker yw'r ffaith nad yw byth yn caniatáu i'w ragfarnau a'i deimladau cryf a digamsyniol ef ei hun i lurgunio'r ffeithiau. Cais yn gyntaf roi darlun cywir o'r hyn sy'n digwydd; wedyn, ac nid cynt, fe rydd ei farn neilltuol a gwreiddiol ef ei hun ar ba fusnes bynnag sydd dan sylw. Gresyn na fyddai gennym ohebwyr tebyg yng Nghymru, rhai a fyddai'n fodlon turio at wreiddiau pethau, yn hytrach na phratlan byth a hefyd am wedd ymddangosiadol ac arwynebol pethau.

Yn ei lyfr diwethaf, *Y Nos, Y Niwl, a'r Ynys,* y mae Alun Llewelyn-Williams yn rhoi darlun cynhwysfawr o wahanol destunau'r rhamantwyr yng Nghymru, a'u gwahanol agweddau ar fywyd. Fe gymer eu syniadau am serch, byd natur, Afallon a'r werin bobl fel enghreifftiau o'u dull o ddehongli bywyd yn gyffredinol. Gan i mi gael gŵys i sôn am y llyfr mewn lle arall, nid af i'w drafod yn fanwl yma, ond rhaid dweud un peth amdano. Y mae Alun Llewelyn-Williams yn derbyn yr honiad cyffredin mai rhyw bobl afreal nad oeddynt yn fodlon wynebu bywyd fel y mae oedd y Rhamantwyr, pobl yn mynnu gweld rhywbeth mwy na'r hyn sydd yno ym myd natur, mewn rhyw, ac yn y byd a'r betws yn gyffredinol. Gall yn wir fod yr hyn a ddywed yn deg ac yn gywir, ond ni hoffaf y rhagdybion cyffredin iawn yn y byd sydd ohoni, y rhagdybion fod modd pennu'n bendant beth yw terfynau 'pethau fel ag y maent'. Pwy sydd i ddweud, er enghraifft, nad yw ysbryd ac ewyllys Duw'n amlygu ei hun mewn rhyw ffordd ym myd natur? I ba raddau y gellir bod yn sicr mae'r gweledig a'r amlwg yw unig realiti'r byd o'n cwmpas? Prin y gall y Cristion, o leiaf, ysgubo syniadaeth sylfaenol y Rhamantwyr mor rhwydd o'r ffordd, er nad yn enw Cristionogaeth yr oedd y rhan fwyaf o'r Rhamantwyr yn meddwl mewn termau arall fydol. Dylid darllen llyfr Alun Llewelyn-Williams, er mwyn manteisio ar ei ymchwil manwl a thrylwyr dros ben i gymhellion y Rhamantwyr, ac i holl natur eu syniadaeth, ond peidiwn â derbyn athrawiaeth ddof a gordrefnus yn lle bwrlwm byw a gormodiaeth hyfryd y beirdd hyn. Pan ddywed Williams-Parry fod "rhyw anesmwythyd yn y gwynt", a phan deimla Gwynn Jones naws y saint yn awyrgylch Enlli, nid wyf yn gweld paham y dylem wawdio'r fath deimladau. Wedi'r cyfan, y mae llawer iawn o bethau na wyddom ni eu naws a'u hystyr yn iawn; gweld trwy ddrych fel mewn dameg yr ydym o hyd, ac ofer yw'r ymgais ysbeidiol hanesyddol i egluro popeth o fewn terfynau rheswm.

Llyfr arall diddorol a ymddangosodd yn ddiweddar yw *Awen Ariannin*. Y mae'r llyfr hwn yn rhan arall yn ymgyrch ddygn Bryn Williams, yr awdur, i'n gwneud ni yng Nghymru'n fwy cyfarwydd â bywyd ein cefndryd ym Mhatagonia. Ond y mae iddo arbenigrwydd mwy na hyn. Clywn oddi wrth haneswyr fel y mae ymfudwyr o un wlad i wlad arall yn tueddu i geisio ailadeiladu'r hen gartref yn y wlad newydd yn hytrach na llunio byd a bywyd hollol wahanol. Yr oedd hyn yn wir am yr ymfudwyr o Ewrop i'r Unol Daleithiau, ac i farnu oddi wrth eu cynnyrch barddonol yn *Awen Ariannin* mae'n arbennig wir am yr ymfudwyr o Gymru i Batagonia. Wrth ddarllen y llyfr hwn, awn yn syth i mewn i fyd tawel, trefnus, hiraethus, caboledig cyfnod oes Fictoria. Mae'r mydrau a'r testunau yn y farddoniaeth yma i gyd yn adlewyrchu Cymru yn y ganrif ddiwethaf. Ychydig iawn o ysgrifennu am y paith ei hun a gawn, ychydig o fenter. Hiraeth am gartref a adawyd yn anfoddog, dyna a gawn. Nid yw *Awen Ariannin* yn llyfr da, ond mae'n llyfr dadlennol, a gwaetha'r modd, yn llyfr nodweddiadol Gymreig.

21 Ebrill, 1961

GAGARIN – MACMILLAN – TELEDU

Ac yn awr Yuri Gagarin, y gŵr a welodd y gorwel yn gylch melyngoch am belen ddiflanedig y ddaear, y gŵr a gafodd 700 tusw o flodau pan gyrhaeddodd ddinas Moscow heddiw, y gŵr a gafodd 12 cusan gan Mr Kruschev ac un gan ei wraig, Arwr Undeb y Sofietau, y cosmonot cyntaf mewn hanes. Y mae'n rhaid i ni o leiaf drafod y digwyddiad yma oherwydd, os y bydd dynoliaeth ohoni ar y ddaear ymhen 300 mlynedd, bydd enw Yuri Gagarin yn llyfrau hanes; bron yn ddiarwybod iddo ef ei hun, fe ddaeth yn rhyw fath o Alexander, o Catherine Fawr, o Gystennin, o Golumbus, daeth yn ffigur hanesyddol o'r radd flaenaf, yn un o etholedigion yr oesoedd. Ond dyn a ŵyr beth i'w ddweud amdano. Oherwydd peth eironig iawn yw hanes, ac nid oedd y gŵr a welsom yn ganolfan y stŵr a miri ym Moscow ond yn greadur cyffredin iawn, yn ddyn eithaf disylw a oedd wedi cael annwyd. Peth annifyr yw bod mewn achlysur cyhoeddus a chwithau wedi cael annwyd; ond mae'n rhaid ei fod yn ddigon i beri i Yuri Gagarin druan ddamio ffawd. Ond dyna ni, fel hyn y mae hanes wedi trin achlysuron o'r math erioed; bob tro y mae dyn yn dechrau ymchwyddo a theimlo ei fod yn feistr ar fywyd, y mae'n cael annwyd neu'n baglu dros ei draed ar ei ffordd i'w orsedd, yn colli botwm ei drowsus neu'n colli ei dymer. Nid unrhyw beth mawr, llawn trasiedi, nid deunydd merthyrdod sy'n digwydd i ddyn ar y fath achlysur, ond rhywbeth bychan, rhyw niwsans, rhyw wybedyn o boen, unrhyw beth i geisio dangos iddo mai deunydd comedi ydyw mewn gwirionedd nid arwr mewn trasiedi, mai ffŵl chwyddedig, nid merthyr. Nid wyf yn credu, rhaid cyfaddef, mai gweithredoedd fel gweithredoedd Yuri Gagarin sy'n arwriaeth, er eu dewred, ac er eu hamled ar groniclau hanes. Dyn yw Gagarin a oedd yn ddigon dewr i fentro, dyn a wnaed yn arwr gan ddynion eraill. Oherwydd nid yw gweithred fel ei weithred ef yn fawr ac yn arwrol ynddi ei hun; mater o orwedd i lawr mewn tegan metel a choncro dychymyg oedd y weithred. Sŵn a siarad a syndod dynion eraill a roddodd iddi ei fawredd. I mi, y mae gwir arwriaeth i'w weld mewn oes o wasanaeth, mewn dycnwch, mewn cysondeb dygn dros gyfnod maith, mewn hirymaros, mewn brwydr ddigroeso yn erbyn gallu nerthol, mewn goddef ffyliaid, yn y pethau bychain. Dyna'r arwriaeth sy'n fawr ynddi ei hun, ar wahân i bob syndod a phob rhyfeddu, arwriaeth sy'n aml yn llithro heibio i sylw dynion ond sy'n bod yma ac acw o hyd ac o hyd. Y mae sniff anffodus Yuri Gagarin yn ei osod yn ei gyd-destun priodol, yn ei atgoffa ef a ninnau fod hyd yn oed y cosmonot newydd yn gorfod defnyddio hancas boced. A pha faint o arwyr cyffredin oedd yn ymdroelli o'i gwmpas yn y dorf ddienwau o bobl islaw ar balmant y sgwâr? Llawer mwy, bid sicr, nag y byddai ef na Kruschev yn fodlon cyfaddef, er holl eiriau blodeuog arweinydd Rwsia am aberth materol y werin Sofietaidd. Rhan o'r peiriant yw Gagarin, a rhan a wnaeth ei waith yn drylwyr ac yn ddewr, rhan a dyfodd yn symbol o'r peiriant cyfan, a rhan a fydd yn sefyll dros effeithiolrwydd ac unplygrwydd y cyfan yn llyfrau a darluniau'r dyfodol. Ond rwyf yn falch i mi gael cyfle i'w weld heddiw, oherwydd pa rai o'r llyfrau a fydd yn dweud fod Arwr y Sofietau, y cosmonot cyntaf, Yuri Gagarin, wedi cael annwyd ar ei ddiwrnod mawr fel unrhyw feidrolyn arall?

Yn rhyfedd iawn, cywirodd rhywun go annisgwyl y darlun cydwladol yn ystod y diwrnod cynhyrfus hwn, 14 Ebrill, 1961. Oherwydd ymddangosodd Macmillan ar y teledu heno, a roddodd berfformiad taclus, tawel, atyniadol wrth ddelio â chwestiynau John Freeman, Boyd o'r *Guardian* a golygydd y *Daily Mail*. Fe'i holwyd am ei ymweliad â'r Unol Daleithiau, am Kennedy, am arian, am y bom, am bethau'n gyffredinol. Ac yna, ar y diwedd, cyfaddefodd Macmillan, gyda didwylledd amlwg iawn, mai ei bwrpas ef, a'i gyd-wleidyddion ymhob gwlad, oedd creu a chadw mewn bod y math o fyd lle'r oedd hi'n bosibl i ddyn ofyn y cwestiynau sylfaenol a ofynnwyd gan bob dyn meddylgar ymhob oes, y cwestiynau sylfaenol ynghylch pwrpas bywyd, a pherthynas dyn â'i Dduw. Y mae llawer i'w ddweud dros wleidydd a all gyfaddef cymaint â hynyna ar y teledu ar noson fel hon.

Heddiw hefyd, yn y *Western Mail*, gwelsom enwau'r bobl sy'n rhan o ymgyrch y Dr Haydn Williams i gael gafael ar y donfedd deledu newydd yng Nghymru. Y mae'r enwau'n ddiddorol, ac yn adnabyddus iawn. Prin y gellid cael gwell cynrychiolaeth o bobl gefnogol i'r iaith Gymraeg o wahanol alwedigaethau ac agweddau ar fywyd y wlad. Dywedodd y Dr Haydn Williams mai amcan y cwmni fyddai cynnal dwy raglen deledu yn yr iaith Gymraeg ar adeg resymol bob gyda'r nos. Wel, rhaid cyfaddef nad wyf yn ffyddiog fod hyn yn bosibl, ond y mae'n amcan hynod o ddewr a chanmoladwy, a mentraf obeithio fy hun y bydd y grŵp yma'n llwyddo i gael rhoi cynnig ar wneud hyn. Er cymaint fy nghydymdeimlad â'r BBC yn yr ymosodiadau anneallus ar eu polisi sy'n britho'r awyr y dyddiau hyn, eto ni ddywedodd y BBC erioed eu bod yn gobeithio gwneud cymaint â hyn dros y Gymraeg ar eu rhaglenni teledu. Pob lwc i'r cwmni newydd a gobeithio nad yw'r amcanion a osodwyd i lawr gan y Dr Williams y tu hwnt i derfynau'r posibl.

28 Ebrill, 1961

CUBA – DYN GWYN – GWYDDONWYR EMOSIYNOL – PRIFEGLWYS BANGOR

Y mae cynnwrf Cuba'n gynnwrf pwysig. Ni ddylem gael ein twyllo gan sŵn a strytian Fidel Castro nac ychwaith gan osodiadau ymddangosiadol bur ac agored Adlai Stevenson yn y Cenhedloedd Unedig. Oherwydd y math yma o beth a fu'n fan cychwyn i'r Rhyfel Byd Cyntaf ac yn 'flashpoint' i'r Ail Ryfel Byd hefyd. Pan fo dau gi wrthi'n ymladd dros un asgwrn, dyna pryd y bydd brwydr ffyrnig yn debyg o ddigwydd; nid yw'r sefyllfa fymryn llai peryglus pan fo'r naill gi a'r llall yn anfon rhywun arall fel 'proxy' i ymladd drostynt. Y mae Castro'n amddiffyn awyrlu Rwsia, ac y mae'r gwrthryfelwyr yn ymladd gydag arfau sy'n cario stamp ffatrïoedd yn Pittsburgh, Pennsylvania. A thu ôl i'r ysgarmesoedd bychain, milain, cilwgus ar draethau Cuba, a draw ymhellach yn y mynyddoedd, y mae'r ddau Leviathan yn gwylio ac yn disgwyl, yn cyfnewid y ffurfwasanaeth gonfensiynol ddiplomataidd, ac yn disgwyl. Fel hyn y bu hi yn y byd cydwladol erioed – cyfnewid celwydd gefn dydd golau, a disgwyl am y fantais, taro'r fargen neu gyhoeddi rhyfel, yn y dirgel, mewn tŷ llysgennad neu gynteddoedd y Cenhedloedd Unedig, ond yn awr y mae cleddyf Damocles y trydydd rhyfel, cysgod y Bom, yn hofran uwchben pob symudiad cydwladol, yn fagl parod i bob gwladweinydd gorfentrus. Yn wyneb hyn i gyd, gêm beryglus yw gêm Kennedy a Kruschev, a hwyrach mai'r gêm ddiplomataidd olaf i gymryd lle ar y ddaear am ganrif neu ddwy fydd hi. Oherwydd pan welwn ŵr fel Castro, gŵr anghyfrifol a hunanol, yn dylanwadu ar nerfau'r byd fel y mae ar hyn o bryd, y mae hi'n berffaith bosibl i'r trydydd rhyfel dorri allan, ac os y tyr trydydd rhyfel, y mae'n berffaith bosibl na welir bellach ond pwll o fwg fel atgof o wareiddiad mwyaf graenus hanes dynoliaeth. Rhoddwyd rhagor o reswm i bryderu'r funud yma, fel yr ysgrifennais y geiriau diwethaf; ar newyddion y teledu, clywed fod yr Arlywydd Kennedy newydd ddweud, "We do not intend to abandon Cuba to the Communists. I will not be lectured to an intervention by Soviet Russia, whose character is stamped for ever on the bloody streets of Budapest." Os ydym am gadw'r gwareiddiad hwn o gwbl, y mae'n bryd i wladweinyddion roi heibio'r dull yma o siarad. Wrth edrych ar holl gawl Cuba, ar y Cenhedloedd Unedig, ar y Congo, ar y dafarn goffi dros Brydain i gyd, y mae dyn yn teimlo ambell waith mai chwythu'r cyfan i fyny fyddai orau ac ailddechrau gydag ychydig o bobl mewn cornel anwaraidd o'r ddaear. Ond, Duw a'n gwared, ni ddylid lleisio'r fath deimlad; fe all y peth ddigwydd, ac mae mor agos heno ag y bu ers rhai blynyddoedd. Y mae'n anodd meddwl, sut bynnag, fod unrhyw ddatrys dynol i fod ar y cawl cydwladol sy'n wynebu Kruschev a Kennedy.

Y mae'n ymddangos fod y ddau ohonynt wedi rhoi'r gorau i geisio rhoi unrhyw drefn o gwbl ar y Congo: ymddengys nad yw'r naill na'r llall ohonynt eisiau'r lle. Ac y mae'r Congo, mewn gwirionedd, yn gondemniad terfynol ar ddull y dyn gwyn o lywodraethu'r ddaear dros y ganrif a hanner ddiwethaf. Ni wnaethpwyd ymdrech o gwbl i addysgu pobl y Congo dros lawer blwyddyn o gario cyfoeth o'r wlad i gyfandir Ewrop. Pan oedd y Gwyddel gorenwog Roger Casement yn was sifil yn fforestydd y Congo ar ddechrau'r ganrif – ymhell cyn iddo ddod i wrthdrawiad â llywodraeth Prydain – ysgrifennodd y geiriau hyn am ymddygiad gwlad Belg yno: "The bestiality of those who are responsible for what passes for law and authority here augurs badly for the future. Such scant reverence for human dignity can only bear evil fruit in wars and rebellions, bitterness and sordid revenge." Cael ei anfon i'r Congo a wnaeth Casement, a'i anfon yno i wneud adroddiad ar y sefyllfa yno. Yr oedd ei adroddiad mor drylwyr ac mor gyfan gwbl chwyrn nes peri i'r awdurdodau yn Llundain ei osod yn syth ar y silff a'i anghofio. A pharhaodd barbareiddiwch yn Congo. Y mae'n parhau o hyd, ond rhwng negro a negro yn awr, gan gymaint ohono a welsant gan bobl wyn yn y gorffennol. Ni ellid disgwyl gwell na'r hyn a ddigwyddodd yn y Congo, gan ystyried mai o'r gorffennol y mae'r presennol yn tyfu, a bod rhyw fath o reol Achos ac Effaith hyd yn oed yn nhroen anystywallt hanes cenhedloedd. Medi ffrwyth barbareiddiwch y Congo yn y gorffennol yr ydym heddiw, profi'r hyn a broffwydodd Roger Casement druan yn ei ddydd. Ac wedi gweld hyn, ciliodd Kruschev a Kennedy i'r cefndir, gan adael 25,000 o filwyr Kasavuba i orymdeithio'n ôl a blaen yn Leopoldville a 7,800 o filwyr Katanga i orymdeithio hefyd ar y goror, gadawsant Lumumba i gystywon marwolaeth. Ac y mae'n anodd gweld fod unrhyw beth arall wedi bod yn bosibl o'r cychwyn; ambell waith, y mae'r cyfle i wneud daioni'n diflannu am byth, a chyfnod yn dod pan na ellir gwneud dim ond gwylio'r drygioni ar waith a cheisio'i leddfu. Dyna, chwarae teg iddo, y mae Kennedy'n ceisio'i wneud gyda'i fyddin o weithwyr gwirfoddol. Ni allwn ond aros a disgwyl beth fydd ffrwyth llafur y rhain yn eu tro, prun a'i gwenith yntau'r un hen arfau.

Mewn llyfr a gyhoeddwyd yn ddiweddar, *Science and Government*, y mae'r nofelydd C. P. Snow, yn adolygu safle'r gwyddonydd fel cynghorwr gwladwriaeth, ac yn cymryd fel maes ymchwil cyfnod y tridegau ym Mhrydain. Yn y cyfnod hwnnw, yn arbennig o 1936 ymlaen, yr oedd grŵp o wyddonwyr wedi eu casglu'n bwyllgor i weithredu fel cynghorwyr ar bob mater yn ymwneud â pholisi y llywodraeth. Cadeirydd y pwyllgor, a thipyn o wleidydd wrth reddf, oedd Sir Charles Tizard, ac ef oedd y pen-cynghorwr yn ddiamau. Ar ymylon y grŵp yr oedd yr athro Lindemann, Lord Cherwell ymhellach ymlaen, gwas gwyddonol arbennig Winston Churchill, a gŵr balch, ystyfnig a hunangyfiawn. Pan ddaeth Churchill i awdurdod, daeth Lindemann i awdurdod hefyd, gan reoli polisi gwyddonol y llywodraeth yn llwyr o hynny ymlaen, gan dyfu'n fath o undeb gwyddonol. Y mae C. P. Snow yn dangos yn ei lyfr fel yr oedd y rhan fwyaf o gynghorion Lindemann yn gynghorion peryglus o anghywir, a'i fod yn ŵr ystyfnig nes ei gwneud yn amhosibl i neb arall ei ddarbwyllo. At hyn, am resymau ynghlwm wrth genfigen broffesiynol, yr oedd gelyniaeth filain wedi datblygu rhwng Lindemann a Tizard, gelyniaeth a dyfodd yn llawer mwy milain fel y daeth Lindemann i sylweddoli mai Tizard fel arfer oedd wedi bod yn iawn. Prif thema llyfr Snow yw'r ffaith mai emosiwn, cynnwrf teimladol bron yn gyfan gwbl, oedd yn llywodraethu polisi gwyddonol Prydain yn y tridegau, ac nid y rhesymeg clir, ffeithiol sydd yn ôl y myth boblogaidd yn gorwedd y tu ôl i benderfyniadau gwyddonwyr. Y mae Snow yn poeni gryn dipyn ynglŷn â'r duedd gynyddol, fel y mae gwyddoniaeth dechnegol yn datblygu, i roi mwy a mwy o allu cynghorol yn nwylo gwyddonwyr proffesiynol. Mae'n credu fod angen pendant heddiw i feddwl llawer iawn mwy am ddylanwad gweithredoedd gwladwriaethau ar feddyliau pobl, ac mai dylanwad ar gyrff yw busnes y gwyddonwyr a deunydd eu dadleuon. Y mae'r perygl yn amlwg, ond i fod yn berffaith deg, nid oedd pethau rhyw lawer iawn gwell pan oedd y bardd yn eistedd ar ddeheulaw'r brenin, ac yn sibrwd rhybuddion a chynghorion yn ei glust.

I ddod yn nes adref fe ddylid llongyfarch awdurdodau Eglwys Gadeiriol Bangor a Chyngor Dinesig y ddinas am y newidiadau sy'n cymryd lle o gwmpas y brifeglwys ym Mangor. Arferid meddwl yn aml am Eglwys Gadeiriol Bangor fel rhyw brifeglwys ddigon tila yn llechu mewn llwyn o goed ynn, ac yn annheilwng, mewn gwirionedd, i fod yn ganolfan esgobaeth. Wel, yn awr, mae'r coed yn diflannu, ac fe roddir y liebensraum a'r urddas dyledus i'r hen adeilad. Ac yn barod mae'r manteision yn amlwg. Gwelir bellach fod harddwch yn hyd y corff, ac yn amlinellu'r to, ac yn holl ffurf y pen gorllewinol. Y tŵr dwyreiniol yn unig sydd ar goll, a'r golled hon sy'n creu siom i'r llygaid, a phe bai hi wedi bod yn bosibl i adeiladu tŵr ar y groesfaen uwchben y gangell, byddai'r eglwys hon gyda'r harddaf yng Nghymru. Sut bynnag, caiff yr eglwys fel y mae hi lawer mwy o chwarae teg bellach. Un peth y carwn awgrymu – gan daro'r post er mwyn i'r pared clywed – yw y dylid ceisio gwneud rhywbeth ynghylch y ffens ddu annifyr sy'n dal i anharddu'r olygfa o'r ochr isaf. Oni ellid ei gwerthu i'r gŵr 'scrap iron'?

Mae'n werth gorffen yr wythnos hon, rwy'n credu, trwy ddyfynnu terfyn sgwrs Alistair Cooke ar y radio nos Sul diwethaf. Sôn am Yuri Gagarin yr oedd:

> The danger in this kind of thing is that we ordinary mortals will no longer think it worthwhile to tidy up our own little neck of the woods and make it fit for other generations to live in. For not even in the next generation is everybody going to go up to the moon!

2 Mehefin, 1961
LLWYBR ARIAN – ORIGEN – DOCK LEAVES – Y GENHINEN

Wrth ddarllen sylwadau rhagorol y Golygydd ar y Sulgwyn, ac ar natur arweiniad yr Ysbryd Glân, aeth fy meddwl unwaith yn rhagor at addysg Gristionogol. Nid yw pethau'n newid llawer, ac ambell dro gallwn weld llwybr arian o alwedigaeth Gristnogol yn ymestyn dros y canrifoedd yn ddigamsyniad ac yn ddigyfnewid. A theimlais fod y math yma o lwybr yn arwain o ysgol Origen yn Alecsandria yn y flwyddyn 203 i sylwadau golygydd *Y Llan* yn y flwyddyn 1961. A dyma, i mi, sy'n rhagorol yn y meddwl Cristionogol: dyma hefyd sy'n gwallgofi pobl fel Bertrand Russell a Julian Huxley wrth iddynt feddwl amdano. Mae'n ymddangos yn aml fel pe bai'n troi yn ei unfan, yn anwybyddu datblygiadau cymdeithasol, yn gwrthod addasu ei hun at ofynion cenhedlaeth a chanrif a chyfnod arbennig. Er cymaint yr ymgecru Cristionogol sydd i'w gael ar dudalennau hanes – ac ar dudalennau'r *Llan*. Duw a'n gwaredo am hynny, eto y mae dolen-gydiol hawdd ei chanfod yn clymu Awstin Fawr a Tomos Acwinas wrth y Pab Gregory a hwnnw yn ei dro wrth Luther a Chalfin a Charles James Fox, yn cysylltu Newman â William Penn, Parry Lyddon â Wilberforce, a Phantycelyn â Timothy Rees. Y mae Cristionogaeth yn fwy nag athrawiaethau, y mae'n gyson ac yn ddiogel islaw pob anghytundeb ac yn gorff unedig o feddwl er gwaethaf pob paradocs. Er gwaethaf pob Rhyfel Grefyddol, yn Ffrainc, yn yr Almaen, yn yr Alban, yn Neheudir Amerig, eto corff heddychlon o feddwl ydyw; ac er gwaethaf pob dadl athronyddol, mae'n gorff anorchfygol yn ei amrywiaeth, ac yn ei lawenydd. Ac, wrth gwrs, y mae'r meddwl Cristionogol mewn ffordd yn anwybyddu datblygiadau cymdeithasol cyfnod arbennig, ac yn gwrthod gogoneddu mewn darganfyddiadau gwyddonol; nid yw dyn sydd â'i fryd ar ddringo Everest yn debyg o sylwi'n ormodol pan fydd rhywun arall yn llwyddo i gyrraedd copa'r Wyddfa. Nid yw Cristion yn difrïo enwau fel Darwin, Rutherford, Curie, Cockcroft, ond eto, hyd yn oed, gyda'r rhain, y mae natur dragwyddol y bobl hyn eu hunain yn bwysicach i'r Cristion na'u darganfyddiadau. A hwyrach yn wir mai'r arwydd amlycaf o fodolaeth yr Ysbryd Glân yw'r ffordd y mae rhyw synthesis rhyfedd i'w weld y tu ôl i'r syniadau crefyddol mwyaf annhebyg ar yr wyneb, a'r ffordd y mae modd gweld elfennau Cristionogaeth yn y Brenin Siarl y Cyntaf, ac yn Olifer Cromwell ar yr un pryd, mewn Pabydd ac Annibynnwr. Y mae'r Ysbryd Glân ym mhobman ond lle y mae balchder dyn; nid yw'n ymwrthod ag un dim ond y Diafol; ef yw'r hyn a eilw Waldo Williams yn gymod sy'n cydio pob dyn byw; ef yw'r grym a rydd ystyr i anghysondeb, amynedd i'r gŵr brysiog a thangnefedd i genedl ryfelgar. Ond yn ôl at y pwynt ac at Origen a'i ysgol.

Yn y flwyddyn 203, Demetrius oedd Esgob Alecsandria. Ac Alecsandria oedd canolfan deallol y byd yn y cyfnod. Yr oedd llyfrgell ac amgueddfa Alecsandria yn cynnwys holl ddiwylliant Groeg a Rhufain. Ynghanol y gymdeithas ddysgedig hon, yr oedd angen am hyfforddi Cristionogion newydd yn sylfeini'r ffydd. Gosododd Demetrius ŵr ifanc a elwid Origen yn bennaeth ar yr ysgol hon. I ddechrau, ni wnaeth Origen un dim ond gosod ffeithiau sylfaenol Cristionogaeth o flaen ei ddisgyblion. Ond gwelodd yn fuan fod rhai'n dod ato a oedd wedi eu hyfforddi eisoes yn nysgeidiaeth Platon ac Aristotles, gwŷr a oedd yn etifeddu holl gyfoeth diwylliedig y gwareiddiad cyfoethocaf a welodd y byd erioed. Ochr yn ochr â'r rhain, yr oedd ganddo rai Cristionogion ifainc nad oedd yn gwybod dim am yr hen syniadaeth Roegaidd. A gwelodd Origen fod y rhain dan anfantais o'u cymharu â'r gweddill. Gwelodd hefyd fod y gweddill eu hunain yn dechrau ymdeimlo â'r gwrthdaro rhwng syniadau Platonaidd a syniadau'r Eglwys. Yr oeddynt yn dechrau amau fod disgyblaeth feddyliol Cristionogaeth yn gosod cadwynau afraid ar wybodaeth ac antur meddwl, ac yn wir yn cymharu'n anffafriol ag ymgyrch ddeallol eang a phellgyrhaeddol meddylwyr Groeg.

Gan ystyried hyn i gyd, yr oedd yn rhaid i Origen ddod i benderfyniad. Beth oedd y cwrs cywir? A ddylid parhau i anwybyddu syniadaeth seciwlar yn llwyr, gan gyflwyno Cristionogaeth yn y dull cyntefig, syml, elfennol i bawb yn ddiwahaniaeth? Ynteu a ddylid newid yr holl syniad am addysg Gristionogol, gan agor y maes i bob math o athroniaeth a holl wybodaeth eang y byd anghristionogol? Penderfynodd Origen gymryd yr ail gwrs, a thrwy wneud hynny, newidiodd hanes yr Eglwys Gristionogol. O hynny ymlaen yr oedd ysgol Origen yn trwytho'r disgyblion yn yr holl wybodau a oedd yn perthyn i'r byd allanol. Ond wrth ddysgu'r syniadau hyn, yr oedd Origen yn gwneud dau beth arall: yr oedd yn dangos beth oedd nerth a gwendid pob athrawiaeth baganaidd yng ngolau newydd holl wybodaeth yr Eglwys am Dduw a Christ, gan roi popeth yng nghyd-destun y Groes a'r Atgyfodiad; ac yna, gofalodd bod disgyblion ei ysgol ef yn byw bywyd o addoli a gweddïo ar Dduw fel cymdeithas unedig. Sylweddolai Origen fod dysgu am Dduw yn ddi-fudd heb fod y fath ddysgu'n cydredeg â phroses o ymgydnabod â phresenoldeb Duw trwy fawl a gwasanaeth. Wrth osod dysg ac addoliad ochr yn ochr, yr oedd Origen yn dangos grym a dyfnder y grefydd newydd, ac yn dangos ar yr un pryd fod modd i Gristion gyfarfod y Groegwr ar ei dir ei hun, ei gyfarfod a'i drechu. Ysgol Origen oedd yr ysgol Gristionogol gyntaf, ac mor gynnar â hyn yn hanes yr Eglwys fe ddaeth y tadau i'r canlyniad na allai'r Cristion anwybyddu syniadaeth, a gwybodaeth, ac artistwaith y byd allanol; gwelodd Origen fod angen i'r Cristion hogi ei feddwl ai ddeall er mwyn defnyddio'r naill a'r llall yng ngwasanaeth Crist a'r Eglwys. Ar yr un pryd, yr oedd yn pwysleisio yn ei ddull o drefnu ei ysgol nad trwy ddeall y deuai dynion i gysylltiad â grym Croes Duw, ond trwy addoli a gweddïo. Mewn gair rhoddodd Origen oleuni newydd ar y syniad am y gŵr diwylliedig.

Beth amser yn ôl fe'm condemniwyd mewn termau anghymedrol am feirniadu yn y colofnau hyn y gyfundrefn addysg bresennol. Ni allaf ond cyfeirio fy meirniaid at amcanion a dulliau ysgol Origen, ac at sylwadau'r Golygydd ar yr Ysbryd Glân ar wythnos y Sulgwyn, gan ofyn iddo ystyried pa mor bell oddi wrth addysg uniongyrchol Gristionogol yw ein system wladol ni.

Y mae Cymru, yn ddiarwybod iddi hi ei hun fel arfer, wedi ffarwelio am y tro â gŵr go arbennig. A hwnnw yw Raymond Garlick. Ef oedd golygydd cyntaf y cylchgrawn *Dock Leaves* ac ef a arhosodd yn y gadair dros ddeuddeng mlynedd o'r cychwyn pell hwnnw yn 1949 hyd heddiw. Newidiodd y cylchgrawn ei enw a'i faint yn ystod y blynyddoedd. Tyfodd yn gyhoeddiad sylweddol ym mhob ffordd, a daethom i'w adnabod yn ddiweddar fel yr *Anglo-Welsh Review*. Ond Raymond Garlick oedd y golygydd o hyd a'i arweiniad ef oedd yn rhoi stamp arbennig ar y cylchgrawn. Yn awr, y mae wedi ymadael â Chymru, ac wedi cymryd swydd yn yr Ysgol Gydwladol yng Nghastell Eerde yn yr Iseldiroedd. Ac wrth fynd, y mae wedi gadael cadair ei gylchgrawn i arall. Yr oedd Mr Garlick yn ŵr arbennig oherwydd iddo ymwrthod bob amser â phob temtasiwn i dyfu'n lladmerydd croch. Ei uchelgais oedd creu cylchgrawn o safon uchel i adlewyrchu gwaith y rhai a ysgrifennai yn Saesneg yng Nghymru. Gwnaeth hyn. Ond wrth fynd o gwmpas ei waith ni ddangosodd unrhyw duedd i wawdio a difrïo'r llenor Cymraeg. Mewn gair, yr oedd Raymond Garlick yn parchu'r traddodiad Cymraeg yn fawr, a gwnaeth lawer dros y deng mlynedd diwethaf i ehangu gwybodaeth am lenyddiaeth Gymraeg trwy gynnwys yn *Anglo-Welsh Review* a *Dock Leaves* ysgrifau yn Saesneg ar lenorion Cymraeg Cymru. Er iddo deimlo'n aml nad oedd y llenor Eingl-Gymreig yn cael tegwch, eto parhaodd i fod yn deg a chytbwys ei hun yn ei holl sylwadau ar y sefyllfa yng Nghymru. Yr oedd Raymond Garlick yn un o'r bobl a hoffai weld ymdeimlad o genedlaetholdeb Cymreig yn tyfu i gyfuno'r Cymry Cymraeg a'r Cymry di-Gymraeg yn un genedl, ond yn y cyfamser yr oedd am i frawdgarwch a chyd-oddefgarwch dyfu a ffynnu. O'm blaen yn awr y mae'r copi diwethaf o'r cylchgrawn, ac yn y rhifyn hwn cawn deyrnged i Mr Garlick gan y golygydd newydd. Ni allwn ond gobeithio y bydd doethineb a chydymdeimlad maith yr hen olygydd yn dal i nodweddu gosodiadau'r cylchgrawn dan y drefn newydd.

Yn y rhifyn diwethaf o'r *Genhinen* ceir hanes dadorchuddio tair cofeb yn Eifionnydd, cofebau i Siôn Wyn o Eifion, Myrddin Fardd a'r Parch. Henry Hughes. Y mae Eifionnydd erioed, wrth gwrs, wedi bod yn fro gyfoethog iawn mewn llenorion a beirdd, a bu gennyf ddiddordeb mawr ers tro yn y grŵp o lengarwyr yr oedd Siôn Wyn yn un ohonynt, y grŵp hwnnw a gyfarfyddai yng Nghefn y Meysydd, cartref Ellis Owen, a chyrchfan Robert ap Gwilym Ddu o'r Betws Fawr. William Rowland, a ysgrifennodd lyfr ar y beirdd hyn, sy'n ysgrifennu'r hanes yn y *Genhinen*, a byddai'n dda pe bai modd iddo ef ysgrifennu ail gyfrol mwy manwl arnynt yn y dyfodol. Dywed Mr Rowland mai "gŵr llonydd" oedd Siôn Wyn o Eifion, ac, wrth gwrs, yr oedd ef, fel "gŵr llonydd" Mr John Gwilym Jones, yn glaf ac yn gaeth i'w wely am gyfnod hir iawn. Ganed

Siôn Wyn mewn bwthyn ym mhentref Chwilog yn 1786, a bu fyw yno ar hyd ei oes. Bu am tua chwarter canrif yn ei wely heb godi o gwbl, ond ym mlynyddoedd olaf ei oes dechreuodd godi, ac o'r diwedd gallai fynd o gwmpas mewn cerbyd bychan a gafodd gan ei gyfeillion. Tra oedd yn gorwedd yn ei wely, darllenodd yn eang dros ben, gan astudio seryddiaeth a morwriaeth yn ogystal â llenyddiaeth. Cyfansoddodd lawer o gerddi caeth a rhydd, a bu'n fath o athro barddol ar Eben Fardd ymysg eraill, ac yn gyfaill i Dewi Wyn, Pedr Fardd a Nicander. Y mae'n dda clywed fod sôn am y beirdd hyn yn cael ei roi ar gof a chadw mewn cofebau, oherwydd yr oedd eu cyfraniad hwy yn gyfraniad pwysig i lên gwerin ein gwlad.

30 Mehefin, 1961
AFFRICA AC EICHMANN

Bob tro y gwelaf gyfeiriad at broblemau Affrica yn y wasg, byddaf yn cofio un noson yn Hyde Park tua dwy flynedd yn ôl, yn fuan wedi'r cynnwrf mawr yn Notting Hill. Yr oeddwn wedi dechrau tynnu sgwrs â nifer o ddynion tywyll ynglŷn â'r holl fusnes. Ymddangosent – ac nid heb achos – yn filain ac yn chwyrn, ond ymddangosent yn gwbl sicr, er hynny, ynghylch y dyfodol. Cyfnod aur y cenhedloedd tywyll oedd ail hanner yr ugeinfed ganrif i fod, oes yr addewid i'r gorthrymedig. Beth bynnag a wnâi'r dyn gwyn bellach i wella'r sefyllfa yn Affrica, meddent, yr oedd hi'n rhy hwyr. Ni ellid rhwbio'r llechen yn lân, yr oedd hen erchyllterau wedi gadael staen a chraith ar bob milltir sgwâr o dir y dyn du, o Ethiopia i'r Congo, yn Algeria, Morocco, Rhodesia, yr hen Draeth Aur, a lle bynnag arall y glaniodd y dyn gwyn gyda'r chwip yn ei law a'i lygaid ar arian parod. Ni all yr Affricanwr anghofio'r pethau hyn – maent yn rhan o gynhysgedd ei dras, ac yn stamp ar ei gymeriad. Pa mor oleuedig bynnag y bo gweithredoedd pobl fel Huddlestone, Schweitzer, ac hyd yn oed Iain McLeod heddiw, eto y gorffennol a luniodd y sefyllfa a wêl yr Affricanwr modern, y gorffennol a olygodd fod tadau a mamau Kenyatta, Mboya, Nyerere, Oringa a'u tebyg wedi byw bywyd bwystfilod y maes dan arolygiaeth y dyn gwyn. Y mae'n beth erchyll i'w wynebu, ond rhaid sylweddoli fod unrhyw beth a wneir gan ddynion da heddiw yn rhy hwyr i adennill cymeriad y dyn gwyn yng ngolwg y rhelyw o drigolion Affrica. Mae dynion fel Julius Nyerere yn gallu bod yn ddiplomataidd, ac mae'r Arlywydd Nkrumah yn gallu ysgwyd llaw'r Frenhines, ond ni all y rhelyw o ddynion duon adennill cariad at y dynion gwyn. Y mae gormes y gorffennol – a hefyd esiamplau cyfoes Angola a Sharpeville – yn llawer rhy gryf.

Kenyatta

Daeth hyn i gyd i'm meddwl mewn cysylltiad â dau lyfr *Facing Mount Kenya* gan Jomo Kenyatta, a *Kikuyu Martyrs*, cyfrol sy'n adrodd peth o hanes barberiddiwch gwaethaf y Mau Mau. Yn fwy nag unrhyw arweinydd du a aeth o'i flaen, y mae Kenyatta bellach wedi tyfu'n symbol o annibyniaeth, rhyddid, dewrder, dycnwch, gonestrwydd a grym newydd i'r dyn du. O'i garchar yn Maralal, y mae dylanwad aruthrol ymagweddiad tawel, urddasol a digymrodedd Kenyatta yn lledaenu dros bentrefi mwyaf anhygyrch Kenya, ei wlad. Daeth y ddwy blaid Affricanaidd bwysicaf yn y wlad, Kanu a Kadu, i gytundeb anghysurus ar statws hollbwysig Kenyatta. Fel Makarios o'i flaen – a llawer un o flaen hwnnw – y mae Kenyatta wedi gosod llywodraethwyr a gwleidyddion y dyn gwyn mewn sefyllfa anodd iawn. Ychydig iawn o flynyddoedd yn ôl, meddyliwyd am Kenyatta fel ymgorfforiad o'r diafol, fel awdur y diawledigrwydd mwyaf cyntefig a bwystfilaidd a welwyd ers llawer blwyddyn, fel arweinydd y Mau Mau. Bellach ef yw arweinydd dewisiedig gwerin gyffredin ei wlad; ymddengys na ellir cael llywodraeth foddhaol, sefydlog a theg yn Kenya heb gymorth a rhyddhad diamod Jomo Kenyatta. Ef yw'r unig ŵr a all atal yn Kenya'r math o ddatblygiad a welsom mor ddiweddar yn y Congo. Mae Kenyatta'n ddiawl i rai, bron iawn yn Dduw i eraill. Ond i'r ddwy ochr, mae'n symbol o'r Affrica newydd, o dwf a datblygiad y dyn du.

Gwreiddiau Affrica – nid y Gorllewin

Yn ei lyfr ef ei hun, *Facing Mount Kenya*, ni cheir yr hyn y gellid ei ddisgwyl oddi wrth arweinydd chwyldroadol, fel Kenyatta. Arolwg sobor, ffeithiol ac ysgolheigaidd o hanes y Kikuyu. Ond, wrth gwrs, nid mynd ati i ysgrifennu llyfr am y Kikuyu er mwyn lladd amser yn Maralal yr oedd. Fel hyn, er enghraifft, y mae'r cyflwyniad o'r llyfr yn darllen:

> To Moigoi am Womboi and all the dispossessed youth of Africa: for perpetuation of communion with ancestral spirits through the fight for African freedom, and in the firm faith that the dead, the living, and the unborn will unite to rebuild the destroyed shrines.

Cyflwyniad sy'n darllen yn debycach o lawer i ragair pamffled wleidyddol yw'r cyflwyniad hwn. A dyna ydyw, ffeithiau neu beidio. Oherwydd y mae Jomo Kenyatta yn ledio achos yma mewn dull cyfrwys iawn. Trwy gyflwyno ymchwil gymdeithasegol i ddulliau byw y Kikuyu mae'n ceisio gwneud dau beth. Mae'n dangos mai mater o farn yw barbareiddiwch a chyntefigrwydd, a bod bywyd cymdeithasol y Kikuyu mor wareiddiedig ei ffordd, mor fanwl, mor fiwrocrataidd, mor gaboledig â bywyd y Gorllewin. Ac wedyn y mae'n ceisio dangos fod crefydd, arferion a diwylliant traddodiadol yr Affrican yn hanfodol i'w iechyd cymdeithasol. Dengys fod Kenyatta'n credu na all na gwareiddiad na chrefydd y dyn gwyn fod yn berthnasol o gwbl i'r Affrican.

Mae'r llyfr hefyd yn dystiolaeth i gysondeb a dycnwch bywyd Kenyatta: oherwydd fe'i hysgrifennwyd yn 1938, a'r awdur ar y pryd yn fyfyriwr yn y London School of Economics dan yr Athro Malinowski. Fel hyn, yn rhyfedd iawn, y mae ei athro yn sôn am Affrica yn ei ragymadrodd:

The educated, intellectual minority of Africans, usually dismissed as "agitators" are rapidly becoming a force. They are catalysing as African public opinion even among the raw tribesmen.

Hynyna yn 1938. Bellach, gwireddwyd y broffwydoliaeth.

Peryglon i'r Eglwys

Ond wedyn, beth am y Mau Mau? Oherwydd nid chwedl na phropaganda'r wasg yn y wlad hon oedd eu gweithredoedd hwy. A beth bynnag oedd y gwir o ran Jomo Kenyatta yn y busnes, y mae'n sicr ddigon ei fod mewn sefyllfa i roi terfyn ar y cyfan pe bai wedi dewis gwneud hynny. Nodwedd arbennig erchyllterau'r Mau Mau, wrth gwrs, oedd eu gwrthwynebiadau arbennig i bob agwedd ar y grefydd Gristionogol. Yn y llyfr *Kikuyu Martyrs* gwelwn mor bell yr oedd y Mau Mau yn fodlon mynd er mwyn sicrhau y byddai'r Kikuyu yn dychwelyd at ei hen draddodiadau ac at yr hen grefydd baganaidd. Ac yn wir, wrth ddarllen rhwng y llinellau yn *Facing Mount Kenya* mae'n anodd osgoi'r casgliad fod gweithredoedd y Mau Mau yn gwbl gyson â chredoau Jomo Kenyatta dros y canrifoedd. Y mae'r naill lyfr fel y llall yn dystiolaeth i sefyllfa gythryblus cyfandir Affrica y dyddiau hyn ac i sefyllfa anodd y ffydd Gristionogol yn y cyfandir hwnnw.

Drwg eithaf – Diffyg meddwl

Fel yr oedd gweithredoedd y Mau Mau yn un enghraifft o ddiawledigrwydd, y mae hanes Eichmann yn enghraifft arall. Y mae ymarweddiad Eichmann yn awr, ei effeithiolrwydd fel tyst, ei lafur caled gyda'r papurau a'i ddogfennau yn ei gell, ei gwrteisi gofalus, a'i ddiffyg ofn, i gyd yn dangos peth mor anodd ei adnabod yw drygioni. Y mae enghreifftiau'n codi dro ar ôl tro yng nghwrs hanes o bwerau grymusaf drygioni yn ymddangos mewn pobl gyffredin, dibwys yr olwg, dinod, di-arbenigrwydd fel Crippin, Christie, ac yn awr Eichmann.

Ond parhawn i ddisgwyl arwyddion melodramatig ohono er hynny. Hwyrach y bydd y darlun o ffigur distaw, aneffeithiol Eichmann yn ei gawell gwydr yn gyfrwng i ni sylweddoli'r gwirionedd. Gallai unrhyw un ohonom gyflawni erchyllterau Eichmann pe cytunem yn ddigon hir i beidio ag aros i feddwl am yr hyn yr oeddem yn ei wneud o ddydd i ddydd. Ni allaf lai na meddwl mai byw yn anystyriol, yn ddifeddwl, yn ansensitif, yw'r pechod marwol, a'r cyfle gorau i elfennau drygioni gydio a gwreiddio a thyfu'n fforest ddiderfyn o'n cylch.

28 Gorffennaf, 1961
HEMINGWAY AC EICHMANN

Anodd credu

Bûm yn aros ar Ynys Enlli yn ddiweddar. Nid af i ramanteiddio ynghylch tawelwch godidog diohebiaeth yr wythnos a gefais ar yr ynys honno (rhag ofn i mi ailgynneu dig Mr M. G. Davies (?) o Langollen) ond un gyda'r nos, a minnau'n pwyso ar wal gerrig 'Hendy' ac yn syllu dros y Swnt ar writgochni creigiau Uwchmynydd yn y machlud, clywais ar y radio am farwolaeth Ernest Hemingway. Y radio oedd f'unig ddolen gydiol â'r tir mawr, ac wrth glywed y llais yn sôn am y ddamwain – y ddamwain nodweddiadol bron – a achosodd farwolaeth Hemingway, aeth â mi dros y Swnt, dros Gymru, a dros rai blynyddoedd i Loegr ac i'r ysgol. Oherwydd i mi, fel i lawer, rwy'n sicr, y mae Hemingway yn fwy nag awdur. (Yr oedd Hemingway yn hytrach, ac mae'n anodd meddwl amdano ond fel symbol anfarwol o wytnwch a lliw mewn llên).

Chwilota silffoedd

Pan oeddwn yn y chweched dosbarth yn yr ysgol, yn "astudio" Saesneg, yr oeddwn yn awyddus iawn i ddod yn gyfarwydd â llenyddiaeth fodern. Nid oedd ein hathro Saesneg fawr o help gan nad oedd o wedi clywed am neb a aned ar ôl 1850, a rhaid felly oedd dibynnu ar y llyfrgell. Yr athro Hanes oedd yn gyfrifol am lyfrgell yr ysgol, a chan ei fod o'n ŵr o ddiwylliant eang ac o farn oleuedig, yr oedd pob math o drysorau annisgwyl ar silffoedd y llyfrgell. (Annisgwyl, hynny yw, mewn ysgol fonedd Fictoraidd ei hagwedd at fywyd, a chrefyddol ei naws). Yr oedd yno rai o weithiau Lawrence, Kafka, Proust, Eliot, Pound, Faulkner, Auden ac yn y blaen. Yr oedd rhai mannau yng ngweithiau Lawrence, wrth reswm, yn destun sbort parhaus i'r Chweched Dosbarth – nid oedd y Chweched Dosbarth, y pryd hwnnw, mi dybiaf, lawn mor *blasé* a mater-o-ffaith ag yr ydynt heddiw – ond penderfynais geisio datrys a blasu gwaith y gweddill hefyd.

Syrffed
Treuliais ddyddiau'n pendroni gydag Eliot, euthum â Pound i'm gwely a Kafka i'r sgubor wrth ymyl yr ysgol lle treuliem brynhawniau Sul braf yn aflonyddu'r gwair a'r gwartheg a ddeuai yno i sbecian. Ond o, nid oeddwn yn deall o gwbl. Yr oeddwn yn digalonni fwyfwy o ddydd i ddydd, gan ofni fy mod yn rhy dwp i fynd ymhellach na Swinburne syrffedus yr athro Saesneg: a chan na allwn ddioddef Swinburne, penderfynais mai dyfodol go lwm oedd o'm blaen. I fod yn onest, dechreuais gasáu llenyddiaeth.

Goleuni lliwgar Hemingway
Ac yna, un wers rydd, a minnau'n prowla'n ddigon diawydd yn y llyfrgell, deuthum ar draws llyfr nad oeddwn wedi ei weld yno o'r blaen, *For Whom the Bell Tolls*. Clywais eisoes am y ffilm, a dechreuais ddarllen y llyfr. Ni allwn fod wedi cael gwell cyflwyniad i Hemingway, na gwell agoriad llygad i rinweddau'r nofel fodern na'r llyfr yma. Byddaf yn troi ato o hyd pan ddaw'r teimlad na chaf fyth eto'r rhyfeddod o fynd i ffwrdd i fyd gwahanol wrth ddarllen llyfr gwir wefreiddiol. Y mae fel yr awyr ar awr y machlud – yn llawn lliwiau, ond hefyd yn symudliw, popeth yn symud, yn newid, yn gynnwrf,

131

yn emosiwn ac yn fywyd. Euthum ymlaen wedyn ar ras wyllt trwy *Farewell to Arms*, *Fiesta*, *Over the River and the Trees*, a *Men without Women*. Ac yna daeth uchafbwynt y cyfan yng ngrym a dycnwch godidog *The Old Man and the Sea*. Pe bai angen i mi ddewis un llyfr yn unig, i fynd gyda mi ar ynys fwy pellenig nag Enlli, dewiswn *The Old Man and the Sea* heb unrhyw amheuaeth.

"Jona" a'r morfil

Rhag ofn fod rhywun heb ei ddarllen, stori syml ydyw, am bysgotwr sy'n dechrau mynd yn hen, ac sydd wedi cael enw o fod yn Jona oherwydd nad yw bellach yn llwyddo i ddal y pysgod mawr yr arferai eu dal ers talwm. Ni ddaw neb gydag o yn ei gwch yn awr ond un bachgen bach, sy'n dal yn ffyddlon iddo. Yn y diwedd, dywed rhieni'r bachgen na all fynd gyda'r hen ŵr eto rhag ofn iddo yntau dyfu'n anlwcus. Y mae yntau yn greadur hollol unig yn awr, yn hen ac yn wyrgam, yn cychwyn allan am un cais olaf i newid ei lwc. Ac ar y fordaith olaf hon, mae'n dal anferth o bysgodyn, ac yn ymladd ag o am oriau bwygilydd, nos a dydd, cyn ei ddofi a'i ladd o'r diwedd. Yna mae'n clymu corff yr anghenfil wrth gynffon ei gwch ac yn troi am adref yn waedlyd, ei ddwylo'n griau, ei esgyrn yn flin a'i lygaid yn llawn llawenydd. Ond ar y ffordd, mae'r siarcod yn synhwyro'r corff, ac yn dechrau ymosod arno a'i fwyta. Nos a dydd am amser hir mae'r hen ŵr yn ymladd â'r siarcod, i geisio cadw arwydd ei fuddugoliaeth yn gyflawn. Ond yn ofer. Pan ddaw o'r diwedd i'r porthladd, nid oes ganddo ond darn bychan o'r asgwrn cefn ar ôl, a dim, unwaith yn rhagor, i ddangos am ei daith. Ond wrth gerdded yn ôl at ei gwt ar y traeth, nid yw bellach yn drist nac yn anobeithiol, gan mor hir a chaled oedd y frwydr fawr a enillodd allan ar y môr.

Arwr am byth

Ni wn am unrhyw lyfr sy'n mynegi dycnwch, urddas a mawredd enaid dyn cystal â hwn. A dyna oedd nodwedd holl waith Hemingway – bywyd yn berwi drosodd, gwroldeb, mawredd, gwytnwch, lliw a llawenydd yn tyfu o frwydro caled a llafur hir. I mi, ef oedd yr agoriad i lenyddiaeth Saesneg y ganrif hon, a theimlais fod y newyddion am ei farwolaeth yn wrthun. Yr oeddynt yn sôn am ffigwr chwedleuol, anfarwol, a oedd eisoes ymysg yr Helwyr mawr yn Nirvana; cystal i'r llais fod wedi cyhoeddi marwolaeth Ulysses, Alecsander neu Cuchelain. Ar hyn o bryd, anodd yw pwyso a mesur gwerth ei waith, ond credaf ei fod yn un o fawrion llên. Fe'i cofiaf am ddau beth. Cofiaf Spencer Tracy, fel yr hen ŵr yn y ffilm *The Old Man and the Sea* yn cerdded yn flin ond yn fuddugoliaethus, yn grwm ond yn goncwerwr, i'w gwt ar derfyn ei daith: a chofiaf ymadrodd sy'n digwydd ddwywaith yn ei waith, ac sy'n symbol o'r gred ac o anfarwoldeb ei weledigaeth, "Man may be conquered, but he will never be destroyed; man was not born for destruction".

Eichmann yn ei gawell

A phopeth arall yn rhuo o'n cwmpas ar sgrin y teledu, y mae achos Adolf Eichmann yn dal i rygnu ymlaen. Ac yn hwyr y nos yr wythnos hon, gwelais raglen yn ei ddangos yn ateb cwestiynau'r prif erlidiwr, Hansner. Yr oedd ei ymarweddiad yn dawel, gofalus, a rhoddai'r argraff ei fod beunydd yn chwilio am yr ateb cywiraf a gonestaf i bob cwestiwn. Mwyaf yn y byd y mae dyn yn ei ddarllen, ac yn ei weld am yr achos hwn, mwyaf yn y byd y mae'r argraff arswydus yn tyfu fod hwn yn ŵr diffuant sydd wedi bod – ac sydd yn ceisio – gwneud y peth iawn. Ei ddadl ganolog ef yn y darn a welais y noson o'r blaen oedd y pwynt mai unig wir angor, ac unig sicrwydd yr unigolyn cyffredin mewn bywyd yw trefn a threfnusrwydd y wladwriaeth y mae ef yn rhan ohoni, ac mae ei ddyletswydd cyntaf ef fel unigolyn bob amser yw cefnogi'r wladwriaeth a hyrwyddo ei gwaith, er mwyn sicrhau fod bywyd yn mynd yn ei flaen yn rhwydd ac yn ddiffwdan i bawb yn y wlad.

Agwedd digon cyffredin

Yn awr, nid agwedd bwystfil ar lun dyn yw'r agwedd hon, ond agwedd y gwasanaeth sifil ym mhob man, agwedd y milwr proffesiynol, agwedd yr hen deip o athro ysgol, agwedd llawer iawn o ddynion cyffredin. A pha faint ohonom, fel dinasyddion, sy'n cymryd y drafferth i eistedd i lawr a meddwl ai moesol ai anfoesol yw polisi'r llywodraeth ar unrhyw bwnc nad yw yn uniongyrchol gysylltiedig â'n pocedi ni?

Eiddo Duw i Gesar

Ychydig iawn ohonom, ond oherwydd na chymerodd o'r drafferth i feddwl allan oblygiadau moesol ac ymarferol y polisi Natsïaidd, y mae Eichmann o flaen ei well heddiw. Gallai unrhyw un ohonom gael ein hunain yn yr un sefyllfa am yr un rheswm pe baem yn deffro rhyw ddydd a'n cael ein hunain dan wladwriaeth ormesol. Rhoi'r cyfan i Gesar a wnaeth Eichmann, ac mae'n beth hawdd a pheryglus iawn i'w wneud. Aeth rhai pobl i'r drafferth i feddwl, ac i gondemnio'r peth, ac i sefyll y tu allan iddo, pobl fel Esgob Bergrav yn Norwy, a Niemuller yn yr Almaen ei hun. A dyna, gyda llaw, er nad yw'r cwestiwn mor ddu a gwyn o bell ffordd, a wnaeth Esgob Bangor wrth gondemnio arfau niwclear yn ei Gynhadledd Esgobaethol, cymryd amser i feddwl yn ddwys dros un agwedd o bolisi'r wladwriaeth y mae'n aelod ohoni, a datgan ei farn yn glir yn erbyn y polisi hwnnw. Dyma'r math o feddwl y mae'n ofynnol i bob Cristion ei wneud, boed arweinydd neu ddilynwr, Esgob, Offeiriaid neu leygwr. Ond, i ddod yn ôl at Eichmann, gall pawb ohonom gondemnio'r wladwriaeth y mae Eichmann yn ei chynrychioli heddiw yn Israel, a ffieiddio at ei weithredoedd, ond pa faint ohonom o waelod ei galon, a all deimlo'n hollol gysurus wrth gondemnio'r unigolyn tawel, clwyfedig, meddylgar, y gŵr yn ei gawell, Adolf Eichmann ei hun?

4 Awst, 1961

YR ADOLESENT A'R GYMDEITHAS 1

Anodd ei drin

Fel y cyfeiriodd y Golygydd ein sylw yr wythnos ddiwethaf, y mae'n glir i bawb bellach fod rhagor o droseddau difrifol yn cael eu cyflawni gan bobl ifainc dan bump ar hugain oed fel yr â pob blwyddyn heibio. Pa mor gyndyn bynnag yr ydym i gredu'r peth – ac yr wyf yn eithaf cyndyn fy hun – y mae'r ystadegau erbyn hyn yn rhy gryf i ddadlau yn eu herbyn. Rhaid cydnabod fod yr adolesent heddiw yn fwy tueddol i anwybyddu'r gyfraith wladol a'r gyfraith foesol nag unrhyw adolesent o'i flaen yn ystod y ganrif a hanner ddiwethaf, yn llai parod i barchu barn ac arweiniad oedolion, yn llai parchus tuag at gonfensiynau'r gymdeithas. Yn awr, ni fu'r adolesent erioed yn barchus iawn tuag at y confensiynau cymdeithasol, a bu erioed yn ddiamynedd gydag oedolion hefyd. Mewn ffordd, gellir disgwyl – a dylid disgwyl – i'r adolesent byw a meddylgar fod yn wrthryfelgar a phrin ei amynedd. Os yw dyn yn dawel ei feddwl ac yn araf ei gerddediad yn ddeunaw oed, beth fydd ei hanes pan fydd yn hanner cant? Yn sicr ddigon, disgwylir i'r adolesent fod braidd yn anodd ei drin.

Nid Curfa yw'r Ateb

Ar yr un pryd, mewn cymdeithas sy'n honni mai cymdeithas ddiwylliedig ydyw, fe ddylai anfodlonrwydd ac anniddigrwydd cyffredinol plant ysgol beri gofid a phryder i bawb. Ond nid cyfystyr hyn â dweud y dylid ennyn y math o ymateb a geir yn gyson gan bapurau fel y *Daily Express* a'r *People* a chymdeithasfa'r Merched Ceidwadol, sef galw mynych a ffyrnig am ddefnyddio cosb gorfforol sadistig fel arf yn erbyn troseddwyr ifainc. Cyfaddefaf fod ymateb emosiynol y bobl hyn i'r newyddion cynyddol am droseddau difrifol a chyfrwys gan rai sy'n fawr fwy na phlant yn ymateb naturiol. Ond ymateb emosiynol naturiol ydyw, nid ymateb rhesymol nac ymateb Cristionogol. Nid yw ychwaith yn debyg o fod yn ymateb effeithiol.

Caledu nid Gwella

Ni fynnwn ddweud fod cosb gorfforol bob amser yn ddrwg. Ond credaf nad yw cosb gorfforol yn effeithiol nac yn gyfiawn oni ellir ei gweithredu *ar unwaith* gan rywun sydd eisoes wedi sefydlu perthynas gariadlon rhyngddo a'r troseddwr fel y gall y troseddwr sylweddoli mai er ei les ef ei hun ac o gariad tuag ato y gweithredwyd y gosb. Y mae'r syniad o gerdded troseddwr mewn gwaed oer o lys barn i orsaf heddlu, i gael ei chwipio yn gwbl oer a gwrthrychol yn y fan honno gan blisman heb gysylltiad o gwbl â'r troseddwr yn syniad barbaraidd a sadistig. Gall mai gweithredoedd barbaraidd yw rhai o'r troseddau hyn, a gall yn wir mai barbariaid i bob pwrpas yw rhai o'r llanciau sy'n gyfrifol am hwliganiaeth yma a thraw dros y wlad. Ond mae'n drist meddwl fod rhai pobl hyd yn oed heddiw yn fodlon dadlau y dylid arfer barbareiddiwch swyddogol er mwyn cosbi barbariaid. Nid yw plygu dros fainc mewn gorsaf heddlu i dderbyn chwe ffoniad yn debyg o wareiddio neb: os yw'r troseddwr yn fachgen sensitif ond digyfeiriad a digymeriad, yna gall ei wneud yn llawer gwaeth – gall y bachgen ymgaledu yn ei agwedd anghywir at y gymdeithas. Os ydyw eisoes yn hen gyfarwydd â throseddau, yna ni wna'r gosb un dim iddo o gwbl; gall fod yn destun rhagor o frôl a swagro ymysg ei gyfoedion – dyna i gyd.

Nid oedd y chwip yn gweithio

Ond lleiafrif bychan yw'r bobl hynny sy'n galw am y chwip o'u bodd ac mewn dig a chynddaredd. Y mae llawer mwy o bobl ddiffuant, rwy'n fodlon cyfaddef, sy'n teimlo mai rhywbeth annymunol o safbwynt delfrydol yw cosb gorfforol, ond sy'n teimlo ar yr un pryd ei fod yn rhannol effeithiol, ac sy'n methu â gweld fod unrhyw ddull arall o ddelio â'r mater yn mennu dim ar y sefyllfa. Gellir cydymdeimlo â'r bobl hyn heb gytuno â hwy. Os edrychwn yn ôl ganrif mewn amser, gwelwch fod dyn y pryd hwnnw'n agored o hyd i gael ei chwipio'n gyhoeddus am bob math o drosedd; ac os yr awn ddwy ganrif yn ôl, gwelwn fod modd i ddyn gael ei grogi'n gyhoeddus am ddwyn torth yn y flwyddyn 1761. Ond er nad yw hi mor ddiogel ag y dymunem i ferch gerdded allan gyda'r nos ei hunan yn ein trefi mawrion, eto nid yw mor beryglus o bell ffordd ag yr oedd yn 1761. Nid oedd y chwip a'r grocbren yn llwyddo i wareiddio'r boblogaeth yn y cyfnod hwnnw, ac nid oes llawer o reswm i feddwl y byddent yn fwy llwyddiannus heddiw.

Nid Llwfrgwn

Y mae rhai'n dadlau wedyn mai llwfrgwn yw'r rhan fwyaf o'r troseddwyr ifainc hyn, ac y byddai meddwl am y chwip a'r gell gondemniedig yn ddigon i'w hatal rhag mentro cyflawni'r drosedd. Yn anffodus, awgryma tystiolaeth gweithwyr cymdeithasol fel Merfyn Turner a'r Parch. Joe Williamson a Basil Henriques nad llwfrgwn yw'r rhan fwyaf o'r llanciau hyn – o leiaf, nid llwfrgwn corfforol. Mae llawer ohonynt yn galed ac yn fentrus ac yn eithaf gwrol yn eu ffordd. At hyn, nid oes ganddynt lawer o ddychymyg. A'r gŵr sy'n meddu ar ddychymyg cryf yn unig – y gŵr sensitif – sy'n peidio â gwneud rhywbeth oherwydd iddo arswydo wrth ddychmygu'r canlyniadau. Nid yw'r troseddwr arferol yn ddigon sensitif i ddychmygu'r drosedd, a gwell ganddo'n aml fyddai derbyn cosb gorfforol weddol sydyn a didrafferth na threulio peth amser mewn carchar.

Afiechyd mewn Cymdeithas

Ond wedyn, ochr yn ochr â'r holl ddadlau, gefngefn â chrochlefain Pwyllgor 1922 ac ystyfnigrwydd cyson Mr R.A. Butler, dengys yr ystadegau fod y troseddau'n cynyddu. Os nad yw cosb gorfforol yn waraidd nac yn debyg o fod yn effeithiol, beth wedyn yw'r ateb? Cyfaddefwn yn gyntaf fod y broblem yn codi o galon y gymdeithas, ac na ellir ei datrys yn y pen draw trwy ddefnyddio unrhyw fesur ataliol nac unrhyw gosb. Fe ddywedodd, ac fe ddangosodd, Platon beth amser yn ôl bellach mai arwydd o afiechyd mewn cymdeithas yw'r troseddwr yn erbyn y gyfraith. Os na allwn dderbyn hynny'n llwyr, gan fod ysbryd anghymdeithasol a chroes yr unigolyn, yr hyn a alwai Mari Lewis yn "hen ddyn" yn Wil Bryan, yn cyfrannu llawer at gymhellion y troseddwr, eto cyfaddefwn hefyd fod codiad sylweddol a chynyddol yn nifer troseddwyr yn debyg o adlewyrchu rhyw ddrwg sylfaenol yng ngwraidd y gymdeithas ei hun. A gwella'r drwg hwn yw'r ffordd orau i leihau nifer troseddwyr, nid ymddwyn yn fileinig tuag at y drwgweithredwyr eu hunain.

Nid ar fara'n unig

Wrth glywed y ddadl hon, bydd rhai pobl yn achwyn nad oes un dim o'i le ar y gymdeithas, fod pawb yn cael eu gwala, yn y wlad hon, beth bynnag, a bod yr adolesent, sut bynnag, yn profi gwell byd nag a brofodd unrhyw adolesent o'i flaen, ei fod yn cael mwy o arian, rhagor o ryddid, mwy o hamdden a rhagor o gyfleusterau. Wel, yr ateb syml yw nad ar fara yn unig y bydd byw dyn, a bod yr adolesent, yn fwy na neb arall, yn ymdeimlo â'r ansicrwydd sydd wrth wraidd y cyfan, ac yn ymwybodol iawn o dwyll a chelwydd gwleidyddion. Y mae'n cymdeithas ni yn gymdeithas anghytbwys iawn, lle rhoddir mwy o barch i hysbysebwr nwyddau nag i athro ysgol, lle mae modd i gantwr poblogaidd dihyfforddiant ennill canwaith cymaint o gyflog â chantwr opera a roddodd ei holl adnoddau i'w waith, lle mae'r holl bwyslais yn cael ei roi ar lwyddiant materol a chyfoeth ariannol. Cofier hefyd mai cymdeithas ydyw sy'n caniatáu i'r cwmnïau diwydiannol, trwy gyfrwng y teledu a'r cylchgronau, ymosod ar yr adolesent beunydd gyda'r math o hysbysebu sy'n awgrymu mai bwyta siocled, yfed gwin a chyflawni'r weithred rywiol cyn amled ag sy'n bosibl yw'r unig bethau gwerthfawr mewn bywyd. Tra erys yr anghysondeb a'r annhegwch wrth wraidd ein bywyd cymdeithasol, yr anghysondeb sy'n disgwyl i'r adolesent dyfu'n gyfrifol ar y naill law, ond sy'n gwthio syniadau anghywir yn ei ben er mwyn gwerthu nwyddau iddo ar y llaw arall, yna rwy'n ofni yr erys y cynnydd yn nifer y troseddwyr; ac nid yw cwmwl parhaus Bom H. yn helpu'r adolesent i gadw ei ben ychwaith.

Ond, wrth gwrs, nid yw dweud hyn yn cyfrannu dim at y broblem uniongyrchol, sef y dull gorau o ddelio â'r adolesent newydd, cynhyrfus y tu mewn i fframwaith od ein cymdeithas anghristionogol ni. Mae'n broblem frys ac yn broblem fyw i bob Cristion: ceisiwn ddweud rhagor amdani yr wythnos nesaf.

11 Awst, 1961

YR ADOLESENT A CHYMDEITHAS – 2

Ymweled pechodau'r tadau ar y plant

Ffrwyth a chynnyrch uniongyrchol y genhedlaeth sy'n cwyno yn ei gylch yw'r adolesent sy'n wynebu byd mor od heddiw. Os ydyw'n wyllt a diedifar a digyfeiriad yn wyneb galwadau cymdeithas, yna ar ysgwyddau'r genhedlaeth honno y mae'r cyfrifoldeb yn disgyn, ar ddiffyg arweiniad a magwrfa gywir flynyddoedd yn ôl. Nid wyf yn golygu wrth hyn mai ar rieni yn unig y mae'r bai am ymateb yr adolesent presennol i'w sefyllfa. Ond yr oedd rhieni pob adolesent unigol yn rhan o gymdeithas fu'n dwyn plant bychain i fyny yn sŵn rhyfel, ac yn aml yn gorfod ymwahanu oddi wrth eu plant yn gynnar iawn oherwydd y rhyfel. Rhywfodd neu'i gilydd, nid oes amheuaeth amdani, y mae un genhedlaeth o bobl yn y wlad hon wedi methu â rhoi arweiniad cywir ac effeithiol i'r genhedlaeth ddilynol. Er mwyn gweld y sefyllfa'n fwy eglur, edrychwn ar hanes rhannol ddamcaniaethol un adolesent, Jim.

Y tadau a fwytasant y grawnwin surion...

Y mae Jim yn ddeunaw oed eleni, ac fe'i ganed felly yn 1943 ynghanol y rhyfel. Fe'i ganed yn un o drefi mawr de Cymru, ond gan fod gwaethaf y bomiau drosodd, ni bu raid iddo fynd i ffwrdd i'r wlad o gwbl. Pan ddechreuodd dyfu'n ymwybodol o'r byd o'i gwmpas, yr oedd arwyr y rhyfel yn dychwelyd adref, yn adrodd eu hanes i'r papurau newydd, yn aml yn ansicr ac yn ansefydlog iawn eu natur. Y chwedlau a ddysgodd wrth ddechrau tyfu i fyny oedd chwedlau rhyfel, y syniadau oedd y syniadau cyntefig, anwar am y chwedlau hynny. Ymhellach ymlaen, daeth i weld ffilmiau am y rhyfel, ffilmiau'n aml yn gogoneddu grym materol ar wahân i unrhyw wersi moesol manwl iawn. Tyfodd i fyny hefyd mewn cyfnod pryd yr oedd llyfrau clawr papur a llyfrynnau arwynebol am y rhyfel yn gwerthu'n llawer gwell nag unrhyw fath arall o lyfr. Fe dyfodd i fyny mewn awyrgylch anwar, yn sŵn grym a brwydr, gan glywed o hyd adlais cyfnod pan oedd bywydau dynion yn rhad, a phan oedd techneg effeithiol wrth ladd dyn ar faes rhyfel yn rhywbeth i'w ganmol. Mewn gair, cafodd ei fagwrfa mewn oes a roddodd fri ar rym arfau, a welodd ddinistrio dinas gyfan gan un bom, fe'i codwyd i barchu *glamour* rhyfel trwy gyfrwng ffilmiau fel *The Dam Busters, The Way Ahead, A Walk in the Sun*, a llawer tebyg.

Dyna oedd cefndir blynyddoedd cyntaf Jim. Yr oedd hefyd yn gyfnod pan ddaeth y gymdeithas i sylweddoli, o dipyn i beth, gyda chwerwedd a siom dadrithiad, nad oedd y rhyfel hon eto wedi setlo llawer, nad gwir heddwch oedd yr heddwch, wedi'r cyfan. Creodd Winston Churchill yr ymadrodd "llen haearn" a daeth pobl i sylweddoli fod y fath beth yn bod â rhyfel nerfau, rhyfel o densiwn ac ansicrwydd a chodi ofn. At hyn i gyd, dechreuodd effaith yr hyn a ddigwyddodd yn Hiroshima a Nagasaki ymledaenu dros wareiddiad y byd, a chreu ofn parhaol yn isymwybod pob dyn.

Ac ar ddannedd y plant y mae'r dincod

Ond er mai ofn a grym a dadrithiad oedd wrth wraidd y gymdeithas a dyfodd o'i gwmpas, pwyslais gwahanol a glywodd ac a welodd Jim wrth iddo fynd ymlaen o'r ysgol gynradd i'r ysgol fodern. Ar yr wyneb yr oedd y gwareiddiad a ddechreuodd golli ei *raison d'être*, a welodd ei egwyddorion sylfaenol yn prysur fynd ar chwâl, eto beunydd yn ceisio perswadio'i hun fod popeth yn iawn, nad oedd un dim difrifol o'i le, wedi'r cwbl. Rhoddwyd pwyslais cynyddol ar bwysigrwydd techneg gwyddonol a darganfyddiadau technegol yn hytrach nag ar ddatblygiad personoliaeth yr unigolyn o'i berthynas ef a'r holl gyfnewidiadau dychrynllyd o'i gwmpas.

Stryd elw a stryd pleser

Yn ystod ei flaen-lencyndod, digwyddodd un arall o'r chwyldroadau cymdeithasol a nodweddai ei holl flynyddoedd cynnar, sefydlwyd yr Awdurdod Teledu Annibynnol, a daeth y setiau teledu yn symbol o statws foddhaol mewn cymdeithas. Sylweddolodd hysbysebwyr yn fuan iawn mor rymus oedd effaith y sgrin deledu ar y boblogaeth yn gyffredinol, ac aethpwyd ati hi i gynnal y fath ymgyrch hysbysebu na welwyd erioed ei thebyg yr ochr yma i'r Iwerydd. Ac anelwyd cyfran helaeth o'r hysbysebu yma yn uniongyrchol at yr adolesent ei hun, gan greu ynddo ddyheadau am eiddo materol moethus, a chan chwarae'n barhaus ar ei reddfau rhywiol hanner-effro. Awgrymwyd iddo'n gyson mai byw yn fras, yn segur ac yn aristocrataidd oedd yr unig rinwedd mewn bywyd.

Yn yr ysgol, ni ddysgodd Jim rhyw lawer; nid oedd eisiau dysgu. Yr oedd ei holl fagwrfa, awyrgylch ei flynyddoedd cynnar a gweithredoedd ei arwyr rhyfel wedi dangos iddo mai busnes ofer oedd hel gwybodaeth. Y peth i'w wneud oedd gadael yr ysgol, bod yn annibynnol, yn rymus ac yn hunanhyderus; chwedl oedd crefydd a'i egwyddorion, ffoliineb oedd dysg, sentimentaliaeth oedd cyngor rhieni nad oeddynt yn deall cyfnewidiadau ei oes ef. Gyda'r pwyslais parhaol ar safon byw, ar gyflogau uchel, ac ar benrhyddid unigol, yr oedd Jim, erbyn iddo gyrraedd un ar bymtheg oed, yn ennill £11 yr wythnos gweithiwr eithaf dygn mewn ffatri, a bellach yn sefyll (neu'n ariannol abl i sefyll) ar ei draed ei hun. Yn 1959 y mae'r llywodraeth yn mynd at y wlad, ac yn ymladd etholiad gyda slogan sy'n cadarnhau i'r carn syniad Jim am fywyd. "You've never had it so good," meddai'r llywodraeth wrtho. Yr oedd Jim yn credu hynny, ac hefyd yn credu'r hysbysebwyr teledu a ddangosodd fywyd iddo fel talp o ramant a moeth.

O ris i ris

Wrth iddo fynd ymlaen i fforddio beic modur, a rhuo i fyny ac i lawr y ffyrdd y tu allan i'r ddinas, i fod yn arweinydd yn y café arbennig a neilltuwyd ar gyfer yr arddegau yn ei ardal ef, dechreuodd weld y ffug y tu ôl i arwynebedd confensiynau'r oedolion. Ac wrth weld, gwisgodd yntau gochl o anghwrteisi a hunanymhonni er mwyn cadw parch ei gyfoedion.

Yna, un noson, daeth llanc newydd ddod allan o Borstal i mewn i'r café, a cheisiodd gael Jim i ymuno gydag ef mewn ymosodiad ar siop sigarennau yn y cyffiniau. I ddechrau, oedodd Jim, gan ofni peryglon y busnes, ond, yn y diwedd, cytunodd o ran hwyl, i ymuno. Nid oedd y naill na'r llall yn lleidr profiadol iawn, ac fe ddaliwyd y ddau yn y siop. Y canlyniad yw fod Jim yn awr yn y carchar ac yn debyg o ddatblygu'n droseddwr cyson pan ddaw allan.

Dweud un peth – gwneud peth arall

Dyma un enghraifft gweddol gywir o ddatblygiad un adolesent yn y byd sydd ohoni. Nid yw rhieni Jim yn deall o gwbl paham y mae mab iddynt hwy wedi datblygu fel y gwnaeth. Nid ydynt yn gweld paham y dylai Jim fod yn waeth na neb arall. Ac, wrth gwrs, nid ydyw. Y ffaith amdani ydyw iddo gael ei ddwyn i fyny mewn cymdeithas sy'n pregethu un set o reolau moesol ac yn gweithredu set hollol wahanol, y mae'r rhagrith sydd wrth fôn y cyfan wedi ei ddadrithio a'i suo. Fe glyw wleidyddion a chrefyddwyr yn sôn beunydd am heddwch a rhinweddau'r bywyd heddychlon ond fe wêl y gymdeithas yn rhamanteiddio a chlodfori grym a brwydr mewn llyfr a ffilm yr un pryd; fe ddywed ei rieni a'r offeiriad lleol fod gonestrwydd tlawd yn well na chyfoeth anfoesol, ond fe wna'r teledu – yn arbennig rhaglenni holi ac ateb sy'n cynnig gwobrau aruthrol am ymdrechion pitw – yn berffaith eglur nad felly y mae'r mwyafrif o'r gymdeithas yn edrych ar bethau; ceir sgyrsiau gan athrawon a rhieni (hwyrach) ar y ffordd gywir i ymddwyn mewn materion rhywiol, ond mae amgylchiadau cymdeithasol yn lluchio'r ferch a'r bachgen i freichiau'r naill a'r llall, ac y mae holl broffid y diwydiant hysbysebu wedi ei sylfaenu ar syniad fod traserch a serch yn gyfystyr â'i gilydd. Fe wêl, mewn gair, nad oes unrhyw fath o gysondeb ym mywyd y byd mawr o'i gwmpas. Wrth weld hyn, y mae rhai fel Jim yn gwylltio, yn caledu, yn gwrthryfela, yn chwerwi. Y mae eraill yn troi cefn ar y byd mawr – mae'r rhain yn llawer mwy mewn nifer na'r rhai sy'n gwrthryfela, wrth lwc – yn ei anwybyddu ac yn llunio eu byd eu hunain.

Byd iddo'i hun

Y byd adolesent hwn yw byd y dafarn goffi, lle na chroesewir unrhyw ymwelydd o'r byd arall, hwn hefyd yw byd yr ŵyl jazz yn Beaulieu, byd y clybiau beic modur, byd Elvis Presley, *Juke Box Jury* a Lonnie Donegan. Oherwydd yr arian sydd ganddo, y mae bron iawn yn bosibl bellach i'r adolesent gau ei hun i fyny'n llwyr yn y byd hwn, gan anwybyddu oedolion. Gwnaeth llawer adolesent hyn i ryw raddau, a hynny sy'n cyfrif yn aml am yr agendor anobeithiol rhyngddynt a'u rhieni.

Yn awr, hyd yn oed yn ôl safonau'r Fictoriaid, nid yw byd newydd yr adolesent yn ddrwg i gyd. Ac yn ôl safonau heddiw, perthyn iddo lawer o rinweddau sydd wedi mynd ar goll yn ein byd ni. Mae'n fyd lle y perchir gonestrwydd yn fwy nag un dim arall, lle y mae cyfeillgarwch cryf a theyrngar yn ffynnu, lle rhoddir mwy o lawer o barch i farn yr unigolyn nag yn y byd oddi allan, mae'n fyd didwyll ac yn fyd mentrus. Ei wendid mawr, wrth gwrs, yw mai byd dros dro ydyw; a'i ddrwg mwyaf yw mai byd diddisgyblaeth ydyw. (Ond sylwer fod y diffyg disgyblaeth yn codi o'r ffaith na ddysgwyd y rhain erioed i ddisgyblu eu hunain). Sut bynnag, da neu ddrwg, lloerig neu gall, dyma fyd yr adolesent heddiw, byd a greodd er mwyn dianc o gymdeithas gymysglyd ei syniadau, anghyson ei hegwyddorion a dirywiedig ei moesau cymdeithasol. Ceisiwn weld yr wythnos nesaf beth yw cysylltiad uniongyrchol y byd hwn â'r Eglwys ar y naill law ac â'r Gymru Gymraeg ar y llaw arall.

18 Awst, 1961.
LIPPMANN – SAFONAU'R EISTEDDFOD.

Cafwyd deugain munud o ddadansoddi doethinebu a phroffwydo ar y teledu'r wythnos diwethaf gan y colofnydd American enwog, Walter Lippmann. Yn wir, y mae Lippmann yn llawer mwy na cholofnydd. Trwy ddirgel ffyrdd, fe dyfodd yn gawr aruthrol ym myd newyddiadura, yn ŵr sy'n hawlio clust pob gwleidydd o bwys trwy'r byd, ac sy'n arfer treulio'r pen wythnos un tro gyda'r Arlywydd de Gaulle, y tro nesaf gyda Mr Kruschev a'r tro wedyn gyda rhywun fel Pandit Nehru. Y mae'n gyfaill personol i wladweinyddion ymhob cwr o'r byd; y mae Comiwnyddion yn gwrando ar ei farn, ac yntau'r cyfalafwr o Americanwr; y mae cynrychiolwyr yr adain dde yn yr Unol Daleithiau – gwŷr fel y Seneddwr Goldwater – yn rhoi sylw i'w gyngor, ac yntau'n gyfaill personol i arweinydd Rwsia. Mewn gair, enillodd Walter Lippmann, yn henwr deg a thrigain oed, le digyffelyb iddo'i hun yn y byd modern. Ar un wedd, ef yw'r unig ddolen gydiol o bwys rhwng y Dwyrain a'r Gorllewin, ef yw'r unig ŵr sy'n gallu – ac sydd yn – egluro wrth Kennedy beth yw teithi meddwl Kruschev, ac wrth Kruschev beth yw teithi meddwl Kennedy. Y mae'n ŵr y bydd y byd cyfan yn dlotach o lawer o'i golli.

A chofio hyn i gyd, yr oedd ei ymddangosiad ar y teledu yn ddigwyddiad o bwys. Ac yn fuan ar y rhaglen, gwnaeth argraff ddofn a grymus. Nid oedd o'i gwmpas un iod o niwlogrwydd y gwleidydd; atebai'n glir a chryno holl gwestiynau'r holwr, heb osgoi dim a chan chwilio'n barhaus am y gair addas a'r ymadrodd cywir. Gwnaeth yn glir ar y cychwyn nad edrychai ar faterion cydwladol fel rhyw fath o wyddbwyll a chwaraeid gan ffawd. Pan ofynnwyd iddo a gredai fod rhyfel yn anochel, meddai: "Nothing is absolutely inevitable, men have to act in order to make the inevitable happen". Yna aeth ymlaen i drafod nodweddion gwleidydd llwyddiannus, gyda golwg arbennig ar Kennedy a Kruschev. Wrth drafod Kruschev dywedodd mai sylfaen llwyddiant gwleidydd oedd y gallu i diwnio i mewn i syniadau a meddyliau pobl gyffredin, eu deall a'u hamgyffred. Yr oedd gan Kruschev, meddai, allu anarferol i synhwyro beth oedd teimladau pobl gyffredin ac i siarad â hwynt yn eu hiaith eu hunain. "He possesses the capacity to talk to people about the most difficult subject, and make them think it's funny."

Ar faterion polisi, yr oedd Lippmann ymhell iawn o fod yn "trigger happy". Edrychai ar bob cwestiwn yn ofalus ac yn oer-wrthrychol, gan ddweud y math yma o beth: "No country will now risk being attacked for the sake of any other country"; "If it had succeeded, it would have had worse consequences than it did when it failed"; ynglŷn â'r ymosodiad aflwyddiannus ar Ciwba: "They can shoot missiles from Siberia to the moon, so why bother to come to Cuba?"; Mewn ateb i'r awgrym mai gwersyll Rwsaidd oedd Ciwba bellach: "The fact that the Japanese don't love Americans doesn't mean that they are Communists".

Ac yn sicr nid yw'n debyg o gynghori Kennedy i fynd i ryfel dros broblem fel problem dinas Berlin, ac mewn cysylltiad â hyn, condemniodd yn llym iawn ymateb rhai pobl gyffredin yr Unol Daleithiau i'r busnes. "I don't agree that we have to go out and shed a little blood to show that we are virile men" ac "I don't like warlike old men promoting wars for young men to fight". Eto, er hyn, fe ddywedodd bethau eraill a ddangosodd fod straen Machiavelli yn ei gymeriad yn ogystal â dyneiddiaeth resymol Platon. Mewn cysylltiad â'r busnes o ysgubo'n gyffredinol fe ddywedodd hyn: "It is all very immoral, but there's no use pretending that it isn't going to be done"; "Really secret things are an inevitable part of government". Ac mewn cysylltiad â chynnwrf Laos, bu'n fwy "ymarferol" byth: "It's a wise thing for a country to tailor its policy to its military power".

Nid oes amheuaeth nad yw Mr Lippmann yn graff, doeth, gofalus a theg ei farn. Ond y syndod yw na chafwyd gan y gŵr arbennig yma unrhyw sylw moesol yn ystod deugain munud o siarad go solet. Ychydig o bwys a roddodd ar egwyddorion gwleidyddiaeth; y gelfyddyd oedd popeth – sut i osgoi hyn, sut i lwyddo yn y cyfeiriad arall. Dichon nad yw gwleidyddiaeth gydwladol wedi cyrraedd y fath stad pryd y mae artistri ymarferol galluog yn bwysicach na'i gred a'i agwedd at fywyd; dichon nad yw hi'n rheitiach i ddyn wybod sut i osgoi rhyfel nad iddo wybod dros beth y mae'n sefyll a beth yw *raison d'être* ei gymdeithas arbennig. Er hynny, gellid disgwyl i ŵr mor amlwg â Mr Lippman ddweud rhyw air am egwyddorion sylfaenol, dybiwn i. Wel, ni wnaeth, a rhaid i ni ddod i'r casgliad fod modd i ŵr ddod i enwogrwydd fel cynghorwr doeth ac arweinydd cymdeithasol yn 1961 heb roi fawr o sylw i gwestiynau pwysicaf bodolaeth dyn ar y ddaear. Y mae Walter Lippman, bid sicr, yn ddeallus dros ben. Ond ymddengys mai materolydd ydyw yntau, fel Kruschev, un â'i lygad ar bosibiliadau materol, un â'i ffydd mewn rheswm. Ond yr hyn sy'n mynd yn angof gan ddyneiddwyr rhesymol yn aml yw nad yw pawb mor rhesymol nac mor ewyllysgar â hwy, a bod y rhan fwyaf o lawer o ddynion yn cael eu rheoli, nid gan reswm, ond gan emosiynau, a'r rheiny'n emosiynau croesion yn aml. Gan hynny, llunio posibiliadau ar eu cyfer hwy eu hunain a'u tebyg y mae pobl fel Lippman, nid creu byd ar gyfer y rhelyw o bobl. Pe bai'r byd hwn yn fyd rhesymegol, dichon na fyddai dyneiddiaeth resymol yn athrawiaeth ddigonol ar ei gyfer. Ond, ysywaeth, nid ydyw, a rhaid cael rhywbeth amgenach na chelfyddyd gwleidyddiaeth ac artistri twyllodrus y gwleidydd celfydd fel patrwm bywyd. Oherwydd hyn, er ei eglurdeb a'i ofal a'i degwch, profiad trist oedd gweld Walter Lippman yn dadansoddi'r byd sydd ohoni.

Unwaith eto, aeth Eisteddfod Genedlaethol heibio, ac unwaith eto fe gyfyd cwestiynau ynghylch ei swydd a'i gwerth. Ni ellir dweud llawer o ddim sy'n newydd am yr Eisteddfod, ond hwyrach fod rhywfaint o werth mewn ailadrodd rhai pethau a ddywedwyd eisoes. I ddechrau, ymddengys fod cytundeb go sylweddol ynghylch y ffaith nad yw'r Eisteddfod yn gwneud yr hyn a ddylai wneud dros lenyddiaeth, a thros y ddrama'n arbennig. Cafwyd sylwadau go chwyrn i'r perwyl hwn gan Meredydd Edwards, John Ellis Williams ac Emyr Humphreys ymysg eraill yn ystod yr wythnos a aeth heibio. Yr oedd y bobl hyn i gyd yn cwyno ynghylch safle'r ddrama yn yr Eisteddfod, ac yr oedd un ohonynt yn awgrymu y dylid ysgaru'r ddrama oddi wrth yr Eisteddfod yn gyfan gwbl. Ond y mae Islwyn Ffowc Elis wedi bod yn dweud yr un peth am ryddiaith Gymraeg a'r Eisteddfod ers blynyddoedd bellach. Ac nid yw'r anfodlonrwydd hwn yn beth newydd o gwbl. Bob blwyddyn y mae'r un bobl yn cwyno ynghylch natur a safonau'r Eisteddfod, a bob blwyddyn y mae awdurdodau'r Eisteddfod yn anwybyddu eu cwynion ac yn parhau ar hyd yr hen linellau. Y bobl sy'n cwyno yw'r crefftwyr, artistiaid, dramodwyr ac actorion sy'n cymryd eu celfyddyd o ddifrif, sydd am i safonau Cymru fod gyfuwch â safonau gwledydd eraill yn y celfyddydau. Y bobl sy'n cadw'r Eisteddfod fel y mae yw'r rhai hynny sy'n edrych arni fel gŵyl gelfyddydol o ddifyrrwch i amaturiaid ac fel canolfan gymdeithasol. Credaf yn bersonol na ddaw'r ddwy garfan hyn fyth ynghyd, a chredaf hefyd fod gwerth yn yr Eisteddfod fel y mae hi. Ond gwerthfawr ydyw fel gŵyl werin, nid fel math o ganolfan genedlaethol i'r celfyddydau. Rhaid cyfaddef fod llawer iawn o arlunwyr ac artistiaid eraill o bob math eisoes wedi troi cefn arni, a chredaf fod John Ellis Williams yn iawn pan ddywed fod yn rhaid i'r dramodwyr a'r actorion wneud yr un peth hefyd. Os ydym am gael safonau gwerth chweil yn y ddrama yng Nghymru, y mae'n rhaid ei datgysylltu, am beth amser o leiaf, oddi wrth sefydliad cymysg, pasiantaidd fel yr Eisteddfod Genedlaethol. Cadwer yr Eisteddfod fel gŵyl werin i amaturiaid, ond peidier wedyn ag edrych arni fel cynrychiolydd y pethau gorau ym myd llên a chelfyddyd yng Nghymru. Bydd rhaid edrych ar y rhain y tu allan i'r Eisteddfod bellach, a'r tu allan i faes cystadleuaeth, neu fodloni ar beidio ag edrych amdanynt o gwbl. Yn y byd sydd ohoni, mae'n rhaid i ni gymryd y celfyddydau llawer mwy o ddifrif nag ydyw'r Eisteddfod yn eu cymryd os ydym am greu artistwaith o unrhyw werth.

Sylw'r Wythnos:

Walter Lippmann:

"I don't like warlike old men."

Mr Khruschev:

"Herr Adenauer is an aggressive, warlike old man."

25 Awst, 1961

AR ÔL YR EISTEDDFOD

Carwn drafod dau sylw a gododd o'r Eisteddfod eleni. Dywedodd Golygydd *Y Cymro* beth fel hyn yr wythnos ddiwethaf:

Da o beth fuasai i'r bechgyn a'r genethod ifainc athrylithgar sydd yng Nghymru heddiw – ac y mae digon ohonynt – dorchi tipyn ar eu llewys i sicrhau y bydd cynhyrchion Llanelli yn werth eu gweld.

Ond yna, yn eu beirniadaeth-gyd ar y nofel eleni, dywed Dr Kate Roberts, John Gwilym Jones ac Islwyn Ffowc Elis beth go wahanol:

Mae rhywbeth dwfn o'i le yn llenyddiaeth Cymru heddiw.

Ni ellir gobeithio cael arddull gyfoethog mewn gwlad ddwyieithog.

Ond mae rhywbeth mwy na hynny. Nid oes yna lygad na deall i edrych ar fywyd a gweld ei gymhlethdod a'i arwyddocâd.

Gyda phob parch i'r ewyllys da sy'n gorwedd y tu ôl i frawddeg golygydd *Y Cymro* ni all ei eiriau ef a geiriau'r beirniaid hyn fod yn gywir. A'r gwir yw, wrth gwrs, mai gormodiaith yw sôn am "fechgyn a genethod athrylithgar" mewn cysylltiad â'r byd llenyddol yng Nghymru. Peth prin iawn yw athrylith, ac er bod dipyn o dalent i'w weld yma a thraw, ychydig o ôl athrylith sydd ar lenyddiaeth ddiweddar Cymru. Rwy'n ofni hefyd mai breuddwyd yw'r syniad fod yng Nghymru nifer helaeth o lenorion ifainc galluog y tu allan i rengoedd cystadleuwyr yr Eisteddfod Genedlaethol. Fel mater o ffaith, er cymaint o feirniadu a wneir ar gorn yr Eisteddfod, eto y mae pawb bron yn cystadlu ynddi ar ryw adeg neu'i gilydd, ac y mae gwaith y rhan fwyaf o'r bobl y cyfeirir atynt gan olygydd *Y Cymro* eisoes wedi bod yng nghystadleuthau'r Brifwyl, ac wedi cael eu beirniadu'n anffafriol. Yr oedd nofel T.Glynne Davies, er enghraifft, *Haf Creulon*, yn isel mewn cystadleuaeth yng Nghaerdydd, nofel a farnwyd wedyn yn *Y Faner* gan Dr Kate Roberts yn un o'r nofelau gorau gan lenor ifanc o Gymro. Yr oedd nofel John Rowlands hefyd yn y gystadleuaeth honno, ac nid enillodd. At hyn, y mae lle i feddwl fod dwy o leiaf o'r nofelau a gondemniwyd mor llym eleni wedi eu hysgrifennu gan nofelwyr dan 30 oed. Gobaith disail rwy'n ofni yw'r hyn a geir ym mrawddeg garedig *Y Cymro*, ac nid oes fawr o obaith y bydd cyfansoddiadau Llanelli yn well na chyfansoddiadau Rhos.

I droi at sylwadau'r beirniaid, mae'n hen bryd i'r rhai sy'n ysgrifennu yn Gymraeg gael gwared o'r obsesiwn ynghylch yr amhosibilrwydd o ysgrifennu'n dda mewn gwlad ddwyieithog. Ychydig o galondid i unrhyw lenor sy'n cychwyn ar y daith yw clywed Saunders Lewis, Kate Roberts, John Gwilym Jones, ac eraill o'r radd flaenaf, yn cwyno byth a beunydd fod gwythïen yr iaith wedi teneuo cymaint fel na ellir bellach greu gwaith o'r radd flaenaf yn Gymraeg. Y mae dyn wedi hen flino clywed y rhain yn canu cnul llenyddiaeth Gymraeg mewn dull mor derfynol. Ailadroddir y math yma o beth eto eleni, "Ni ellir gobeithio cael arddull gyfoethog mewn gwlad ddwyieithog". Nonsens yw hyn. Y mae arddull Joseph Conrad gyda'r cyfoethocaf yn llenyddiaeth Saesneg y ganrif hon, a dysgodd ef Saesneg fel ail iaith ac yntau'n ŵr yn ei faint. Gwlad ddwyieithog oedd Lloegr pan ysgrifennodd Chaucer ei *Canterbury Tales*, a gwlad ddwyieithog oedd yr Eidal pan ysgrifennodd Dante'r *Divina Commedia*, a phan ysgrifennodd Petrarch ei sonedau, gan sefydlu ysgol newydd o farddoniaeth Ewropeaidd. Na, os yw llenyddiaeth Gymraeg cyn waethed ag yr awgryma Kate Roberts, John Gwilym Jones, ac Islwyn Ffowc Elis, yna nid ar y sefyllfa gymdeithasol y mae'r bai, ond ar ddiffyg talent ymysg llenorion. Pe bai bechgyn a genethod athrylithgar golygydd *Y Cymro* yn bod, yna gallent ffurfio arddull drostynt eu hunain a honno'n arddull bersonol a chain. Yn anffodus, o astudio cynnyrch y blynyddoedd diwethaf rhaid casglu nad ydynt yn bod. Y mae gennym beth talent, ond ni all unrhyw ganmoliaeth, nac unrhyw flagardio beirniadol, nac unrhyw obeithion am y dyfodol, droi talent yn athrylith. Pan fo cynnyrch llenyddol gwlad mor lenyddol ei naws â Chymru yn bitw a diolwg, yna prinder gallu, disgyblaeth, ac aeddfedrwydd ymysg llenorion sy'n gyfrifol am hynny, nid unrhyw ddylanwad cymdeithasol annelwig.

A hithau'n wythnos ar ôl yr Eisteddfod Genedlaethol, ac yn flwyddyn a welodd yr Eisteddfod yn anrhydeddu nifer o bobl eithaf aneisteddfodol trwy eu derbyn i'r Orsedd, carwn dalu teyrnged i ŵr a anwybyddwyd yn gyson gan awdurdodau'r Eisteddfod er iddo wneud cyfraniad cyson, graenus a dylanwadol iawn i fywyd Cymru dros lawer blwyddyn. Ni wn paham yr anwybyddir ef flwyddyn ar ôl blwyddyn gan bwyllgorau llên yr Eisteddfod, ond erys y ffaith nad ystyrir ef yn ddigon da i feirniadu yn yr ŵyl Genedlaethol er y cydnabyddir ef yn gyffredinol fel un o'n beirniaid llenyddol gorau oll, ac er iddo ennill cystal enw iddo'i hun dros y môr nes iddo gael gwahoddiad i fynd i Brifysgol Utrecht yr haf hwn i ddarlithio ar waith beirdd fel Dylan Thomas a Gerard Manley Hopkins. Dichon fod rheswm digon Cymreig dros wrthod gwasanaeth y fath ddyn yn yr hyn a elwir yn brifwyl artistig, ond beth bynnag ydyw, mae'n bwrw llawer mwy o sen ar yr Eisteddfod nag ar y gŵr ei hun.

Rwy'n cyfeirio wrth gwrs at Aneirin Talfan Davies, a dewisaf yr wythnos hon i ysgrifennu amdano oherwydd i mi gael y fraint o weld ailddangosiad o rai o'i ffilmiau ar y teledu yn ystod y dyddiau diwethaf hyn.

Wrth edrych yn arbennig ar y daith trwy Fro Morgannwg, ddydd Llun, fe'm synnwyd ac fe'm synnwyd eilwaith gan chwaethusrwydd a graen diymhongar ei waith. Mewn cyfnod pan glywsom dro ar ôl tro feirniadu ar raglenni Cymraeg y BBC, a'r honiad diamheuol nad oedd aelodau'r gorfforaeth yn ymdrafferthu i osod graen a manylder ar raglenni yn yr iaith Gymraeg, gwelsom Aneirin Talfan bob amser yn ofalus i orffen ei waith ac yn ddiwyd i'w orffen yn gain. Dros y blynyddoedd, gwnaeth gyfraniad nodedig i ddatblygiad radio sain yng Nghymru a rhoddodd i wrandawyr Cymru gyfresi penigamp o raglenni llenyddol eu naws. Pan ddaeth y teledu, gwnaeth y ffilmiau rhagorol hyn ar Sir Gâr, Sir Gaernarfon a Bro Morgannwg, gwnaeth y gyfres *Dylanwadau*, ac ambell raglen nodedig arall fel y rhaglen ragorol o fyfyrdod a gawsom Ddydd Gwener y Groglith eleni. Ef hefyd, trwy ei gadeirio tawel a sicr, a roddodd raen ar lawer Seiat Holi. Bellach yr ydym yn gwybod ymlaen llaw y bydd unrhyw raglen deledu sy'n cario stamp Aneirin Talfan yn rhaglen gaboledig. Ni ellir dweud hynny gyda'r un sicrwydd am unrhyw raglen deledu Gymraeg arall. Ond, wrth reswm, ni chyfyngwyd ei weithgarwch i'w waith beunyddiol gyda'r BBC. Y mae ganddo gorpws sylweddol o waith cyhoeddedig gyda llyfrau fel *Sylwadau*, *Pregethu a Phregethau'r Eglwys*, *Munudau gyda'r Beirdd*, *Englynion a Chywyddau*, ac yn y blaen. Ef hefyd a sefydlodd ac a olygodd y cylchgrawn byw *Heddiw* yn ystod y tridegau, a'i stamp ef sy'n gorwedd ar gylchgrawn sylweddol iawn a chwaraeodd ran bwysig yn natblygiad llenyddiaeth Gymraeg yn y pedwardegau, y cylchgrawn *Llafar*.

Trwy gydol y cyfnod helaeth y bu'n ymddiddori ym myd llenyddol Cymru, bu'n feirniad di-ofn a didwyll ohono, yn ŵr diwylliedig, a'i ofal dros safonau uchel a chrefftwaith gain. Hwyrach mai gonestrwydd ei feirniadaeth a'i gwnaeth yn *persona non grata* mewn cylchoedd eisteddfodol, sut bynnag am hynny, ei feddwl beirniadol, gwaraidd, yw ei nodwedd amlycaf. Fel hyn, er enghraifft, yr ysgrifennodd yn ei nodiadau golygyddol i *Llafar*, Haf 1956:

> Gall mai hwn fydd y rhifyn olaf o *Llafar*. Nid wyf am gyhoeddi'r gwasanaeth claddu cyn pryd, ond y mae'n iawn i'r perthnasau gael gwybod stad pethau. Bydd y geiriau hyn yn ymddangos yng nghanol hwyl a miri wythnos yr Eisteddfod Genedlaethol, pan guddir gwir ystâd y genedl dan frodwaith amryliw areithiau optimistig. Gobeithiwn nad amryliw'r machlud yw...

Â ymlaen i drafod llenyddiaeth ysgafn a'r cylchgrawn *Blodau'r Ffair* gan ddweud:

> ... ni all cenedl fyw ar flodau ffair er teced ydynt. Er fod y llenor yn barod i ymweld â'r "ffair" weithiau, eto rhaid iddo gael llwyfan mwy sylweddol i'w greadigaethau, ac ni thâl twyllo pobl â'r syniad y gall cenedl yn yr argyfwng y mae Cymru ynddo heddiw, setlo'i phroblem trwy lyfrau a chylchgronau

ysgafn yn apelio at y miloedd. Mae'n dda cael stwff felly, a gorau po fwyaf, ond gwareder ni rhag credu bod cyhoeddi cylchgrawn poblogaidd a digri unwaith y flwyddyn yn mynd â ni ymhell ar y ffordd tuag at ymwared.

Bu Aneirin Talfan bob amser yn effro i "wir ystâd y genedl". Ac nid yw cenedl y Cymry'n gyffredinol yn hoffi'r fath bobl; gwell ganddi'r paun eisteddfodol sy'n elwa ar ei haelioni na'r beirniaid sy'n caru ei lles.

1 Medi, 1961

SYNWYRUSRWYDD – OPTIMISTIAETH

Y mae llyfr diddorol iawn newydd ymddangos ar y farchnad Gymraeg, sef y gyfrol a enillodd y Fedal Ryddiaith yn Eisteddfod Genedlaethol Caerdydd. Ymddengys yn awr o Wasg Gomer, gwasg eithaf dawedog, rhaid cyfaddef, dan yr enw *Fy Hen Lyfr Cownt*. Cymerodd awdur y gyfrol, Miss Rhiannon Davies-Jones, hanes bywyd Ann Griffiths fel fframwaith i'w llyfr, a chymerodd ddull dyddiadur fel cyfrwng i adrodd yr hanes. Darllenwn, o law Ann Thomas ei hun, am anwadalwch, ansicrwydd, dyheadau a themtasiynau merch nwydus, iach, fywiog: darllenwn am ei gogwydd araf tuag at y Methodistiaid, am y teithiau i'r Bala, a'r cyfarfodydd ar y "Green", am bregethu John Elias yn yr awyr agored, am gyfansoddi emynau, a chyda llaw, am bydredd honiadol "hen eglwys y Llan".

Dylid cydnabod ar unwaith fod Miss Davies-Jones wedi llwyddo i greu cymeriad yma. Y mae dyn yn teimlo wrth ddarllen y llyfr ei fod yn rhannu profiadau didwyll person byw. Mewn darn tebyg i hwn, er enghraifft, a'i chariad cyntaf (a'i chariad olaf, yn wir, yn nhermau'r cnawd) newydd ei gadael ar ôl dweud wrthi ei fod wedi "oeri" tuag ati:

153

Ni wn i ba hyd y bûm yn sefyll yno, ond gwn i lwydni'r noson honno o Hydref gau amdanaf. O'r diwedd rhedais innau i lawr yr wtra, a phob cam i lawr y Comin. Yr oeddwn yn archolledig, noeth. Nid oedd ond gwacter o'm cwmpas. Gallwn redeg i Afon Fyrnwy, i Fanw, i Benllyn ac i Lyn Tegid: gallwn ddianc i'r Bermo ac i'r môr: gallwn ymgrogi wrth yr onnen neu estyn y cryman-medi o'r sgubor neu'r gwellaif oddi ar fur y Bing. Byddai pawb ym mhlwy Llanfihangel yn siarad.

'Y fo'i lladdodd hi. Wil Llidiart Deryn a'i lladdodd hi. Y bachgen o saer a'i lladdodd hi.'

Porthai hynny fy hunan-falchder.

Ac fel yr â'r llyfr yn ei flaen, gwelwn Ann Thomas yn petruso ynghylch ei nwydusrwydd cynhenid, ac yn troi'n araf, ond fel petae'n dyngedfennol, tuag at fath arall, a math mwy peryglus fyth, o synwyrusrwydd gwahanol:

Deuthum wyneb yn wyneb â byd arall fel tae 'arogl y Pomgradau' hyd y tir. Rhaid dal ar y profiad hwn. Fe ddaw yn dyner esmwyth fel anadl yn chwarae ar fy ngwefusau, a thraidd drwy fy holl gorff a'm dwyn i ffiniau gogoniant. Yn y fan honno mae fy enaid yn medru caru ei Berson Ef. Arswydaf weithiau pan fo f'enaid yn ei wres yn caru'n Anfeidrol. Sut y medra'i sôn amdano ond fel F'anwylyd.

Ac nid oes pall ychwaith ar rediad yr hanes nac ar ddatblygiad cymeriad Ann Thomas. Nid yw'r llyfr mor foddhaol mewn cyfeiriadau eraill. Ni chredaf fod y canfas yn ddigon eang i gario'n effeithiol ddeunydd mor faith â holl droeon bywyd dychmygol a nerfol Ann Griffiths – bratiog braidd yw'r darnau olaf, a chredaf mai doethach o lawer o safbwynt artistig fyddai i'r awdur fod wedi dewis cyfnod penodedig o fywyd y ferch – y cyfnod cyn ac ar ôl yr ymweliad cyntaf â'r Bala hwyrach, er mwyn rhoi iddi ei hun gyfle i fod yn fwy trylwyr gyda'r manylion. Teimlaf hefyd fod y darnau o emynau Ann Griffiths a ddyfynnir yma ac acw wedi eu llusgo i mewn gerfydd eu clustiau, a'u bod yn sefyll allan fel hoelion mewn esgid. Tybed hefyd a oedd yr Eglwys yn yr ardal lawn mor sathredig ag yr awgrymir yma.

Sut bynnag, y mae'r llyfr hwn yn codi mwy o gwestiynau na allaf ddelio â hwynt yr wythnos hon, gobeithio y caf gyfle i'w trafod eto yn fuan. Bodlonaf yn awr ar ddiolch amdano, ac yn arbennig am oleuni newydd ar gymeriad sensitif, cynhyrfus, Ann Thomas, Pontrobert.

Ar ôl ei ganmoliaeth dihaeddiant i alluoedd y genhedlaeth ifanc o lenorion Cymraeg yr wythnos ddiwethaf, y mae golygydd *Y Cymro* yr wythnos hon yn ymosod yn ffyrnig ar y ffasiwn fewnddrychol yn ein llenyddiaeth ddiweddar, ac yn dweud ei dod yn hen bryd i ni gael llenyddiaeth tipyn mwy calonogol ac optimistaidd yn hytrach na'r cwyno a'r darogan dinistr a glywir mor fynych yn ein gwaith diweddar. Ar un wedd, gellir cydymdeimlo â'i gŵyn, ond y mae sawl peth i'w ddweud am ei agwedd hefyd. Yn gyntaf, nid cywir o gwbl yw condemnio – fel y gwna ef – holl lenyddiaeth (ac fe sonia'n arbennig am farddoniaeth) yr ugain mlynedd diwethaf fel rhywbeth niwrotig, beirniadol, dychanol ac anfodlon ei fryd. Os ystyriwn ein beirdd mwyaf cynhyrchiol dros y cyfnod hwn, gwelwn fod dynion fel Waldo Williams, Euros Bowen a Bobi Jones yn syrthio bron yn gyfan gwbl y tu allan i gylch condemnio golygydd *Y Cymro*. Personol iawn, ar y cyfan, yw ansawdd gwaith y beirdd hyn, a phe bai angen ethol un nodwedd amlwg sy'n gyffredin yng ngwaith y tri ohonynt, yna rwy'n sicr y byddai cytundeb go helaeth ymysg y rhai a ddarllenodd eu gwaith mai seinio gorfoledd yng ngwyrthiau'r greadigaeth yw'r nodwedd honno. Annheg yn wir yw condemnio'r rhain am fod yn "wynebdrist" a chymaint o'u gwaith yn gân o fawl i Dduw: ystyriwn gerdd orfoleddus Euros Bowen, 'Myth y Gwanwyn', lle mae'n clodfori concwest bywyd dros farwolaeth, a'i linell holl gynhwysfawr "Bywyd nid yw'n marw: hyn sy'n fawl", llinell a osodwyd ar ddiwedd cerdd a ysgrifennwyd fel ateb Cristionogol i besimistiaeth Williams Parry pan ddywedodd, "Marwolaeth nid yw'n marw: hyn sydd wae." Ystyried bwyslais Waldo Williams ar undeb sylfaenol dynoliaeth, ei ffydd ddiysgog yn y "rhuddin yng ngwreiddyn Bod", ei weledigaeth barhaus o'r cwmwl tystion, saint yr oesoedd, sy'n gwarchod y da ac yn amddiffyn y pererin ysbrydol rhag drygau'r presennol, ei orfoledd tanbaid mewn cerdd fel 'Eirlysiau', a'r sicrwydd y bydd daioni'n concro, sicrwydd a welir mewn caneuon fel 'Daw'r wennol yn ôl i'w nyth' a 'Mewn dau gae'. Ystyried Bobi Jones a berw llawen ei gerddi serch, a'i holl gyfran o'i math sy'n canmol dedwyddwch bywyd teuluol a chariad a chysur cartref, ei orfoledd ym myd natur. ("Dim ond bod o gwmpas y cae, mae'n dda.") a'i fawl uniongyrchol i Dduw. Na'n wir, chwithig yw clywed condemnio pesimistiaeth ein barddoniaeth mewn cyfnod a welodd ymchwydd a berw math o fawl i fawredd Duw a rhyfeddod Ei waith.

Ond, yn ail, pan drown at ryddiaith, at farddoniaeth Gwenallt, ac at rai cerddi eisteddfodol, gwelwn ochr arall y geiniog. Y mae yma swm go sylweddol o adrodd cwynion wedi bod, ar gân ac ar ffurf nofelau ac ysgrifau. Ond dyna, adlewyrchu'r hyn a wêl yw gwaith y llenor, chwilio am yr hyn a ymddengys iddo ef yn wirionedd, nid cuddio'r annymunol a chreu celwydd yn gysgod i'r boblogaeth lechu oddi tano. A'r hyn a wêl y llenor yng Nghymru heddiw yw cymdeithas hunanfodlon, anghyfrifol, mewn gwareiddiad ar drai mewn byd a gollodd ei egwyddorion gwleidyddol yn llwyr. Ni all dymuniadau gorau golygydd *Y Cymro* na sloganau Macmillan nac unrhyw liwgarwch hysbysebol newid y ffeithiau hyn na gorfodi'r llenor i weld pethau'n wahanol. Ond yn gymdeithasol yn unig y mae'r besimistiaeth hyn yn bod yn ein llenyddiaeth, a phrif nodwedd ein cyfnod ni yw fod beirdd a nofelwyr (Pennar Davies, Islwyn Ffowc Elis) yn gweld gwerthoedd personol yn werthfawr ac yn rhagorol, hyd yn oed y tu mewn i bydredd cymdeithasol, a Gras Duw goruwch, ac yn rhagorach, na'r cyfan. Nid oes angen atgofio golygydd *Y Cymro* mai hyn hefyd yw agwedd yr Efengylau a phrif ogoniant Cristnogaeth, nid unrhyw optimistiaeth rwydd.

8 Medi, 1961

Sylw'r Wythnos:

Dr Donald Soper:

"I refuse to live in a world where a politician's only purpose is to outdo another politician…..Christianity which has as its main objective the dissemination of anti-Communism is not Christianity at all."

ENW A LLE – BAT A PHÊL – PREN A'I FLAS

Bûm yn yr Iwerddon yr wythnos hon. Mae'n rhyfedd fel y gall dyn, trwy ddefnyddio geiriau, gyfoethogi a dyfnhau ymateb ei gyd-ddynion i le arbennig, sut y gall, mewn ffordd, ailgreu y lle o'r newydd trwy ysgrifennu amdano. Nid oes amheuaeth nad yw Bro'r Llynnoedd yng ngogledd Lloegr yn llawer cyfoethocach man heddiw nag ydoedd cyn dyddiau Wordsworth – y mae ôl ei gerddi a'i fywyd ef yn gorwedd yn drwm iawn ar yr ardal hon erbyn hyn ac yn gosod rhin arbennig ar enwau fel Hawkshead, Grasmere, Esthwaite, Derwentwater, Windermere, Scafell ac yn y blaen. Gellir meddwl yn yr un ffordd am wasanaeth y Brontës i rannau o Swydd Efrog, Dickens i Lundain, Walter Scott i'r Gororau rhwng Lloegr a'r Alban, Daniel Owen i'r Wyddgrug, Parry-Williams i Eryri, Fersil i Ddyffryn Po, Matthew Arnold i Rydychen, Lawrence Durrell i ynys Cyprus, Maupassant i wlad y Norman, a chant a mil o enghreifftiau eraill. I mi, y mae'r fath gysylltiad llenyddol yn neilltuol o wir am Yeats a'r Iwerddon.

Gwn fod eraill wedi anfarwoli rhannau o'r Iwerddon lawn cystal â Yeats. Gwn am deithiau J. M. Synge trwy Connemara ac ynysoedd Achill ac Aran ar ei feic, am ffantasïau James Stephens a barddoniaeth A. E. Ond cerddi Yeats, er hynny, a wnaeth Iwerddon yn wlad hud i mi i ddechrau, ac adleisiau ei eiriau ef sy'n dyfnhau fy mhrofiad o wylltir hyfryd Connemara bob tro y'i gwelaf, ac sy'n casglu cen aur o chwedloniaeth a lledrith o gwmpas enwau fel Innesfree, Knockmarea, Drumahair, Lisadill, Lugnagall, Ballylea, Dooney, Kilvamet, Moharabuiee, Kilmainham Cross, Kiltartan, ac, wrth gwrs, Sligo ei hun. Swydd Sligo yw'r ardal arbennig a wnaeth Yeats yn eiddo iddo'i hun, a'r tro hwn penderfynais y byddwn o leiaf yn mynd yn ddigon agos i Sligo i gyrraedd o fewn golwg i'r mynydd od crychiog hwnnw y mae Yeats wedi ei gladdu wrth ei droed, Ben Bulben.

Gyrrais y car modur felly allan o ddinas Galway ar fore godidog o braf i gyfeiriad Oughteraard a Connemara. Hyd yn oed mor fore â hynny ar y dydd, yr oedd golau anghyffredin yn taro'r llygaid allan ar weundiroedd y gorllewin, golau a roddai lewyrch melyngoch i borffor y grug, a dyfnder ychwanegol i'r llynnoedd bychain wrth ochr y ffordd. Troesom i fyny ar hyd glannau Lough Corrib a'i frodwaith ynysoedd bychain i gyfeiriad trefi cwbl Wyddelig Westport, Lennane a Newport. Wrth ddod allan o Newport gwelsom ein cip cyntaf ar un o'r mynyddoedd ardderchocaf a welais erioed, sef mynydd sanctaidd y Gwyddel, Croagh Patrick. Saif ar ei ben ei hun ar ros rugog yng ngogledd Swydd Galway, ac er nad yw'n arbennig o uchel (tua 2,500 troedfedd ydyw) eto mae mor osgeiddig ac urddasol ac unrhyw fynydd y gellid gobeithio ei weld yn unman. Mae'n codi'n syth i fyny o iseldir y gors, yn driongl cymerus, hardd, a gellir ei weld am filltiroedd lawer i bob cyfeiriad. Yn wir, ni lwyddasom i ddianc oddi wrth gysgod pell, awdurdodol Croagh Patrick weddill y diwrnod. Aethom i fyny heibio mynydd Nephin a Lough Conn i dref Ballina ac i olwg Ben Bulben o'r diwedd, ond yno yn y cefndir o hyd yr oedd copa Croagh Patrick yn sbecian dros ysgwyddau'r mynyddoedd eraill er ei bod yn sefyll o leiaf drigain milltir i ffwrdd.

Gwlad hawdd credu mewn gwyrth a ffantasi ynddi yw

gorllewin Iwerddon, gwlad brydferth ac ysbrydoledig. Wrth edrych ar yr enwau dan gerflun Cuchiulain yn y GPO yn Nulyn, hawdd sylweddoli bod Pearse a Connolly, Plunkett a Michael Collins yn gallu dwyn eu nerth o bethau y tu hwnt i fudreddi a thlodi Kilmainham a Kiltartan, o harddwch Connemara a nerth Croagh Patrick. Y mae i ninnau hefyd, wrth reswm, harddwch a nerth yng nghefn gwlad Cymru, ond nid yw wedi llwyddo i fagu yr un dycnwch a'r un anturiaeth yn ein meddyliau a'n gweithredoedd ni, gwaetha'r modd.

I'r cricedwr, neu'r gŵr sy'n hoffi treulio prynhawn o haf yn pendwmpian yn sŵn bat a phêl ledr dan y coed mewn rhyw gae dymunol, nid bychan o beth yw'r newyddion fod Swydd Hampshire wedi ennill pencampwaith y siroedd eleni. Oherwydd, i'r gŵr sy'n caru'r craf o ledr ar fat, y mae criced yn fwy na gêm a Hampshire yn fwy na sir. Rhywle tua diwedd y ddeunawfed ganrif, mewn pentref bychan o'r enw Hambledon yn Hampshire ffurfiodd un ar ddeg o weithwyr cyhyrog yr ardal eu hunain yn dîm criced, ac yn y man, wedi ennill enwogrwydd anarferol, rhoddodd y gwŷr glewion hyn sialens allan i Loegr gyfan. Ar eu cae agored, hyfryd hwy ar Broad Halfpenny Down y dechreuodd y gêm o griced fel rhywbeth trefnus a phendant. Ymysg y tîm enwog hwn o ddynion Hambledon, yr oedd bardd a gof o'r enw John Nyren, ac fel hyn yr ysgrifennodd ef am y dyddiau cynnar hynny:

> There was a high feasting held on Broad Halfpenny during the solemnity of our grand matches. Oh, it was a heart stirring sight to witness the multitude forming a complete and dense circle round that noble green. Half the county would be present, and all their hearts with us. - Little Hambledon, pitted against all England, was a proud thought for the Hampshire men. Defeat was glory in such a struggle - Victory, indeed, made us only a "little lower than the angels".

Llwyddodd dynion Hambledon fwy nag unwaith, gyda'u bowlio isel, cyflym, a'u taro chwyrn i guro holl allu Lloegr ar Broad Halfpenny Down yn y cyfnod hwnnw, ac yr oedd y cychwyn arswydus hwn i griced pentrefol yn ddigon i godi timau criced ym mhob pentref bychan o bob math trwy Hampshire a Sussex a Surrey i gyd. Yn y dyddiau hynny busnes go anodd oedd wynebu y bêl galed, yn ôl yr hanes, a busnes go beryglus, ond nid mwy peryglus, mae'n debyg, nag ydyw ar aml i "green" eithaf anwaraidd heddiw.

Bûm unwaith ar Broad Halfpenny Down a hithau'n dechrau nosi, ac yr oedd yno, fel yng Ngorllewin Iwerddon, ysbrydion yn cerdded ar hyd y lle. Ac yn awr, a Hampshire, yn gwbl annisgwyl, wedi ennill pencampwaith y siroedd am y tro cyntaf erioed yn erbyn holl alluoedd Swyddi Efrog, Surrey, Caerhirfryn a'r gweddill, mae'n ddigon sicr fod yna hen wledda ar Broad Halfpenny Down unwaith yn rhagor, a bod sawl hen wyneb rhychiog yn gwenu'n fodlon wrth gofio'r achlysur arall hwnnw pan drechwyd grym Lloegr gan ddyrnaid o ddynion Hampshire.

Os mae yn rhinwedd llên y daeth sawl lle yn gyfoethocach ei naws, dyna hefyd sut y daeth criced yn fwy na gêm, sut y daeth enwau fel Grace, Hobbs, Rhodes, Sutcliffe, Ranji, Woolley, Hammond, a'r gweddill yn ffigurau chwedloniaeth yn union yr un modd ag y tyfodd rhai o arwyr Iwerddon yn ffigurau tebyg. I'r sawl sydd wedi ei bigo gan rith y gêm, y mae rhywbeth cynhyrfus mewn gwylio gŵr mewn gwyn yn taro pêl dan heulwen haf, ac i'r cricedwr di-fflach, y pydrwr-arni-hi ei hun, y mae rhywbeth mwy cynhyrfus fyth mewn llwyddo i wneud ambell i strôc a weddai'n well i ogoniant Hambledon nag i'w ymdrechion tila ef. Gweddus i ni, cricedwyr a gwylwyr, yw cofio heddiw mai yn Hambledon y cychwynnodd y cyfan a bod dynion Hampshire wedi aros yn hir iawn am y fuddugoliaeth a ddaeth i'w rhan eleni.

Yn ei gasgliad diweddar o farddoniaeth *Yr Efrydd o Lyn Cynon* y mae gan y Dr Pennar Davies un o'r cerddi hyfrytaf a ddarllenais erioed. Enw'r gerdd yw 'Cathl i'r Almonwydden', a chân o fawl ydyw i'r bywyd newydd a diddiwedd yng Nghrist.

Y mae'n llawn goleuni a phurdeb a gogoniant, ac ni allaf lai na dyfynnu pennill ohoni:

Och, Iesu, daw pob atgof am dy boenau
Fel alaw lawen i sirioli 'mryd,
A'r drewdod erch a gododd at dy ffroenau
Fel peraroglau godidoca'r byd.
Can's gwelais Sarff yn hyfryd ymgordeddu
O amgylch Pren y Bywyd uwch y lli
A chlywais dy Golomen yn gwireddu
Â chân fytholwiw dy addewid di.
Do, gwelais almonwydden.
A'i brig ymwthgar, braf a'i choron wen,
Y goeden eofn, lew, y pêr, balchlwythog bren.

Wedi gweld y fath lawen nwyf yn byrlymu allan o gerddi am yr almonwydden, euthum ar ôl cysylltiadau ysgrythurol y pren hwn, gan chwilio am sail ddigonol i lawenydd mawr y bardd. Hyn a welais ym Meibl Peter Williams, fel sylwadaeth ar Numeri XVII. 8:

… caiff holl eiddo Duw, er eu bod wedi eu torri oddi ar eu gwreiddyn cyntaf, fel gwialen Aaron, ac yn brennau crinion wrth natur, eu bywhau trwy ras yng Nghrist, a'u gwneuthur yn flodeuog ac er eu torri i lawr i waelod bedd, a'u malurio yn y llwch, hwy gant atgyfodiad i fywyd o ogoniant, lle cânt weled ei wedd ac y blodeuant byth ar ei ddelw ef, yr hwn yw gwir Bren y bywyd, Rhosyn Saron a lili'r dyffrynnoedd…

Pren almon Pennar Davies yw Pren y Bywyd Peter Williams, ac ni allaf ond annog darllenwyr *Y Llan* i ymgydnabod a'r gân ardderchog hon, cân deilwng o Williams Pantycelyn ar ei orau.

15 Medi, 1961
PHARISEAETH – GYDWLADOL

Y mae'r digwyddiadau diweddar ym Mhenfro a Doc Penfro yn warth ac yn gywilydd. Y mae'r syniad o drigolion honiadol a heddychlon Sir Benfro yn ymosod yn gwbl wyllt ar rai a oedd yn protestio'n dawel yn erbyn gweithred wleidyddol yn sawru o gythreulogrwydd y Canol Oesoedd.

Ond dyna; nid wyf ddiragfarn yn y mater. Rhag datgan fy nghefnogaeth i'r TUC a'r gorymdeithwyr, ni chredaf y dylid gwahodd milwyr Almaenig i ymarfer yn y wlad hon. Ond gan fod y fath agwedd yn agored i gamddealltwriaeth, a chan fod y camddealltwriaeth yn cerdded y tir ar adegau fel hyn, ceisiaf egluro'n fwy manwl beth yw'r rhesymeg y tu ôl i'm safbwynt.

Credaf mai annheg yma yw sôn am faddeuant a diffyg maddeuant, oherwydd nid oes yn agwedd y protestwyr unrhyw ddiffyg maddeuant. Annheg hefyd yw sôn am anghofio'r gorffennol, oherwydd nid am orffennol yr Almaen y mae'r TUC a'r protestwyr eraill yn meddwl, ond am y presennol a phosibiliadau'r dyfodol. Nid protest yn erbyn ymweliad ychydig o Almaenwyr â'r wlad yw hon, wrth reswm: protest ydyw trwy gyfrwng y milwyr hyn at Herr Adenauer a Llywodraeth Gorllewin yr Almaen yn gyffredinol, yn erbyn ei pholisi mewnol presennol. Nid ceisio dial ar y plant am bechodau'r rhieni yr oedd mwyafrif y gorymdeithwyr i Gastell Martin yr wythnos hon, ond datgan y farn deg a rhesymol nad ydynt yn fodlon cymeradwyo'r ymdrech ddiweddaraf gan y Llywodraeth i gefnogi polisi gweinyddiaeth Adenauer.

Cytuna pawb, mae'n debyg, y dylid ceisio maddau erchyllterau'r Ail Ryfel Byd, ond y mae edifeirwch i fod i ragflaenu maddeuant, a dyna'r maen tramgwydd mawr yn ein perthynas presennol ni â'r Almaenwyr. Ar ôl yr Ail Ryfel Byd, cynhaliwyd llawer iawn o achosion mewn llysoedd barn pryd y carcharwyd nifer helaeth o droseddwyr Natsïaidd am eu rhan yn erchyllterau Belsen, Buchenwald, a'r gweddill o uffernoedd

Himmler a'r SS. Ond y ffaith annifyr yw mai ychydig iawn o amser o dreuliodd llawer o'r bobl hyn yn y carchar. O'r rhai a ddedfrydwyd i 20 mlynedd neu ragor o garchar, cyfartaledd yr amser a dreuliwyd yno ganddynt yw pum mlynedd. Y mae tri achos o leiaf ar gael o garcharor yn cael ei ryddhau cyn pryd er mwyn cael mynd i swydd o awdurdod uchel yn heddlu presennol yr Almaen. Ac y mae achos ar ôl achos, ddydd ar ôl dydd, yn dod i'r wyneb o Natsïaid ymosodol, ymarferol nas erlyniwyd o gwbl ac sy'n dal swyddi uchel yng ngweinyddiaeth, ac yng ngwasanaeth suful Gorllewin yr Almaen.

Yn awr, er y dylid ceisio maddau i'r dynion hyn yn unigol am beidio â bod yn ddynion, ac am droi'n gythreuliaid, i bob pwrpas, am flynyddoedd, eto ni chredaf y dylid ymgyfeillachu â Llywodraeth sy'n ddigon rhagrithiol i gondemnio Natsïaeth ar y naill law, ac eto i ddefnyddio gwasanaeth milwrol o Natsïaid argyhoeddedig ar y llaw arall. Trwy wneud hyn yr ydym yn tueddu i osod sêl ein bendith ar bolisi a gweithredoedd y Natsïaid eu hunain.

Yr hyn sy'n poeni dyn fwyaf ynghylch polisi tramor Prydain Fawr yn y blynyddoedd wedi'r Ail Ryfel yw parodrwydd y Llywodraeth i ymgyfeillachu'n ddigon parod ag unrhyw gymdeithas sy'n digwydd bod i raddau bach neu fawr yn wrth-Gomiwnyddol. Mae'r Llywodraeth wedi bod yn fodlon cydgerdded â phethau gwaeth na Chomiwnyddiaeth er mwyn bod yn wrth-Gomiwnyddol.

Gwyddom yn iawn am bydredd gweinyddiaeth Franco yn Sbaen, am erchyllterau Portugan yn Angola, a Ffasgiaeth Twrci, am ddiawledigrwydd hen weinyddiaeth Ciwba: a gwyddom hefyd mor amheus yw polisi mewnol Gorllewin yr Almaen. Eto anwybyddwn y pethau hyn i gyd, gan sgwrsio am NATO a'r angen am "collective defence". Ond beth, yn enw pob rheswm, yr ydym yn ei amddiffyn? Ai rhyddid barn a mynegiant, ynteu Ffasgiaeth Gorllewin yr Almaen? Fel yr awgrymais dro'n ôl, y mae hyn yn cael yr argraff nad oes egwyddor gyffredinol o fath yn y byd yn gorwedd y tu ôl i'r wleidyddiaeth gydwladol, fod unrhyw beth yn ganiataol i lywodraethau'r Dde, nid yw erchyllter ac anghyfiawnder yn erchyllter ac anghyfiawnder ond pan y'i cyflawnir gan Gomiwnyddion. Rhan o'r siniciaeth gwleidyddol hwn sy'n gyfrifol am y gwahoddiad cwbl afraid i'r Almaenwyr ymarfer yn Sir Benfro, rhan o'r syniad fod unrhyw beth yn iawn os nad ydyw'n wleidyddol "Goch".

Nid culni nac anoddefgarwch sy'n gyfrifol am y protestiadau yng Nghastell Martin, ond y teimlad teg y dylem lynu wrth yr ychydig egwyddorion sydd gennym yn weddill ac mai gwrthun a drygionus fyddai i ni gerdded i dragwyddoldeb y Bom H ochr yn ochr â'r Natsïaid yn erbyn Comiwnyddion. Y mae pethau gwaeth na Chomiwnyddiaeth, dybiwn i: ac un ohonynt yw'r rhagrith ofnadwy hwnnw sy'n ymgyfeillachu ag ef yn enw buddioldeb a sicrwydd materol yn 1961. Y math yma o ragrith sydd wrth wraidd y pydredd cymdeithasol hwnnw y soniodd John Osborne amdano yn ei lythyr enwog i'r *Tribune* ac yr ydym yn iawn i brotestio a phrotestio a phrotestio yn ei erbyn, ond i ni wneud hynny am y rhesymau cywir. Gall y milwyr Almaenig hyn fod yn "hen fois iawn" ond y maent yma i gynrychioli rhywbeth gwaeth na hwy eu hunain, rhywbeth sydd ymhell o fod yn farw yn yr Almaen, a rhywbeth a all berthyn i'r dyfodol yn ogystal â'r gorffennol os y parhawn i'w swcro.

22 Medi, 1961

PA DDIBEN PROTESTIO?

Gwell cyfaddef i mi orfod ailysgrifennu'r llith hon sawl gwaith. Y mae'n amlwg mai'r unig beth y gall neb cyfrifol sôn amdano'r wythnos hon yw'r ymgyrch fawr yn Sgwâr Trafalgar. Ac eto, sut y mae dyn i groniclo'i deimladau'n groyw a chlir? Treuliais 2,000 o eiriau a pheth amser yn datgan fy nghefnogaeth i'r brotest, a'm rhesymau dros y fath gefnogaeth. Ond rhoddais y cyfan yn y fasged. Nid dweud hynny yw'r peth pwysicaf, wedi'r cyfan. Yna ceisiais fynegi fy marn am weithred y Llywodraeth yn defnyddio'r Ddeddf Trefn Gyhoeddus, 1936 – deddf a adewir i gysgu gan amlaf, i ateb gorymdaith a fyddai wedi bod yn berffaith heddychol pe byddai wedi cael llonydd i fynd ymlaen. Ond rhoddais y gorau i hynny hefyd. Er i mi deimlo'n gryf iawn na ddylid bod wedi delio â'r orymdaith hon fel pe bai'n fath o sbort Guy Fawkes gan griw o fyfyrwyr ar sbri, eto nid hynny ychwaith sydd bwysicaf.

Y peth mawr a thrasig, i'm tyb i, yn y busnes yma i gyd, yw'r ffaith fod y brotest yn sicr o fethu, a bod cynifer o bobl o ewyllys da yn gwrthod cydnabod arswyd y sefyllfa yr ydym ynddi. Diau nad oedd y plismyn, 4,000 ohonynt, a lenwai'r sgwâr, yn dymuno i'w plant a phlant eu plant gael eu geni'n gorachod ac yn afluniaidd ac yn afiach oherwydd yr ymarfer sy'n digwydd yn awr ar arfau niwclear a'r rhyfel sy'n debyg o ddod unrhyw adeg. Ac eto, erbyn tua hanner nos, yr oedd y naill ochr a'r llall yn edrych ar ei gilydd fel gelynion marwol, a'r heddlu'n arbed llawer iawn o ffyrnigrwydd corfforol, di-alw-amdano wrth gludo'r protestwyr o'r naill du. Fel mewn unrhyw frwydr, aeth trechu'r gelyn yn rhywbeth pwysicach nag achos y frwydr ei hun. Canlyniad hyn oedd golygfeydd go annifyr yn ac o gwmpas y sgwâr tuag at un o'r gloch y bore, a'r math o ymddwyn cyhoeddus na ddisgwylir ei weld mewn gwlad waraidd.

Oherwydd y teimlad drwg a ddaeth i'r gweithrediadau fel yr oedd y Sul yn dod i ben, cafodd y mudiad diarfogi'r fath gyhoeddusrwydd na allai fod wedi ei gael trwy unrhyw ddull arall, ac y mae hyn yn beth da. Gall ysgogi eraill i feddwl yn fwy gofalus am y sefyllfa arswydus yr ydym ynddi, ac i ystyried eu dyletswydd yn wyneb y fath sefyllfa. Y mae'r ffaith fod 1,300 o bobl wedi dod dan law'r gyfraith gyda'i gilydd am wneud dim amgen na datgan eu barn yn gyhoeddus yn sicr ddigon o siglo cyfforddusrwydd llawer sy'n dal i gredu slogan Macmillan "You've never had it so good".

Ond er y mân fanteision hyn, prif nodwedd a thrasiedi'r

ymgyrch, fel y dywedais, yw na all lwyddo i berswadio na llywodraeth na gwerin y wlad o'r perygl yr ydym ynddo. Dywedodd Sir Charles Snow yn ddiweddar: "When people feel that events are getting too big for them, then that is the beginning of the end". Wel, dyna sydd wedi digwydd i ni, bawb ohonom, ynglŷn â'r busnes yma. Cychwynnir sawl sgwrs a dadl ar arfau niwclear mewn tŷ a thafarn, coleg ac ysgol a swyddfa a gwaith bob dydd. Ond ni ddeuir i unrhyw ganlyniad. Terfyn pob sgwrs yw: "O, wel, wn i ddim wir; mae'r cwbl yn rhy fawr i mi erbyn hyn". Neu, ac yn waeth byth: "O, wel, wn i ddim, mae'n siŵr eu bod nhw'n gwybod beth y maen nhw'n ei wneud yn well na mi". Ac oherwydd y cyfuniad yma o ddifaterwch ac o ddrysni meddyliol ynghylch popeth cydwladol, parhawn i obeithio y daw pethau'n iawn, ac y bydd popeth yn olreit yn y diwedd.

Ond y ffaith amdani yw fod pethau'n rhy fawr bellach i'n gwladweinyddion hefyd. Maent wedi cychwyn cerbyd na allant ei atal na'i arafu, cerbyd sy'n cyflymu bob dydd bron, ac sy'n gyrru'n syth am y dibyn. Yr ydym ninnau'r tu mewn yn syllu'n braf ar ein setiau teledu, yn tynnu'r pacedi Bird's Eye o'r fridj er mwyn cael tamed blasus o swper, ac yn dweud wrth ein gilydd bod y gyrrwr yn gwybod yn iawn i ble y mae o'n mynd. Nid wyf yn amau nad yw'r gyrrwr yn gwybod ble'r ydym yn mynd, ond maent mor ddiymadferth â minnau i atal y dinistr gan mor sydyn ac mor gynyddol y mae amgylchiadau wedi eu hamgylchu.

Yr wyf yn credu'n berffaith onest nad oes datrys dynol ar y cawl yr ydym ynddo. Yn hwyr neu hwyrach, fe ddaw'r gyflafan, ac yn y cyfamser ni allwn ond gweddïo am wyrth a all ein hachub eto, a chefnogi pawb ym mhobman sy'n protestio a phrotestio yn erbyn gorymdaith dynoliaeth i ddistryw a hunanladdiad. Os oes raid i ni fynd i'n tranc yn y genhedlaeth hon, yna mae'n well i ni fynd dan brotestio, yn effro ac yn gyfrifol, na mynd yn fodlon braf, dan sipian te bob hanner awr o'r dydd a chwarae Bingo gyda'r nos. Prin fod ein gwareiddiad ni yn haeddu gwaredigaeth, ond os ydyw'n haeddu unrhyw ystyriaeth o gwbl, yna yn rhinwedd egni a gofal a phoen enaid pobl fel protestwyr Sgwâr Trafalgar y ceir yr ystyriaeth, nid yn rhinwedd y bobl sy'n dweud, "Beth sy'n bod ar y ffyliaid gwirion?" gan gau eu llygaid i gyflwr y byd a'r peryglon sy'n bygwth plant bychain.

Ac yn awr, y funud hon, clywais am farwolaeth Mr Hammarskjold, ysgrifennydd cyffredinol y Cenhedloedd Unedig, a chlywais sylw Bertrand Russell ar y digwyddiad: "This probably means the end of the United Nations". A phrin bod modd yn awr i ddim arall ddigwydd ond marwolaeth graddol a sicr y mudiad hwn, yr ail fudiad o fewn deugain mlynedd i geisio gosod dynoliaeth ar well a doethach llwybr. Methodd y ddwy ymgais, ond yn eu methiant gosodasant esiampl, a chrëwyd ganddynt ddynion y gellir eu hedmygu'n ddirwgnach ac yn hael. Cysegrodd Dag Hammarskjold ei fywyd i'w waith fel tangnefeddwr: ceisiodd bob amser degwch anrhydeddus ym mhob dadl, llwyddodd mewn llawer lle i ddiffodd fflam rhyfel a chreu heddwch – heddwch anniddig, mae'n wir, ond heddwch er hynny, bwydodd filiynau o bobl y dwyrain; gwnaeth bopeth y gallai unigolyn ei wneud i atal y dinistr. Ond methodd. Os y gall dynoliaeth wrthod ymdrechion y fath ddyn, a'i ladd yn y diwedd am ei waith, ymddengys nad ydym fymryn gwell ein hysbryd nag oedd ein cyndeidiau 2,000 o flynyddoedd yn ôl.

Yr oedd hon yn wir yn wythnos ddu, a'r unig beth a'n gwaredodd oedd y ffaith fod bywyd pob unigolyn yn parhau i ryw raddau yn annibynnol ar drasiediau cydwladol, a bod protestwyr yn Sgwâr Trafalgar yn gallu canu 'When the Saints go Marching In' er gwaethaf pob croes. Y mae pethau wedi mynd yn rhy fawr ac yn rhy gymhleth i ni, nid oes amheuaeth am hynny, ond yr ydym yn parhau i fyw, ac y mae bywyd, diolch i'r Nefoedd, yn fawr ryfeddod.

13 Hydref, 1961

DAMWEINIAU – CYFFES

Cyhoeddwyd adroddiad yn ddiweddar gan yr Athro John Cohen, Athro Seicoleg ym mhrifysgol Manceinion. Adroddiad ydyw o arbrofion Mr Cohen a'i gyd-weithwyr ym Manceinion i achosion seicolegol y llu damweiniau sy'n digwydd ar y ffyrdd bob dydd. Y mae'r canlyniadau yn ddiddorol ac yn fuddiol dros ben, a dylid rhoi sylw ymarferol iddynt.

Yn gyntaf, y mae adroddiad yr Athro Cohen yn cadarnhau'r syniad cynyddol fod alcohol yn un o achosion cryfaf damweiniau ar y ffyrdd. Ond rhydd yr adroddiad oleuni newydd ar y syniad, er hynny. Rhoddir pwyslais mawr yn y wasg ac yn y llysoedd barn ar yrru ceir modur gan ddylanwad alcohol, ac y mae camrau wedi cael eu cymryd gan rai dinasoedd i brofi maint alcohol yn y gwaed trwy ddull peiriannol; ac y mae deddf bellach yn cydnabod fod rhyw gyfartaledd alcoholig o 0.5 y cant neu fwy yn beryglus i yrrwr car modur. Ond rhydd yr Athro Cohen fwy o sylw i effeithiau cyfartaledd llai o lawer o alcohol yn y gwaed, a daw i'r penderfyniad yn y diwedd fod y nifer helaeth o fodurwyr sy'n yfed ychydig o alcohol cyn gyrru ceir yn llawer iawn mwy peryglus yn y pen draw na'r nifer bychan sy'n yfed llawer. A hyn oherwydd fod ychydig o alcohol yn peri i ddyn feddwl y gall wneud pethau sydd mewn gwirionedd yn amhosibl, a pheri iddo fentro'n afresymol a theimlo'i hun yn "dipyn o foi". Yn awr gŵyr pawb ohonom pa mor beryglus y gall y teimlad hwn fod y tu ôl i olwyn, ac nid alcohol yn unig sy'n ei greu: ar ambell fore o haf, a ninnau'n edrych allan ar fyd heulog braf, tueddwn i ddangos ein hunain fel gyrwyr, a rhuthro a mentro mewn dull na ddychmygem ei wneud ar fore tywyll yn y gaeaf. Ond y mae gan yr Athro Cohen dystiolaeth uniongyrchol cryf iawn, iawn fod alcohol, yn fwy nag un dim arall, yn peri i'r gyrrwr profiadol droi'n orfentrus a diofal yn fuan iawn. Ac y mae'n dystiolaeth digon cryf, mi dybiaf, i'w gwneud hi'n drosedd i neb gyffwrdd â'r un diferyn o alcohol am awr, fan leiaf, cyn gyrru car. At hyn, y mae'r adroddiad yn tynnu sylw at effeithiau penodol eraill, fel blinder, y math o flinder sy'n poeni'r trafaeliwr neu'r gyrrwr lorri, ar ôl diwrnod hir y tu ôl i'r olwyn, tymer ddrwg, poen stumog, poen meddyliol, a llawer o bethau eraill. Ar wahân i'r deddfu yn erbyn alcohol, gan gymaint yw'r pethau corfforol eraill sy'n llesteirio safon y gyrru, y mae'r Athro Cohen yn argymell cynllunio llawer iawn mwy o gymhorthau diogelwch otomatig mewn ceir newydd: mae'n argymell gosod y car, mewn gair, mor annibynnol ag sy'n bosibl oddi wrth wendidau ffyliaid, a'r ffaith fod pawb ohonom yn ffyliaid yn reit aml, i ddangos difrifwch y broblem o ffaeleddau naturiol ymysg gyrwyr ceir, y mae'r Athro Cohen yn disgrifio gyrrwr bws profiadol a chelfydd yn ceisio gyrru ei fws wyth troedfedd o led dros bont arbrofol saith troedfedd a hanner o led un bore ar ôl cweryla â'i wraig. Cyn wfftio'r ffaith, ystyriwn ein safon gyrru ein hunain y tro nesaf y byddwn ninnau mewn tymer arbennig o annymunol.

Yr ail beth pwysig a ddarganfu'r Athro Cohen oedd anwadalwch ac ansicrwydd cerddwyr ar y ffordd. Mewn arolwg yn un o strydoedd prysuraf Manceinion, gwelodd y grwp arbrofi fod 95% o bobl yn mentro croesi ffordd sy'n cymryd 10 eiliad i'w chroesi pan fo'r drafnidiaeth agosaf o fewn 8 eiliad neu lai iddynt. Canlyniad hyn, wrth gwrs, yw bod trafnidiaeth mewn tref beunydd yn gorfod arafu i osgoi cerddwyr, a bod y cerddwyr yn eu tro, oherwydd diffyg barnu'n gywir beth yw cyflymdra car modur, yn gorfod rhuthro bron bob amser dros y rhan olaf o'u siwrnai ar draws y ffordd. Fel y dywed yr adroddiad, nid yw cerddwyr yn ddigon ymwybodol o'r angen am ofal a barn gywir ar eu rhan hwy yn ogystal ag ar ran y ceir; byddai mwy o'r gofal angenrheidiol yma'n cael ei arfer hwyrach pe bai'r cerddwr yn sylweddoli fod ganddo un siawns mewn 5,000 i gael ei niweidio'n ddifrifol *bob tro* y bydd yn mynd allan ar y ffordd.

Allan o'r cyfan a ddywed yr adroddiad, yn ffigurau,

ystadegau ac opiniynau, hwyrach mai'r peth gwerthfawrocaf yw'r ffaith mai amrywiadau bychan iawn oddi wrth y normal sy'n ddigon i greu damwain y dyddiau hyn, gyda chymaint pwys trafnidiaeth a chyflymdra peiriannol. Ychydig o ddrwg dymer, 0.5% o alcohol yn y gwaed, cur pen, tipyn o annwyd, a dyna ddamwain angheuol. Dengys yr adroddiad hefyd mai'r unig ateb yn y pen draw, fel yr awgrymais, yw creu ceir mwy diogel ac adeiladu brodwaith o ffyrdd a fydd yn gwahanu'r cerddwyr oddi wrth y ceir ym mhobman. Yn y cyfamser, dylid parhau'r propaganda cyson, er mwyn plannu'r ffeithiau arswydus yn ein meddyliau, a dylid gwneud yr un peth arall posibl, sef deddfu yn erbyn pob gyrrwr car sydd wedi bod o fewn cyrraedd alcohol cyn gyrru. Ni ellir sicrhau na fydd gyrrwr car yn poeni, ni ellir deddfu yn erbyn ei annwyd a'i boen stumog, ond gellir o leiaf wneud ymdrech ymarferol i gadw'r alcohol o'r gwaed.

Wedi darllen adroddiad Prifysgol Manceinion, sylweddolwn mai mater cymhleth iawn yw'r busnes o leihau'r damweiniau cynyddol ar ein ffyrdd, ac nid unrhyw beth y gellir ei setlo trwy resymu ac ysgwyd pen. Dylem fod yn ddiolchgar i'r Athro Cohen am roi pobl ar waith i ddarganfod y ffeithiau y tu ôl i'r gyflafan. Parhaed y gwaith.

Rose Macaulay, *Letters to a Priest*:

> Long years of wrong-doing build a kind of blank wall between oneself and God, and the task is to break it down, or at least to make holes in it large enough to see through… one can't of course, go on doing what one knows to be wrong… against God's will without being weakened and corrupted and partly blinded, and this must hamper and clog, perhaps pervert one ever becoming what one might have become.

Yn 1958, bu farw'r nofelydd Rose Macaulay. Yn ei blynyddoedd cynnar, yr oedd hi wedi bod yn aelod ymarferol, brwd a chyson o Eglwys Loegr. Ond yna syrthiodd mewn cariad dwfn â gŵr priod. Am yr ugain mlynedd nesaf, llywodraethwyd ei bywyd gan ei pherthynas â'r gŵr yma, er nad oedd neb ond ei ffrindiau agosaf yn gwybod dim am y peth. Yn ystod y blynyddoedd hynny fesul tipyn, ac mewn dull a ymddangosai bron yn anochel, dechreuodd ymbellhau oddi wrth ei gwreiddiau crefyddol, ac yn y diwedd pallodd ei bywyd crefyddol yn llwyr. Tua diwedd ei bywyd, fe ailddeffrowyd ei hymdeimlad o Dduw mewn dull arbennig iawn yng nghwrs gohebiaeth rhyngddi hi ag offeiriad Anglicanaidd, y Tad Johnson. Yn awr y mae Collins yn cyhoeddi'r ohebiaeth hon dan y teitl *Letters to a Priest*, a cheir yn y gyfrol ddarlun nid yn unig o bersonoliaeth a gweledigaeth arbennig Rose Macaulay, a oedd yn ddigon dewr i adolygu ei holl fywyd a chollfarnu cyfran helaeth iawn ohono, ond darlun hefyd o offeiriad anghyffredin iawn yn dylanwadu yn enw Crist ar enaid un a gollodd gysylltiad â Duw, ac yn ei harwain yn ôl i wir ymwybyddiaeth o gyflawnder crefyddol yn hwyr ar ei dyddiau. Dyma a ddywed Rose Macaulay yn ei llythyrau am gyfyngiadau'r Gyffes, er enghraifft:

> The priest says, 'Go in peace, the Lord has put away thy sin'.
> But of course one doesn't go in peace. He can't put it away,
> it has done its work. You can't undo what's done… it's not
> a question of forgiveness, but of irrevocable damage done.
> Perhaps I shall mind more and more, all my life.

Y mae hwn yn llyfr hanfodol, mi gredaf i, i'r sawl sydd â rhywfaint o ddiddordeb yn y bywyd crefyddol, ac mewn hunanymholiad trylwyr a gonest ac angerddol. Gobeithiaf roi sylw manylach iddo pan ddaw o'r wasg.

20 Hydref, 1961

CYNADLEDDAU'R PLEIDIAU – ATHRAWON

Wrth ysgrifennu i'r *Llan* am gynadleddau'r pleidiau mawr flwyddyn yn ôl, dywedais fod yn well gennyf fywyd blêr, anhrefnus, cecrus y Blaid Lafur na marweidd-dra twt, caboledig goragosrwydd y Blaid Geidwadol. Eleni, marweidd-dra, unffurfiaeth ac uniongrededd oedd nodweddion y ddwy gynhadledd, a golygfa drist i'r neb a gredo fod rhyw ystyr yn y gair 'democratiaeth' oedd gwylio'r cynadleddau hyn.

Craffwn am funud ar y math o beth sy'n digwydd yng nghyfarfod tyngedfennol ein gwladweinyddion yn y ddemocratiaeth hon. Y llynedd, fel y cofir, pleidleisiodd y Blaid Lafur dros ddiarfogi ar y naill law, a ffyrnigrwydd Foot a Cousins ar y llaw arall. Yn awr, cyn y gynhadledd, mewn sgwrs ar y teledu, yr oedd Gaitskell wedi datgan ei gred ddigamsyniol ef mai'r gynhadledd flynyddol oedd i benderfynu polisi'r Blaid Lafur ar bynciau o bwys canolog, yr oedd Crossman wedi dweud yr un peth yn groyw iawn mewn cynhadledd leol, ac yr oedd "egghead" amlycaf y Blaid Lafur yr adeg honno, Anthony Crosland, wedi gosod y ddeddf i lawr ynghylch hyn yn gwbl bendant mewn pamffled ar y pwnc. Wel, Cousins a enillodd y frwydr yn y gynhadledd y llynedd, a dyma'r arweinwyr yn tindroi yn syth, ac yn chwilota'n wyllt am hen ddatganiad gan Keir Hardie, a ddywedodd un tro nad oedd y gynhadledd flynyddol na neb arall am ddweud wrtho fo sut i bleidleisio a beth i'w wneud yn Nhŷ'r Cyffredin. Ac yn sydyn, yr oedd pawb wrth hi'n ddygn yn newid eu meddyliau a'u datganiadau ynghylch swyddogaeth a phwysigrwydd y Gynhadledd. "The Labour Party Conference," meddai Gaitskell, "exists to make the country's opinion known to the Parliamentary Party, not to dictate to them."

"The Parliamentary Labour Party," meddai George Brown, yn ei swydd newydd fel amddiffynydd Gaitskell, "is an indepentent organisation, and must make up its own mind about what it believes." Gellid cydymdeimlo â Frank Cousins os y teimlodd mai tipyn o ffars oedd y cyfan, yn arbennig o ystyried y dulliau amheus iawn a ddefnyddiwyd yn ystod y flwyddyn i berswadio ei undeb ef i newid eu meddwl. Fel y digwyddodd hi, arhosodd yr undeb yn ffyddlon i Cousins, ond newidiodd y Gynhadledd ei meddwl yn llawn, heb glywed unrhyw ddadl newydd na darganfod unrhyw ffaith nad oedd eisoes yn wybyddus. Eleni wedyn, pleidleisiodd y Gynhadledd yn bendant yn erbyn diarfogi niwclear, ac eto pleidleisiodd y diwrnod wedyn dros atal gwersylloedd Americanaidd yn y wlad hon, dros beidio â defnyddio'r bom gyntaf, a thros atal milwyr Almaenig rhag ymarfer yn unrhyw ran o Brydain. Mewn gair, pleidleisiwyd heddiw dros gefnogi NATO, ac yfory dros wneud gweithrediad y polisi hwnnw'n amhosibl. Dim rhyfedd fod Hugh Gaitskell yn gwenu'n fodlon ar noson olaf y gynhadledd, ac yn ymddwyn fel rhyw MacWonder glastwraidd, sicr o'i safle. Dim rhyfedd ychwaith i Cousins ddweud yn ei ddull sarrug ei hun, "Of course, we shall go on fighting, like they went on fighting; but things are bound to get a bit confused if one side thinks that life is a cocktail party where a witty crack is more important than principle, and the other side thinks it's more like a job of work."

O droi at Gynhadledd y Ceidwadwyr, y mae pethau'n llawn rhyfeddach. Ddydd Mercher yr wythnos ddiwethaf, cafwyd dadl fawr y Farchnad Gyffredin, er gwaethaf areithiau meistrolgar gan Heath a Sandys, eto yn erbyn ymuno yr oedd y mwyafrif helaeth o'r siaradwyr, ac yr oedd y gair "sovereignty" yn codi dro ar ôl tro. Daeth amser pleidleisio a phenderfynodd y Gynhadledd, bron yn unfrydol, y dylid ymuno yn y Farchnad Gyffredin. Nid oes neb a all egluro'r bleidlais od hon. Dywedodd Mr Heath ar y teledu mai wedi cael eu perswadio gan y siaradwyr swyddogol yr oedd y Gynhadledd, ond, fel y gofynnodd Kenneth Harries iddo, "Do you really think, Mr Heath, that the delegates knew much more about the Common Market at the end of the debate than they did at the beginning?"

Ond yr oedd pethau mwy od fyth i ddigwydd. Ar ddydd Iau, cafwyd cynigiad o blaid polisi addysg y Llywodraeth, a dadl go sych a difywyd ar y polisi hwnnw'n dilyn, gyda phob siaradwr bron yn canmol y Weinyddiaeth. Ar y diwedd, daeth y bleidlais, ac er y syndod mwyaf erchyll i'r llwyfan a'r

Pwyllgor Gwaith, fe'i taflwyd allan gyda mwyafrif llethol. Does neb a ŵyr prun ai dicter yn erbyn y ffaith fod te y diwrnod hwnnw hanner awr yn hwyr ynteu adwaith yn erbyn gwên hunanfodlon Syr David Eccles, a achosodd y fath bleidlais. Gan ystyried canlyniadau'r wythnos, nid peth rhyfedd o gwbl oedd clywed ystrydebau bendigedig Macmillan yn derbyn banllefau o gymeradwyaeth. "We must keep our eyes on the horizon and our feet on the ground." (Bloedd a chlapio maith) "My friends, let us not stagnate; this great party of ours must advance with these stirring times, accepting the challenge of progress, while keeping our roots firmly fixed at the same time in the great and nourishing soil of past tradition." (Hwre!) Ac yn y blaen. Yr oedd yn atgoffa dyn o'r achlysur enwog hwnnw pan gododd Emrys Humphreys ar ôl un o areithiau mwyaf anffodus Selwyn Lloyd ar bolisi tramor: "In other words," meddai, "let us move forwards while walking backwards, face the future as we crawl into the past, paddle in the mud as we stare at the stars." "Mewn democratiaeth," meddai Platon druan, "y mae pob dyn yn gyfrifol, pawb yn cymryd rhan uniongyrchol ym mhenderfyniadau a gweithredoedd y wladwriaeth, pawb yn cerdded yn bwrpasol a bwriadus i ddyfodol ei ddinas." Hei-ho! Gobeithio nad oedd ei ysbryd ddim yn eistedd i mewn ar y gweithgareddau yn Blackpool a Brighton eleni.

27 Hydref, 1961

PA SAWL MEGATON ETO?

Heddiw eto daeth y newyddion fod 480 o brotestwyr yn erbyn arfau niwclear wedi eu cymryd i'r ddalfa yn Llundain ddoe. Ond protestio yr oeddynt y tro hwn yn erbyn penderfyniad Rwsia i ffrwydro bom 50 megaton ddiwedd y mis fel uchafbwynt i'r gyfres bresennol o arbrofion. Y mae'n anodd gwybod beth yn union a ddywed y *Daily Express* a'r *Daily Sketch* y tro hwn, a phawb arall sydd wedi ymosod ar y CND yn y gorffennol fel nyth Comiwnyddiaeth, gan gynnwys yr Iarll byr ei olwg a gododd yn Nhŷ'r Arglwyddi pan gyhoeddodd Kruschev ei fwriad ynglŷn â'r bom mawr i ddweud, "That'll be the day when all these anti-nuclear hooligans go and protest about Kruschev's brutalities." Wel, maent wedi gwneud hynny, ar raddfa eang iawn. Y mae gennym hawl i obeithio bellach felly y rhoddir taw ar enllib anghywir ac anghyfrifol pobl fel Randolph Churchill, Peter Simple, Rene MacColl, ac eraill nes adref; y mae dau beth, a dau beth yn unig, o ddiddordeb i aelodau'r CND, sef rhoddi terfyn ar arbrofi bomiau niwclear yn yr awyr, a rhoddi terfyn ar berchenogaeth arfau niwclear gan Brydain. Nid yw plaid na lliw gwleidyddol yn berthnasol yn y mater yma: y mae pob plaid ar fai, a'r chwith yn llawn mor araf â'r dde yn y bôn i ollwng gafael ar y felltith hon. Ond un peth yw gobeithio, a pheth arall yw disgwyl; a'r hyn i'w ddisgwyl yw y bydd pobl yn parhau i gamddeall, camfarnu a chamddehongli amcanion y diarfogwyr. Y mae hyn (i ddychwelyd gartref wedi'r mis yn y gwyll) yn arbennig o wir am Gymru, gyda pharch ofnus a gorfanwl y Cymro at lythyren y gyfraith.

Oherwydd hyn, ac am reswm arall y soniaf amdano ymhellach ymlaen, rwy'n bwriadu ailadrodd rhai o amcanion ac agweddau'r CND.

I ddechrau, gadewch i mi gael gwared o'r syniad di-sail fod CND yn hawlio y dylai'r Gorllewin fel bloc roi'r gorau i arfau niwclear yn awr gan wahodd Rwsia i lifo dros Ewrop a chodi'r faner goch dros Big Ben. Gall mai fel hyn y byddai rhai aelodau'r mudiad yn teimlo pe byddai hi'n dod i'r pen – byddai'n well ganddynt fentro'r posibilrwydd o lywodraeth Gomiwnyddol na bwrw'r byd yn chwilfriw. Ond y mae eu teimladau'n amherthnasol i bolisi'r CND fel y cyfryw; oherwydd nid yw'r cwestiwn hwnnw'n codi o gwbl. Yr hyn a ddywed y mudiad yw y dylai Prydain osod esiampl, yn awr, trwy ddiarddel arfau niwclear ei hunan a pheidio â chaniatáu i'r wlad hon gael ei defnyddio fel man cychwyn rocedau niwclear yr America. Pam? Wel, gadewch i ni edrych ar y rhesymau fesul un.

1. Er bod yn rhaid i'r Cristion gymrodeddu â drygioni yn ystod ei fywyd beunyddiol, ac er bod yn rhaid iddo ddewis y lleiaf o ddau ddrwg yn aml, eto cred llawer fod y syniad o ollwng y math yma o fom ar y boblogaeth sifil mewn unrhyw wlad y tu hwnt i'r ffin y gall Cristion ei chroesi yng nghwrs y fath gymrodeddu; fod llunio polisi tramor ar y posibilrwydd y gwneir eto rhywbeth tebyg i'r hyn a wnaethpwyd yn Hiroshima a Nagasaki yn ddrwg absoliwt, ac mai ffiloreg yw sôn am y fath bolisi fel rhywbeth sy'n atal drygioni gwaeth. Ar y ddaear hon, prin fod y dychymyg yn gallu darlunio drygioni gwaeth nag ysgubo oddi ar wyneb y ddaear filoedd o bobl ddiniwed ar un strôc, a gadael ar ôl filoedd mwy i lusgo bywyd i'w derfyn mewn poen a dirywiad ofnadwy, a chondemnio cenedlaethau heb eu geni i fywyd cyfan abnormal ac anghyflawn. Ochr yn ochr â'r posibilrwydd hwn y mae erchyllterau Cesar Borgia, ers talwm, yn edrych yn dila iawn, a hyd yn oed Buchenwald a Belsen yn gwelwi. Yn swyddogol, y mae hon yn wlad Gristionogol, ac agwedd y diarfogwr yw na all gwlad sy'n coleddu Cristionogaeth fod yn rhan o bolisi mor ddychrynllyd â hwn.

2. Yn awr, tybiaf yn bersonol fod y ddadl foesol yn derfynol. Ond y mae dadleuon eraill. Y mae pawb yn cyfaddef bod lledaenu perchnogaeth arfau niwclear yn lledaenu'r perygl o ryfel atomig. Ond nid ydym ni ar hyn o bryd mewn safle i bregethu polisi o gyfyngu perchnogaeth yr arfau hyn. Penderfynodd Ffrainc fod yn rhaid cael y bom atomig, nid am fod gan Rwsia fom, ond am fod gennym ni fom. Nid oedd de Gaulle, yn ei stad afiach o genedlaetholdeb chwyddedig (La France, c'est moi) yn fodlon gweld yr hen elyn gyda'r bom heb feddu'r peth ei hun. Yn awr, am fod y symbol hwn o statws cydwladol gan Ffrainc a Phrydain, y mae masnachwyr Bonn, Hamburg a'r Ruhr yn dechrau aflonyddu, y mae

Israel yn gweithio ar y busnes, y mae'r Eidal yn gwneud yr un peth, ac y mae hyd yn oed Nasser yn yr Aifft wedi dweud fod ganddo ef lawn cymaint o hawl i'r bom â ninnau. Pe bai un wlad ddylanwadol ac o hir draddodiad fel y wlad hon yn cymryd y cam cyntaf ac yn diarddel arfau niwclear, fe fyddai yn llawer haws wedyn i wledydd eraill wneud yr un peth, ac yn debycach i'r gwledydd newydd fodloni hebddynt. Byddid wedi cymryd un cam i'r cyfeiriad cywir yn lle llithro beunydd i ragor a rhagor o berygl.

3. Y mae'r wlad hon mewn gwell safle i ddylanwadu ar y gwledydd "niwtral" na'r rhan fwyaf o wledydd y gorllewin. Ac y mae'r grŵp canol o wledydd sydd heb fod yn rhan o floc y Gorllewin na'r Dwyrain yn cynyddu fwyfwy mewn maint a phwysigrwydd – mae'n cynnwys gwledydd mor sylweddol â'r India, Ceylon, Nigeria, yr Aifft, Iwgoslafia, Indonesia, Ghana a'r Brazil newydd. Nid yw'n bosibl i'r wlad hon ddod yn rhan o'r grŵp niwtral yma – mae'r gorffennol yn rhy agos – ond gallai ein dylanwad ar y grŵp fod yn gryf a hwyrach yn derfynol. Ond byddai'r dylanwad hwnnw ar hyn o bryd yn llawer mwy nerthol a derbyniol gan y grŵp yma, pe baem wedi gwneud yr un weithred ymarferol foesol sy'n agored i bob gwlad ond Rwsia a'r America y dyddiau erchyll hyn, sef ymwadu â'r fom heidrogen, a dangos trwy hynny fod rhywbeth rhagorach na buddiannau materol y tu ôl i'n golwg arbennig ni ar y byd.

4. Nid yw'n harfau niwclear ni yn gwneud cyfraniad pwysig o gwbl i amddiffyniad y gorllewin. Pe baem ni yn diarddel ein bomiau a'u dinistrio, ni fyddai'r gorllewin mewn rhagor o berygl o gwbl. Arfau niwclear yr America sy'n amddiffyn y gorllewin, nid arfau neb arall; bychan a thila yw ein cyfraniad militaraidd ni fel gwlad niwclear; heb y fom niwclear, gallai ein cyfraniad moesol a heddychlon fod yn rymus iawn. Nid mater o gilio o'r llwyfan gydwladol yw hi o gwbl, ond mater o gyfnewid un math o ddylanwad am fath arall, a math gwell.

5. Ni fyddai hwn o raid yn golygu ein bod yn cefnu ar ein cymdogion a'n cyfeillion yn y maes cydwladol. Gallai ein

cyfraniad i'w lles a'u buddiannau hwy fod yn llawer mwy pe baem mewn sefyllfa i ddangos i'r gwledydd niwtral fod rhyw ystyr i eiriau fel "rhyddid" a "thegwch" yr ochr hon i'r Llen Haearn. Ond tra parhawn i fod yn ddim amgen na gwersyll milwrol i'r Unol Daleithiau, yna ni welaf fod gennym fawr o siawns i ddylanwadu dim ar neb. Mae'n gydnabyddedig mewn cylchoedd gwleidyddol nad yw America ei hun (yn enwedig yn awr dan Kennedy) yn gwrando dim arnom, ac yn wir nad yw'n cymryd fawr o sylw ohonom o gwbl, ac er fod rhai o'r gwledydd newydd wedi gwrando rhywfaint ar ein llais, yn y blynyddoedd diwethaf, yn rhinwedd personoliaeth unigol ardderchog Iain Mac Leod y gwnaethant hynny, nid yn rhinwedd ein polisi tramor yn gyffredinol.

Dyma safle'r CND, sef ei bod hi'n foesol, yn wleidyddol ddymunol ac yn ymarferol hollol i'r wlad hon gymryd yr awenau i'w dwylo ei hun ac ymwrthod ag arfau niwclear yn awr fel arweiniad i wledydd eraill o gyffelyb safle.

Ac yn awr, mewn cysylltiad â'r pwnc yma, teimlaf yn gryf iawn y dylid cael cyfle i'w drafod a chael dadl agored arno yng Nghorff Llywodraethu yr Eglwys yng Nghymru. Ar hyn o bryd, yr hyn a geir yw Archesgob Cymru yn gwneud datganiad personol heb ymgynghori â neb hyd y gwyddom, datganiad sy'n dangos safbwynt gwahanol i dri o leiaf o'i gyd-esgobion. Canlyniad hyn yw fod eglwyswyr yn gorfod treulio'r misoedd nesaf yn egluro nad barn yr Eglwys yw barn yr Archesgob, a bod papurau fel y *Western Mail* yn dweud pethau fel "Church against Disarmament", a'r *Cymro* wedyn yn ymosod ar yr Eglwys trwy'r Archesgob. Llawer iawn gwell pe bai modd trafod y cwestiwn hwn ar lawr y cyfarfod a gweld beth yw agwedd yr Eglwys mewn gwirionedd. Rwy'n gwybod mai'r ddadl gyffredinol yw mai cyfarfod busnes a gynhelir yn Llandrindod, ac nad oes lle i gynnal y math yma o ddadl yno. Wel, os gall yr Archesgob ddefnyddio'r llwyfan i ddatgan ei syniadau ef, siawns na all yr aelodau eraill ddefnyddio'r llawr i wyntyllu eu syniadau hwythau. Os y gall cyrff seciwlar fel y

TUC drafod materion moesol o'r math yma yn gyfrifol a dwys, yna fe all, ac fe ddylai, yr Eglwys wneud hynny ar bob cyfrif. Fel y mae hi, yr ydym yn rhoi'r argraff ein bod yn ddifater a di-feind ynghylch materion bywyd a marwolaeth ein cyfnod; a hwyrach yn wir ein bod.

3 Tachwedd, 1961
Sylw'r wythnos:

Albert Luthuli (pan glywodd iddo dderbyn y Wobr Nobel):
"Y mae anrhydedd a pharch fel arfer yn dod i'n gafael tuag ugain mlynedd yn rhy hwyr. Yn ifanc, rhown y ddaear am eu cael; yn hen, a hwythau o fewn ein cyrraedd, chwarddwn a thrown i ffwrdd. Unig bwrpas bywyd, yn y bôn, yw coleddu'r gwirionedd: hwnnw'n unig sy'n gwella wrth heneiddio."

PARCH. MARTIN LUTHER KING – YSGOLION CYFUN
"Y Nefol Wlad"

Yr wyf yn ysgrifennu'r nodiadau hyn cyn gweld y Parch. Martin Luther King ar y rhaglen deledu *Face to Face*. Ond nid oes angen gweld y rhaglen honno i wybod fod y gŵr byr, byw, beiddgar hwn wedi newid holl agwedd Negroaid taleithiau deheuol yr Unol Daleithiau at fywyd ar y ddaear hon. Dywedaf "at fywyd ar y ddaear hon" o fwriad; oherwydd y mae'r Negroaid, o raid, ac o drugaredd, wedi hen arfer meddwl am fywyd arall y tu hwnt i'r bedd fel y gwir fywyd, ac am ddinas arall, well, mwy parhaol fel eu gwir gartref hwy. Allan o'r gred sylfaenol hon mai i ofidiau y ganed dyn i'r byd, ac mai dieithryn ydyw yma, y tyfodd dull a thymheredd eu caneuon – caneuon sy'n farddoniaeth gyfriniol, ddwys, yn edrych o hyd tu draw i'r Iorddonen, sy'n gweld cerbyd yr Arglwydd yng nghymylau'r nen, sŵn yr Anfeidrol yn y gwynt a'r glaw, a chwmwl tystion y saint beunydd o gwmpas yn goleuo'r ffordd i'r nefol wlad. (Y mae hi'n gyd-ddigwyddiad nid anaddas mai un o'r caneuon *blues* cynharaf a thebycaf i'r caneuon Negro cyntefig sy'n gweithredu fel thema i bobl ifanc CND, 'When the Saints go marching in', y maent hwythau hefyd yn gorfod codi eu golygon at wlad sydd well). Digwyddodd hyn oherwydd amgylchiadau difrifol y miliynau o bobl dduon a oedd yn gaethweision yn Kansas, Kentucky, Alabama, ac Arkansas, ac oherwydd polisi'r pregethwyr Negroaidd yn wyneb y fath amgylchiadau. Yr oedd y pregethwr o'r cychwyn yn arweinydd cymdeithasol pwysig iawn ym myd y Negro gan mai'r Eglwys oedd un o'r ychydig sefydliadau a ganiatawyd iddo. Ac o edrych ar y sefyllfa anobeithiol o'u cwmpas, o weld fel yr oedd cenedlaethau ar genedlaethau o blant Negroaidd yn cael eu geni i fyd dibosibiliadau, difreintiau, i fywyd digyfrifoldeb i awyrgylch o hiraeth a difaterwch heb fawr o gyfle i ddatblygu galluoedd yr unigolyn, penderfynodd y pregethwyr at ei gilydd mai'r peth gorau o lawer i'w wneud oedd tynnu sylw'r bobl oddi wrth y ddaear ddiobaith hon at fyd llawen y tu hwnt i'r bedd. Ac fe wnaethpwyd hyn yn gyson am lawer blwyddyn. Yr oedd y merched yn mwmian canu am gerbyd Duw yn dod i'w cludo gartref wrth gasglu'r cotwm yn Alabama ddydd ar ôl dydd trwy gydol eu hoes, a chanai'r dynion am awel gref yn dymchwel muriau Jericho yn y caeau wrth lafurio. Byd y ffantasi a'r gobaith oedd y byd pwysig iddynt.

Difater o Heddiw

O ganlyniad, yn ddigon naturiol, aethant yn ddigon difater ynglŷn â'r sefyllfa gymdeithasol a gwleidyddol, ac aeth rhai mor bell â chredu fod eu sefyllfa israddol yn sefyllfa o ddwyfol ordeiniad. Yn awr, nid ymddengys fod cymdeithasau fel y gymdeithas i hyrwyddo Pobloedd Duon wedi gwneud gwahaniaeth sylfaenol i'r agwedd hon at fywyd, gan mai brwydro y tu mewn i'r gyfraith at welliannau yn y gyfraith oedd amcan y cymdeithasau hyn. Ond y mae'r mudiad a gynrychiolir gan y Parch. Martin Luther King wedi newid agwedd llawer iawn o'r Negroaid.

Arloeswyr cymdeithasol

Pregethwr a Negro yw Mr King; aeth o'r coleg i fod yn weinidog cynorthwyol yn Montgomery, Alabama, caer rymus apartheid yn y taleithiau deheuol, ac yn awr mae'n gweinidogaethu mewn lle mwy anhapus fyth, sef Atlanta, prifddinas Robert E. Lee yn yr hen ryfel cartref, a phrifddinas Georgia heddiw. Ond y mae Mr King yn fwy na hyn hefyd. Yn 32 oed, mae'n sefydlydd ac yn llywydd presennol yr SCLC (Southern Christian Leadership Conference). Ac ochr yn ochr ag o yn y mudiad hwn y mae llawer o bregethwyr a gweinidogion Negroaidd ei genhedlaeth o. Eu pwysigrwydd yw eu bod yn graddol newid agwedd oddefol y Negro yn America at ei ffawd. Er nad oedd y mudiad yna'n uniongyrchol gyfrifol am bethau fel boicot y system drafnidiaeth yn Montgomery, nac ychwaith am y pererindodau rhyddid cyfundrefn y "Freedom Ride" y llynedd ac eleni, eto eu dylanwad hwy sydd y tu ôl i'r mudiadau hyn. Nid ydynt yn derbyn yr hen athrawiaeth mai busnes pregethwr yw cyfyngu ei hun i gyflwyno'r Efengyl syml a chyntefig heb ymgais i'w haddasu at amgylchiadau cyfoes. Iddynt hwy, rhan o waith yr arweinydd Cristionogol yw hawlio i'w bobl amgylchiadau teg a chyfiawn ar y ddaear hon, a sicrhau iddynt yr awyrgylch priodol i dyfiant yr ymdeimlad o Gristionogaeth fel dysgeidiaeth ymarferol a chyfoes, yn ogystal â gwirionedd haniaethol ac oesol. Y mae Martin Luther King yn derbyn hen ddysgeidiaeth Pestalozzi mai trwy ei weithredoedd ar y ddaear hon y daw dyn i ymwybyddiaeth o'r Nefoedd. Yn awr, y mae Mr King yr ochr yma i'r Iwerydd, yma i bregethu a siarad mewn pulpud ac ar sgrin deledu. Dylem wrando'n sobor ar ei eiriau o sylweddoli ei fod wedi gwneud llawer mwy na siarad gartref yn nhaleithiau gelyniaethus Georgia ac Alabama. Wrth wrando arno, gadewch i ni gofio hysbyseb y wraig tŷ lojin yn Shepherd's Bush yn 1961: "No dogs, no coloured, no Jews, no Irish, Russians or married couples." Ymddengys bod byd llawer ohonom, yn oes y Farchnad Gyffredin, yn oes adfywiad llenyddol ardderchog y West Indies; yng nghyfnod

Hammerskold a Ralph Bunch, yn mynd yn fwy cul nag erioed, yn fwy cul ac yn fwy cythreulig o anwybodus. Gall y Parch. Martin Luther King ddangos yn fwy eglur i lawer ohonom sut y mae'r hanner arall yn byw a pham na ddylent fwy felly.

Arbrofi mewn ysgolion cyfun

Cyhoeddwyd yr wythnos hon adroddiad ar arbrawf Cyngor Sir Llundain gydag ysgolion cyfun. Er nad yw'r hynaf o'r ysgolion hyn yn rhagor na 7 mlwydd oed, eto y mae 59 ohonynt bellach wedi eu sefydlu, ac y mae'r adroddiad yn sôn am ddatblygiad 16 ohonynt.

Amcan yr ysgol gyfun yw dangos, trwy gynnig amrywiaeth o bynciau a thrwy chwalu y syniad o ddosbarthu plant unwaith ac am byth yn 11 oed, fod yr hen system haearnaidd academaidd o addysg uwchradd yn sylfaenol anghywir. Problem fwyaf yr ysgol gyfun yn Llundain yw ei maint, y rhan fwyaf ohonynt rhwng 1500 a 2000 o blant, a'r duedd i feddwl am yr ysgol fel rhyw fath o ffatri addysg. Oherwydd fod yr ysgol ei hun mor fawr, daeth yn angenrheidiol ei thorri i lawr yn unedau effeithiol llai er mwyn parhau'r elfen bersonol a'r berthynas fyw rhwng athrawon a phlant. Mewn rhai o'r ysgolion yn Llundain ymddengys mai'r dosbarth yw'r uned yma. Yn ysgol Parliament Hill, y mae'r athrawesau yn symud i fyny'r ysgol gyda'r dosbarth ac felly'n gwneud yr un math o waith ag y mae athro tŷ yn ei wneud mewn ysgol breswyl, sef cymryd cyfrifoldeb am gymeriadau a datblygiad plant arbennig trwy gwrs eu hamser yn yr ysgol. Yn ysgol Forest Hill, sy'n ysgol arbennig iawn yn ôl pob hanes, trefnwyd system diwtorial, gyda 30 o blant ymhob dosbarth tiwtorial. Y mae'r grŵp yn cyfarfod bob dydd fel dosbarth i gofrestru ac yn y blaen, a hefyd am un wers bob wythnos, gwers y gellir ei defnyddio'n gyfan gwbl yn ôl mympwy'r tiwtor. Y mae'r grŵp yn cynnwys plant o wahanol oedran ac y mae'r plant hynaf yn cymryd gofal dros y rhai iau yn eu holl weithgareddau.

Dibynnu ar y prifathro

Yr hyn sy'n ymddangos yn berffaith eglur yn yr adroddiad hwn yw'r ffaith fod llwyddiant, gwir lwyddiant addysgol ac ysbrydol, ysgol gyfun, yn fwy na phob math arall o ysgol, yn dibynnu ar bersonoliaeth a gweledigaeth y prifathro. Y mae'n gwbl amlwg y gall y fath ysgol fod yn fath o ffatri addysg annynol a hynod o effeithiol yn faterol, gan droi allan ddisgyblion gwybodus a dienaid; neu gallant fod yn fath o ysgolion gramadeg mwy a mwy anhrefnus. Ond mae'n bosibl iddynt fod yn gymydogaethau ffrwythlon a llewyrchus, yn gymdeithasau byw, ac yn ffactorau iachus mewn cymdeithas sy'n dal i fod yn snobyddlyd, rhwygedig a rhanedig dros ben.

Ysgolion cyfun fydd yng Nghymru

Y mae tynged a llwybr pob ysgol unigol yn dibynnu bron yn gyfan gwbl ar agwedd y prifathro tuag at y sefyllfa a thuag at ei waith ef fel arweinydd. Ond fe ddylem, sut bynnag, roi sylw i'r adroddiad hwn ac i'r ysgolion y mae'n sôn amdanynt, oherwydd beth bynnag yw'r rhagfarnau cyhoeddus yn erbyn yr ysgol gyfun, y math yma o ysgol uwchradd fydd ymhob ardal wledig yng Nghymru cyn bo hir. Y mae'r adeiladau gennym, ond nid oes un ysgol gwbl gyfun yng Nghymru eto, i ddweud y gwir, ar wahân hwyrach i ysgol newydd Sandfields, ym Mhorth Talbot. Y mae Sir Fôn, ers llawer blwyddyn wedi sôn am addysg gyfun, a bellach wedi creu cyfundrefn sy'n gyfun mewn enw. Am amryw resymau, ariannol gan fwyaf, y mae hi wedi bod yn anodd iawn i'r awdurdodau lleol weithredu'n ddelfrydol fel yr oeddynt wedi bwriadu gwneud yn nyddiau E. O. Humphreys. Rhaid dweud hefyd nad yw'r agwedd gyhoeddus wedi bod fymryn o help i'r athrawon a'r prifathrawon ym Môn yn eu plith o geisio trawsnewid amcanion y system. Ond mae'n rhaid ei thrawsnewid bellach a hwyrach y dylai ein hawdurdodau lleol wario tipyn o arian i greu gwell dealltwriaeth o'r ysgol gyfun ymysg rhieni a'r cyhoedd yn gyffredinol. Oherwydd mae'n rhaid i ni wynebu'r ffaith mai dyma'r unig fath o ysgol uwchradd sydd am fod yn ymarferol bosibl yng nghefn gwlad Cymru yn y blynyddoedd i ddod. Gorau'n y byd po gyntaf y gwelwn eu bod yn cynnig sialens fendigedig yn ogystal ag yn codi problemau. Mae'n ddigon sicr, gallwn fentro, y byddai'r Parch. Martin Luther King a'i debyg yn unfryd o'u plaid.

10 Tachwedd, 1961

Sylw'r wythnos:

Wilfred Owen, yn y rhagair i'w Gerddi:
"My subject is not Poetry. My subject is War and the Pity of War. The poetry is in the Pity."

TROBWYNT 1914: CYSURO JOB – BOMIAU MOESOL
Diwedd cyfnod

Saith mlynedd a deugain o flynyddoedd yn ôl, aeth Wilfred Owen, Siegfried Sassoon, Isaac Rosenbury, Rupert Brooke, Harold Munro, David Jones, Robert Williams Parry, Hedd Wyn, Cynan, allan i ryfel. Aethant allan gan feddwl am ba symbol bynnag arwrol y Canol Oesoedd neu *Beau Geste* P. C. Wren, neu straeon hen ddynion am geffylau'r Crimea. Nid aeth neb ohonynt allan gan feddwl mai hanes dynion yn pydru am ddydd ar ôl dydd, wythnos ar ôl wythnos, mewn twll llygoden yn y ddaear, heb gyfle i symud na gwrthod na gwneud un dim oedd y rhyfel hon i gyd. Ond o dipyn i beth, daeth rhai o'r bobol hyn, beirdd trobwynt ein canrif, lladmerwyr ein trychineb cyntaf, i weld erchylltra'r gwirionedd. Gwelodd Wilfred Owen heidiau o ddynion, wedi eu lloffa o lawer o wledydd, wedi profi holl amrywiaeth digrif a thrasig berw bywyd dyn, yn graddol ddadfeilio gyda'i gilydd mewn uffern o fwd a gwaed a nwy, uffern o aros am farwolaeth yn llonydd, uffern o atal pob sensitifrwydd, o farw ar eu traed fel gwartheg mewn ffos, a'r glaw yn slopian o'u cwmpas a'r rhew yn bwyta eu bysedd. Gwelodd y gwallgofrwydd a orweddai yng ngwraidd y broses o fagu a datblygu dyn i orffen ei daith yn y fath ffordd. Gwelodd Rosenbury ychydig erwau o dir ac arnynt filoedd o ddynion yn fath o batrwm lloerig o gythreuligrwydd direswm. Gwelodd David Jones yr ofn a'r llaid. Gwelodd Williams Parry froydd gweigion a thrist yn dihoeni gartref, gwelodd y cartrefi amddifaid a'r bechgyn a gollwyd. Daeth Hedd Wyn yn symbol o'r bechgyn hyn, Hedd Wyn a geisiodd grynhoi ei syniad ef am arwriaeth cyn disgyn i'r llaid am y tro olaf ei hun.

Yn awr, saith mlynedd a deugain o flynyddoedd yn ddiweddarach y mae ein sensitifrwydd wedi pallu cymaint, ein crwyn wedi tyfu mor wydn, nes gwneud hyd yn oed y gwallgofrwydd a gododd ddagrau i lygaid Wilfred Owen ymddangos yn ddigon cyffredin. Ond heddiw y mae llawer o bobl yn edrych yn ôl dros yr uffern ofnadwy hwnnw i fyd lle nad oedd bom niwclear yn bod na sôn am ryfel yn fara beunyddiol, lle'r oedd sŵn hen afon Prysor yn derfyn byd, lle'r oedd cynhaeaf yn dilyn cynhaeaf mewn byd caled, bid sicr, ond mewn byd prin ei erchyllion a mawr ei dawelwch. Y mae'r bobl hyn yn freintiedig yn eu hatgofion, a pha bryd bynnag y bydd byw fy nghenedlaeth i o Gymry, ni ddaw i'n cof mewn unrhyw fachlud dawelwch cyffelyb i'w tawelwch hwy. Gyda'r rhyfel cyntaf daeth rhywbeth i ben a oedd cyn hynny wedi ymddangos yn dragwyddol: yn 1914, yr oedd beirdd mawr y rhyfel yn cerdded i ddechrau diwedd gwareiddiad y Gorllewin. Ac y mae peth o'r ymwybodaeth drasig ynghlwm wrth fawredd eu gwaith.

Nid diagnosis eto – siaraded y claf drosto'i hun

Gweld fod y BBC yr wythnos hon unwaith yn rhagor yn bwriadu trafod "beth sydd o'i le ar lenyddiaeth Gymraeg". Er fod gennyf barch tuag at y ddau sydd i ysgyrsied y mater y tro hwn, Kate Roberts ac Alun Llewelyn-Williams, dyna un rhaglen y gallwn yn rhwydd wneud hebddi. Y mae gan y BBC obsesiwn ynghylch y mater yma, a chredaf y byddai'n llawer iawn gwell iddynt roi hanner awr prin o'u hamser i gyflwyno peth o lenyddiaeth gyfoes i'r gwrandawyr, yn hytrach na mynd i chwilota am bob math o resymau seicolegol a chymdeithasol paham y mae llenyddiaeth Gymraeg gyfoes mor wael ag y mae'r BBC yn credu ei bod.

Mynegiant o brofiad un person yw llenyddiaeth; diffyg angerdd yn y profiad hwnnw a diffyg disgyblaeth yn y mynegiant sy'n gyfrifol am unrhyw annigonedd a all fod yn ein llenyddiaeth bresennol. Ond bobol bach, beth yn y byd ydym ni yn ei ddisgwyl. Dyma ni, yn dri chwarter miliwn prin o Gymry Cymraeg, ein mamiaith dan bob math o straen ac anfantais, dylanwadau allanol yn llifo i mewn i'n byd, a holl wareiddiad y Gorllewin yn gwegian o'n cwmpas. Yn y fath sefyllfa, onid yw'n wyrth fod gennym feirdd grymus ac ysbrydol fel Waldo, Gwenallt, Alun Llewelyn-Williams ei hun, Euros Bowen, Bobi Jones, yn dal i ysgrifennu gwaith o safon uchel iawn? Onid yw'n rhyfeddod fod cannoedd o bobl yn dal i farddoni'n grefftus yng nghefn gwlad amhoblog Cymru, gan wneud y gyfres *Awen y Siroedd* yn bosibl? Onid yw Saunders Lewis y math o lenor caboledig na ellid ei ddisgwyl yn yr iaith dan y fath sefyllfa? Onid yw hi'n destun syndod fod rhai fel Catrin Lloyd Rowlands, Eigra Lewis, John Rowlands, a llawer mwy yn ysgrifennu cystal rhyddiaith ar ddechrau eu taith lenyddol. Dyn a ŵyr, fe ddylem ddiolch am yr hyn sydd gennym ambell waith, a'i fwynhau a'i werthfawrogi yn lle cecru a chwyno a chlegar beunydd am yr hyn sydd o'i le arno, am ei wendidau a'i ffaeleddau.

Faint gawn ni wybod

I ba raddau y dylai'r llywodraeth mewn democratiaeth ymddiried ffeithiau o bwys i'r dinasyddion? Cwestiwn academaidd eithaf difyr a drodd yn broblem real iawn dros nos. Oherwydd mae'n weddol amlwg nad yw'r llywodraeth bresennol yn bwriadu gwneud y ffeithiau ynghylch effeithiau ymbelydredd niwclear yn gyhoeddus. (Y mae cwestiwn arall yn codi yma, wrth reswm, sef i ba raddau y mae'r llywodraeth ei hun yn gwybod beth yw'r effeithiau, ond sut bynnag am hynny, gallwn fod yn ddigon sicr nad ydynt yn bwriadu cyflwyno i'r cyhoedd yr hyn y maent yn ei wybod.) Dadl y llywodraeth, wrth gwrs, yw nad oes angen i'r cyhoedd wybod y ffeithiau hyn, ac na fyddai'r rhan fwyaf o'r cyhoedd yn eu deall hyd yn oed pe baent yn eu clywed. Teimlant mai eu dyletswydd hwy yw gwneud yr ychydig sy'n bosibl iddynt ei wneud yn y sefyllfa fel y mae hi, a dweud cyn lleied ag sy'n bosibl wrthym ni yn gyffredinol, er mwyn osgoi stŵr a thrafferth ac ansefydlogrwydd cymdeithasol. Yr ochr arall i'r ddadl, wrth gwrs, yw'r syniad Groegaidd am gyfrifoldeb yr unigolyn yn y wladwriaeth, a hawl yr unigolyn i gymryd ei ran yn holl benderfyniadau'r wladwriaeth mewn dull mor uniongyrchol ag sy'n bosibl. Ond, yn anffodus, nid democratiaeth Groeg yw ein democratiaeth ni, ac y mae'r unigolyn yn gollwng ei gyfrifoldeb i'w arweinwyr gwleidyddol mewn llawer dull a modd. Ac ni ellid gwell enghraifft o hyn na'r holl awyrgylch sy'n ymgasglu beunydd o gwmpas yr holl fusnes o ymbelydredd niwclear.

Dim ond un bach

Pan ddywedodd Khruschev ei fod yn bwriadu profi bom 50 megaton yn yr awyr am y tro cyntaf, yr oedd ymateb y byd cyfan yn ymateb o ffieidd-dra ac o ddicter calon. Yr oedd pawb yn sôn am y drygioni ynghlwm wrth y broses o wenwyno gwaed plant bychain a pheryglu dyfodol cenedlaethau heb eu geni. Yr oedd hyn i gyd yn deg a chywir, wrth reswm, er iddo gael ei sylfaenu ar wybodaeth go amwys ynghylch effeithiau ymbelydredd ar y corff, ac yr oedd yn dda iawn gweld pawb mor gytûn ar fater o bwys mor fawr. Ond wedi'r brwdfrydedd delfrydol cynnar, a'r condemnio llwyr ar y fath weithred annynol, dechreuodd sylwadau'r Unol Daleithiau a Phrydain newid eu mŵd a'u hansawdd. Ni fyddai'r Unol Daleithiau, meddai Kennedy, ymhen hir a hwyr, yn meddwl am wneud peth mor ofnadwy â ffrwydro bom yn yr awyr *heb reswm digonol.* Ni fyddai'r Unol Daleithiau, meddai, yn ffrwydro'r fath fom am resymau o *bropagando militaraidd,* fel y gwnaeth Rwsia. Yr oedd datganiad Macmillan yn waeth fyth. Ni fyddai Prydain, meddai, yn profi bom arall yn yr awyr, onibai y byddai angen pendant am wneud hynny, ac os y penderfynai'r llywodraeth fod y fath angen, *yna bom bach yn unig a fyddai'n cael ei brofi.*

Y mae'r datganiad olaf hwn yn haeddu gwobr am feiddgarwch gwleidyddol; prin fod modd credu fod y cyhoedd yn ddigon anneallus i dderbyn y math yma o faldorddi. Mae'n debyg i'r math o beth a ddywedir wrth blentyn pan ddisgwylir iddo gymryd rhywbeth ar ei les – dim ond ychydig bach fydd yn rhaid iddo gymryd. Ac y mae'r cyfan yn enghraifft ddrwg o ragrith gwleidyddol. I ddechrau yr oedd ffrwydro bom yn yr awyr ynddo'i hun yn ddrygioni, yna, fel yr oedd y tywydd yn newid yr oedd y ceiliog gwynt yn troi, a pheth drwg i'w wneud yn *ddireswm* yn unig oedd. Ni ddylai gwleidyddion chwarae mig a gwerthoedd moesol fel hyn. Os ydynt yn teimlo fod yn rhaid profi'r bomiau hyn, yna ni ddylid bod wedi condemnio Rwsia mewn termau mor filain. Nonsens anneallus yw dweud fod bom iodine ymbelydrol o gwmpas y lle yn olreit am un rheswm ac yn ddiawledigrwydd os yw'n digwydd am reswm gwahanol. Fel y dywedodd Nehru, ac amryw o'r arweinwyr niwtral eraill, y mae profi bom niwclear yn y awyr, am ba reswm bynnag, bellach yn bechod ac yn drosedd yn erbyn dynoliaeth. Ond credaf fod chwit-chwatrwydd a rhagrith affwysol gwleidyddion yn gyffredinol wrth geisio amddiffyn y busnes lloerig yma o wenwyno'r awyr yn systematig yn waeth hyd yn oed na'r weithred ei hun. Mae'n dangos mor bell oddi wrth unrhyw egwyddor wleidyddol sylfaenol y mae pob gweithred wleidyddol wedi crwydro erbyn hyn, ac i ba raddau y mae propaganda celfydd, ac amharodrwydd i ollwng y gwirionedd i'r cyhoedd, yn pennu'r hyn y mae pobl gyffredin yn ei ystyried yn dda neu'n ddrwg mewn gweithred wleidyddol.

Barn y wlad

Credaf yn gryf fod gan y dinesydd mewn democratiaith hawl i wybod y gwir, a hawl i wybod beth yw teithi meddwl ei arweinwyr ynghylch posibiliadau ei ddyfodol. Yn ein gwareiddiad ni, mae'r llywodraeth yn llawer rhy amharod i ymddiried yn synnwyr a barn y bobl gyffredin, ac y mae holl adwaith y Gorllewin at broblem y fom yn yr wythnosau diwethaf yn cadarnhau yr argraff hon.

24 Tachwedd, 1961

Sylw'r wythnos:

Harold Nicolson (*The Observer*):

"The lanes which lead us to our deepest feelings have been plotted for us by the poets... The function of the novelist is to extend the limits of the field in which I feel: the purpose of the poet is to wake up my feelings deeper."

AMYNEDD Y DU – PRYDAIN YN WYN – HER O'R BERMO
Luthuli

Yn ddiweddar, yn llawer rhy ddiweddar derbyniodd Albert Luthuli wobr Heddwch gan y Sefydliad Nobel. Ond mae'n amheus iawn, iawn, pa mor hir y bydd unrhyw arweinydd Negroaidd mewn sefyllfa i dderbyn gwobr heddwch o fath yn y byd. Ni chredaf ein bod ni yn y wlad gysurus, farwaidd, gecrus hon yn sylweddoli maint yr hunanddisgyblaeth sydd wedi cael ei arfer dros y blynyddoedd gan Negroaid De Affrica. Pan glywn am ddynion duon yn y Congo yn ymwylltio ac yn lladd milwyr Gwyddelig ac arweinwyr Eidalaidd, yr ydym yn ddigon bodlon i basio barn, i gondemnio, a gwyntyllu anwareidd-dra'r dyn du. Ond yr ydym yn fwy araf o lawer iawn, iawn i gydnabod ymatal a chymedroldeb aruthrol dilynwyr Albert Luthuli yn y Gyngres Affricanaidd. Ers blynyddoedd lawer iawn, y mae'r rhain wedi cael eu gwthio i gornel gan lywodraeth Verwoerd, eu trin fel dynion israddol, eilradd, ac eto maent wedi llwyddo i ymatal, wedi llwyddo i beidio â defnyddio grym i wrthweithio grym, wedi parhau, yn wyneb popeth, i brotestio'n heddychol yn unig.

Dyma'r foesoldeb Gristionogol, moesoldeb y Samaritan Trugarog, moesoldeb yr ail filltir, mewn gweithrediad ymarferol, nid gan ddynion gwyn, gwaraidd, hir eu traddodiad ac anrhydeddus eu tras, ond gan gefndryd anwariaid y Congo. Pe bai'r arweinwyr yn dewis iddynt wneud hynny, gallai pobl dduon De Affrica godi'n llu milain a lladd pob copa walltog o'r boblogaeth gwyn yn y wlad. Nid ydynt wedi gwneud oherwydd fod rhyw ddyngarwch heddychlon aruthrol yn perthyn i bobl fel Luthuli.

Am ba hyd?

Ond pa mor hir y gall cymdeithas o bobl sy'n tyfu fwyfwy'n ymwybodol o safonau'r byd o'u cwmpas barhau'n dawel dan drais y gyfundrefn apartheid? Wrth drafod y sefyllfa gyda nifer o fyfyrwyr Negroaidd yn Llundain, pan oedd cynhyrfiadau Notting Hill ar eu gwaethaf, deuthum i'r canlyniad fod pethau'n edrych yn ddu iawn o ystyried fod y myfyrwyr hyn yn debyg o fynd yn ôl i diroedd cyfagos fel y Congo, Rhodesia a Somalia, a rhoi eu syniadau ar waith yn y gwledydd hynny. Teimlais y pryd hwnnw, yn 1958, adwaith cryf iawn yn erbyn y dyn gwyn a thuedd i gredu fod cyfnod goddefgarwch a heddychiaeth wedi parhau yn rhy hir.

Heddiw, dair blynedd yn nes at ba erchylltra bynnag sydd i ddigwydd yn Ne Affrica, y mae gan Michael Scott erthygl gynhyrfus ac ofnadwy yn yr *Observer*, erthygl sy'n awgrymu fod dylanwad Luthuli'n lleihau a'r posibilrwydd o gyflafan yn dod yn nes bob dydd. Ac yna mae'n dweud:

> Large-scale violence in South Africa, whoever starts it, would let loose a holocaust of hatred and destruction the like of which has not yet been seen anywhere in Africa or Asia. Intervention in some form, by East or West, or by both, would be almost inevitable.

Mae'n awgrymu ei bod yn hen bryd i ni yn y wlad hon, ddeffro i sefyllfa De Affrica ac i'r trais cymdeithasol sy'n gwaethygu yno o hyd. Pan ddaw'r gyflafan, gwelwn fai ar y Negroaid sydd wedi aros yn amyneddgar mor hir, nid arnom ni ein hunain am beidio â symud bys bach i'w helpu dros holl flynyddoedd eu trueni.

Y mae polisi Albert Luthuli hyd yn oed wedi arddangos rhyw fath o ddyngarwch tawel sy'n oruwchnaturiol yn ei wreiddyn ac yn sanctaidd yn ei naws. Ond nid yw'r fath hirymaros am barhau am byth. A beth a ddigwydd wedyn? Dylem ofyn y cwestiwn yn barhaus a cheisio gweld beth sydd o fewn ein cyrraedd ni i'w wneud yn y mater.

Trychineb fydd cau'r drws

Ac y mae un peth gweddol amlwg y gellir ei wneud, sef datgan ein hanghymeradwyaeth digamsyniol o fesur diweddaraf y Llywodraeth, y mesur a barodd i un o'r papurau yn Cape Town ddechrau ei dudalen flaen fel hyn: *At last the Limeys have learnt.* Ni ellid bod wedi amseru'r mesur anffodus hwn fawr gwaeth.

Wrth gwrs y mae esgusion pendant dros roi'r fath fesur ar waith. Y mae llawer iawn gormod o bobl yn byw yn yr ynysoedd hyn mewn llawer rhy ychydig o dai, yn arbennig yn Llundain, ac nid yw'r Llywodraeth yn gallu delio'n iawn â'r boblogaeth sydd eisoes yma, heb sôn am y 150,000 a ddaw i mewn bob blwyddyn o wledydd eraill. At hyn, y mae nifer helaeth o Negroaid bob amser yn creu trafferth lle bynnag y maent wedi ymgasglu gyda'i gilydd mewn un ddinas, fel yn Lerpwl, neu Nottingham, neu Gaerdydd; mae eu dull o fyw yn wahanol i ddull y brodorion ac y mae hyn yn creu trafferth. Rhaid cydnabod hyn i gyd, a'i gydnabod yn barod. Ond cydnabyddwn ar yr un pryd fod gan y Leviad a'r offeiriaid lawn gymaint o esgus dros beidio gwneud yr hyn a ddylent yn nameg y Samariad Trugarog; peth eithaf rhesymol i'w wneud oedd i'r ddau ŵr crefyddol yma frysio ymlaen ar yr ochr arall i'r ffordd gan adael y creadur gwaedlyd i ofal rhywun arall.

Cyfaddefwn hefyd nad dadleuon rhesymol fel hyn sydd wedi bod yn seinio yn ein clustiau y dyddiau diwethaf hyn. Clywsom yr aelod Torïaidd selog a theimladol sy'n dwyn er ei warth, yr un enw â Syr Thomas Moore, yn ailadrodd hen gŵyn Mosley ar y teledu, "Keep Britain White". Clywsom aelodau seneddol eraill yn sôn am briodasau cymysg, a rhywun arall yn gofyn, "Sut yr hoffech chi i'ch ŵyrion fod yn ddu?" Ac wrth drafod y mater hwn â rhai aelodau o'r Ysgol Sul mewn capel yn Oldham, darganfyddodd camerau'r BBC nad oedd crefydd yn gwneud llawer o wahaniaeth i'r sloganau na'r syniadau.

Tensiwn yn y Llywodraeth

Y ffaith yw fod y Blaid Dorïaidd wedi bod wrthi'n ddygn yn ehangu eu gorwelion ac ymledu eu syniadau am y natur ddynol dros rai blynyddoedd bellach yn awr wedi deffro i'r ffaith fod ganddynt o hyd adain dde, fod pobl fel Arglwydd Hinchinbrooke, a Ted Leather, yn gysgodion yn y cefndir. Nid oedd Butler yn fodlon rhoi lle i'r rhain ar fater y gyfraith a throseddwyr, nid oedd MacLeod yn fodlon rhoi lle iddynt ar fater y tiriogaethau, fel, am ryw reswm digon cywilyddus, penderfynwyd iddynt gael eu ffordd ar y mater hollbwysig, moesol, a diplomataidd hwn. Mewn byd lle mae'r broblem o gymysgu yr hil, o gymysgu'r traddodiadau a chefndir a lliw yn tyfu'n fwy a mwy cymleth ym mhobman, yr unig beth y gallwn ni ei gynnig yw'r mesur ffôl ac anghristionogol hwn. Nid yw hi ddim yn od o gwbl fod papurau De Affrica'n dechrau teimlo ein bod ni yn y wlad hon yn dod at ein coed. Nid yw hi ddim yn od ychwaith nad yw Nkrumah wedi dweud gair o ganmoliaeth i'r Gymanwlad, na gair o gwbl am gysylltiad â Phrydain yng nghwrs ymweliad y Frenhines â Ghana.

Fel y dywedodd Gaitskell yn ei araith yn Nhy'r Cyffredin, mae hi'n warth ar yr ychydig aelodau o'r Cabinet sy'n wir ryddfrydol eu naws – MacLeod, Butler, Sandys, Erroll – fod y mesur hwn wedi cael ei basio. Mae'n dangos rwy'n ofni mai economeg a hen ragfarnau sy'n dal i reoli polisi'r llywodraeth pan ddaw hi i'r pen.

Ymgyrch Ockenden

Yn y Bermo, y mae paratoadau ar droed i sefydlu cartref ac ysgol i nifer o blant sydd ar hyn o bryd yng ngwersylloedd ofnadwy'r ffoaduriaid yn Nwyrain yr Almaen. Dan ymgyrch o'r enw The Ockenden Venture yr agorir y cartref hwn, ac y mae'n rhan o ymgyrch tebyg sydd yn amcanu at gartrefu cymaint ag sy'n bosibl o'r plant hyn mewn ysgolion a thai arbennig yn y wlad hon. Hendre Hall oedd enw gwreiddiol y tŷ hwn yn y Bermo, a'r amcan yw dod â 30 o blant yma ymhen dwy neu dair wythnos. Ond y mae angen llawer o arian ar y rhai sy'n gyfrifol am y fenter hon, a llawer o waith ymarferol cyn y bydd y tŷ yn gymwys i blant fyw ynddo.

Bûm yno ddoe (Sadwrn, Tachwedd 18) gyda nifer o fyfyrwyr o Goleg Aberystwyth yn clirio tipyn o gwmpas y lle ac yn peintio a thrwsio ychydig yma a thraw. Credaf, o weld y lle, y bydd yma ganolfan wych iawn i'r trueiniaid yma, a bod yr Ockenden Venture yn haeddu pob cynorthwy posibl yn eu gwaith. (Y cyfeiriad priodol, gyda llaw, i unrhyw un a ddymunai anfon rhywbeth yno, neu gynnig help, yw: The Warden, Hendre Hall, The Cliffs, Barmouth.)

Ble mae'r Eglwys?

Ond ble mae'r Eglwys yng Nghymru arni hi gyda'r math yma o waith ymarferol cymdeithasol cydwladol sydd â chymaint o alw amdano fo y dyddiau hyn? Paham y mae'n rhaid i'r arweiniad *bob amser* ddod o rywle arall yn hyn o beth? Fy nheimlad yw ein bod ni yma yng Nghymru, mor bell ag y mae bywyd crefyddol yn y cwestiwn, mor brysur yn rwdlan am ddiodydd meddwol, cecru am ddiffyg adundeb a stwnsian am ffurfiau gwasanaeth nad oes ganddom ni ddim na'r amser na'r ynni na'r diddordeb i fynd ati i wneud y pethau bychain ymarferol cydweithredol sy'n rhoi bywyd newydd yng ngwaith yr Eglwys yn Lloegr y dyddiau hyn, ac sy'n fywyd i bob cymdeithas Eglwysig yn y pen draw.

1 Rhagfyr, 1961
O BOBTU'R CLAWDD – GREAVES – GORONWY

Y mae'r Cymro sy'n ymdeimlo â'i Gymreictod mewn sefyllfa od o anfoddhaol yn y byd sydd ohoni: y mae ganddo ddau fath o ddyletswydd a dwy radd o deyrngarwch. Y mae hyn yn codi oherwydd fod y Cymro yn aelod o un genedl, ond yn ddeiliad gwladwriaeth wedi ei chanoli mewn cenedl arall. Beth bynnag yw ymdeimlad cenedlaethol y Cymro, a'i adwaith yn erbyn stad israddol y genedl Gymreig, y mae ef, ar yr un pryd, yn ddinesydd Prydeinig ac yn gyfrifol, fel pob dinesydd arall, am weithredoedd, daliadau a datganiadau llywodraeth y wladwriaeth Brydeinig. Mae'n bosibl mai arafwch i sylweddoli hyn a'r syniad cwbl anghywir fod aelodaeth o Blaid Cymru yn rhyddhau dyn oddi wrth unrhyw gyfrifoldeb am yr hyn a wneir yn Westminster gan lywodraeth Seisnig, sy'n achosi plwyfoldeb ofnadwy yn ei hagwedd at broblemau o bwys yn y maes gwleidyddol.

Hyn i gyd fel rhagarweiniad i'r syniad sydd gennyf mai prif swyddogaeth y dinesydd mewn democratiaeth yw bod yn sylwedydd beirniadol, gan wylio o hyd ac o hyd beth a wneir gan y gwleidyddion, i ba raddau y mae'r broses wleidyddol yn anonest, yn anghyfiawn ac yn annidwyll. Ei ddyletswydd yw cadw'n effro, yn wyliadwrus ac yn ddrwgdybus o ddatganiadau arweinwyr. Pan beidia'r dinesydd â gwneud hyn, y mae'r wladwriaeth yn llai democrataidd o'r herwydd, yn llai democrataidd ac yn llai cyfrifol. Yn y byd sydd ohoni heddiw, mae lle i ofni mai'r diffyg hwn sydd wrth wraidd yr afiechyd cymdeithasol yr ydym ni yn ei ganol heddiw. Mae'n hamgylchfyd cyfan, y diogi corfforol a meddyliol y mae teithio beunydd mewn car yn ei beri, y babel hysbysebu teledol diben-draw sy'n ein byddaru nos a dydd, y wasg unochrog, a'r obsesiwn sydd gennym ynghylch pwysigrwydd eiddo materol, i gyd yn hybu marweidd-dra ysbrydol ac yn lladd ymwybyddiaeth byw, beirniadol ac unigol.

Ac y mae stori gymhleth, anffodus Jimmy Greaves, y chwaraewr pêl-droed, yn enghraifft drasig iawn o'r hyn y mae ein hagwedd sylfaenol at fywyd yn arwain ato. Bellach y mae Greaves wedi dychwelyd i'w gartref yn Llundain, ac y mae £90,000 o arian Tottenham Hotspur ar groesi'r dŵr i'r Eidal. Tua 5 mis yn ôl, aeth Greaves allan i Milan gan wynebu ar fywyd o enwogrwydd a chyfoeth. Nid oedd ond prin un ar hugain oed, a phan gyrhaeddodd yr Eidal sylweddolodd yn sydyn fod pethau pwysicach yn bod nag arian. Treuliodd ei amser yn yr Eidal yn bwyta a gorwedd ar ei wely yn y gwesty yn darllen *Reveille* a *Titbits*; nid oedd yn gallu siarad â neb o gwbl gan nad oedd yn gallu deall gair o Eidaleg, ni chaniatawyd iddo ymgymysgu ar y strydoedd, ac nid oedd Greaves druan erioed wedi dysgu sut i'w ddifyrru ei hun ar ei ben ei hun. Y canlyniad oedd bod ei unig ddawn, y gallu i gicio pêl yn gelfydd a deallus yn pallu, a'i gyflymdra enwog yn ffaelu. Gwelwyd llawer o fai ar Greaves am ei chwit-chwatrwydd o hynny ymlaen, ond ar y gymdeithas gyfan y mae'r bai yn disgyn, nid ar fachgen ifanc yn tyfu allan o'i adolesens. "Hyh," meddai llawer, "mynd yno i chwilio am arian yr oedd o; arno fo y mae'r bai os nad oedd o'n licio yno." Ac eraill wedyn yn dweud, "Wel, mi fyddwn i'n fodlon aros yn rhywle pe bawn i'n cael cymaint â hyn'na o arian." Y mae'r ddau sylw mor anneallus â'i gilydd. Aeth Greaves allan i Milan am fod y gymdeithas, ei addysg, ei rieni, ei gyfeillion, i gyd wedi ei ddysgu mai arian yw prif ogoniant bywyd, ac mai gwneud arian yw'r gelfyddyd orau a'r grefft bwysicaf o ddigon. Dysgodd mai er mwyn gwneud arian y mae pawb yn gwneud popeth, mai ariangarwch sydd wrth wraidd bywyd. Hollol naturiol felly oedd iddo neidio'n syth am y cyfle godidocaf a gafodd i wneud llawer o arian mewn ychydig o amser. Hollol naturiol oedd iddo neidio am y cyfle heb ystyried pwysigrwydd gwreiddiau, cydnabod, cyfeillion, cartref, bro a chymdeithas. A llawn mor naturiol oedd iddo ddeffro'n arswydus a chreulon i wir gymhlethtod bywyd pan gyrhaeddodd yr Eidal. Gwir warth stori Jimmy Greaves yw'r ffaith fod cymdeithas ddemocrataidd yn codi bachgen ifanc dawnus a dymunol i gredu mai hel arian yw prif fusnes bywyd. Os mai hyn yw'r athroniaeth bywyd a greir gan y Wladwriaeth Les, ac os mai hyn yw'r athrawiaeth a orwedd y tu ôl i'n cyfundrefn addysg, wfft i'r cyfan. Gogoniant y stori yw'r ffaith fod Greaves wedi dewis dod yn ôl: y mae ef, o leiaf, wedi cael cip ar rywbeth y tu hwnt i'r boced lawn; boed iddo lynu bellach wrth ei weledigaeth.

Erbyn y daw'r rhifyn hwn o'r wasg, bydd gwasanaeth wedi cael ei gynnal yn Llanfair Mathafarn Eithaf, Môn, i gysegru pulpud coffa Goronwy Owen ac i gofio am y bardd-offeiriad. O'm blaen yn awr y mae cyfrol o lythyrau Goronwy. Y trwbl gyda'r rhan fwyaf o lythyrau llenyddol fel arfer yw mai llythyrau ffug ydynt, llythyrau wedi eu hysgrifennu ar gyfer cael eu cyhoeddi, llythyrau tebyg i'r dyddiaduron a gedwir gan gadfridogion, gweinidogion y goron a chantorion pop. Nid felly gyda'r rhan helaeth o lythyrau Goronwy Owen. Dyma fe, er enghraifft, yn 18 oed, yn ysgrifennu at Owen Meyricke, Bodorgan, i apelio am gymorth ariannol i fynd i Rydychen:

I am a very young man, eighteen years of age, born in the parish of Llanfair Mathafarn Eithaf, in the County of Anglesey. By the unwearied industry of my parents, who are exceedingly poor, I was enabled to attend the public school at Bangor, from the year 1737 to 1741... Unaccustomed to labour, I see before me no means of getting a livelihood, and learning is but an additional light, by which I discern more clearly the wretchedness before me... I must look on myself as even more unhappy than any country labourer who is skilled in rustic affairs, if some Maecenas does not afford me seasonable aid.

Aeth wrth reswm i Rydychen, nid tlodi a boenodd Goronwy druan trwy gydol ei oes, ond tlodi diffyg parch. Dyma fo'n

ysgrifennu at William Morris o Donnington, un mlynedd ar
ddeg yn ddiweddarach, yn 1752:

> My situation here is none of the best nor of the worst; it is
> considerably preferable to that you mention, but Anglesey
> has some advantages that Shropshire can't boast of. How
> the market goes now I can't tell, but in my time 20 pounds
> in Anglesey would have gone as far as 40 in Shropshire. But,
> above all, by living in Anglesey I should be able to make my
> lads Welshmen, which here is utterly impossible. We have
> a proverb, and a very true one, "A rolling stone gathers no
> moss".

Ond ni ddaeth Goronwy byth yn ôl i Fôn, fel y gwyddom,
yr oedd gofynion teulu'n ormod, ac yn wir hwyrach fod
chwerwedd ynglŷn â'r modd y cafodd ei drin ym Môn yn y
gorffennol wedi ei atal rhag ymdrechu'n orgaled i ddychwelyd.
Dyma fo yn yr un flwyddyn, 1752, yn adrodd ei hynt a'i helynt
wrth Richard Morris:

> Yn y flwyddyn 1745 fe'm hurddwyd yn ddiacon, yr hyn a eilw'n
> pobl ni "Offeiriad hanner pan"; ac yno fe ddigwyddodd fod
> ar Esgob Bangor eisiau Curad y pryd hynny yn Llanfair-ym-
> Mathafarn Eithaf ym Môn…

> Da iawn oedd gennyf gael y fath gyfleusdra i fyned i Fôn…
> ac yn enwedig i'r plwyf lle'm ganesid ac y'm megesid. Ac yno
> yr euthum, ac yno y bûm dair wythnos yn fawr fy mharch a'm
> cariad gyda phob math o fawr i fach…

> Eithr ni cheir mor'r melys heb y chwerw. Och! O'r Gyfnewid!

A'r gyfnewid, wrth reswm, oedd bod yr Esgob, a oedd hyd yn
hyn wedi bod yn ddigon pell i ffwrdd, wedi dychwelyd i Fangor
ac wedi apwyntio gŵr arall o'i ddewis ei hun i swydd Goronwy
yn Llanfair Mathafarn. Aeth oddi yno'n brudd a dicllon i
Sir Ddinbych ac wedyn i'w Guradiaeth yng Nghroesoswallt.
Aeth o Groesoswallt i Donnington yn Sir Amwythig ym mis

Medi, 1748, bellach yn ŵr priod, ac yn alltud hiraethus o Gymru go iawn. Cyn hir, wrth gwrs, aeth o Gymru'n gyfan gwbl, i Walton, i Northolt, ac i'r Unol Daleithiau. Fel y mae'r llythyrau hyn yn mynd yn eu blaen, maent yn tyfu'n fwy a mwy dig, mwy chwerw a mwy siomedig eu hagwedd. A phwy a all weld bai ar Goronwy druan am hynny? Darlun o ddyn yn dirywio, yn ymgecru, yn colli ffydd ynddo'i hun, ac mewn dynoliaeth, dyna a geir yn llythyrau Goronwy Owen. A phan ddarllenwn ei gywyddau, mae'n briodol i ni gofio mai milwrio beunydd yr oedd o yn erbyn chwerwedd, yn erbyn y don o anobaith a siom a oedd o hyd yn bygwth ei suddo'n gyfan gwbl mewn môr o hunandosturi a hunangondemniad. Stori drasig yw stori Goronwy Owen; stori am dranc anochel y gŵr sensitif; stori am lwybr chwerw y gŵr a rydd ei fryd ar greu artistwaith.

Yr wyf newydd fod yn y gwasanaeth yn Llanfair Mathafarn. Mae'n rhy hwyr, wrth reswm, i ni wneud iawn am y cam a gafodd Goronwy, ond dylem ddiolch am y modd chwaethus a graenus y trefnodd y Parch. Huw Pierce Jones wasanaeth i'w goffâu. Ond ble'r oedd clerigwyr Môn? A ble'r oedd gwŷr llên y sir? Mae'n debyg fod Goronwy druan, lle bynnag y mae, wedi hen ddysgu maddau erbyn hyn, ond cafodd ddigon o gyfle heddiw i sylweddoli mor brin yw'r clod a roddir iddo yn yr ugeinfed ganrif fel yn y ddeunawfed. Yr oedd, yn Eglwys Llanfair Mathafarn, gyfle gwych i dalu gwrogaeth i Goronwy a'i waith; yr oedd yno bwlpud wedi ei wneud gan grefftwyr mewn pren i goffâu crefftwr mewn geiriau; yr oedd gwaith dygn a phenderfynol wedi cael ei wneud gan ficer y plwyf er mwyn canmol yr hyn oedd ragorol mewn offeiriad brith ei ysbryd a mawr ei ddawn. Ymddengys nad oedd y mwyafrif yn dymuno talu gwrogaeth iddo na chanmol ei waith, gwaetha'r modd. Bodlonaf innau ar ddiolch i'r Parch. Huw Pierce Jones am wneud y cyfle'r bosibl.

15 Rhagfyr, 1961

LLYFRAU'R NADOLIG

Y mae llyfrau'r Nadolig yn dechrau dod o'r wasg, a charwn ddweud gair am ddau ohonynt, un yn Gymraeg, a'r llall yn Saesneg: nofel gyntaf Caradog Pritchard, *Un Nos Olau Leuad*, a chyfrol ddiweddaraf R. S. Thomas, *Tares*.

Yr ydym bellach wedi ymgynefino â gwaith y Parch. R. S. Thomas yn *Song of the Year's Turning* a *Poetry for Supper*, ac yn awr dyma gyfrol arall, *Tares*. Er mai offeiriad yng ngofal plwyf Eglwysfach, rhwng Machynlleth ac Aberystwyth yw'r awdur yn awr, nid Eglwysfach yw storws y cerddi yn *Tares* ond, fel o'r blaen, ei blwyf blaenorol yn Esgobaeth Llanelwy, Manafon, tir neb rhwng Cymru a Lloegr, ucheldir caled, tir cyndyn, cyfyng, amhoblog. Ar ddechrau'r gyfrol hon, cawn ganddo'r adnod ganlynol:

> Didst not thou sow good seed in thy field? From whence, then, hath it tares?

Yr efrau hyn yw'r hacrwch, yr annigonedd ym mywyd dyn ac anifail, y cyfyngiadau sy'n cau i mewn ar Wtopia dyn yn y wlad, y confensiynau a'r arwynebedd sy'n meddiannu bywyd. Pobl y tir diffaith hwn, diffaith ar yr wyneb, ond dygn iawn otanodd, yw thema ei gerddi i gyd, pobl fel Walter Llywarch:

> Months of fog, months of drizzle;
> Thoughts wrapped in the grey cocoon
> Of race, of place, awaiting the sun's
> Coming, but when the sun came,
> Touching the hills with a hot hand,
> Wings have spread only to fly
> Round and round in a cramped cage
> Or beat in vain at the sky's window.

Gweld y bobl hyn, Llywarch, Prytherch a'r gweddill, fel pobl dywyll, di-fynegiant, y mae R. S. Thomas, pobl dlawd yn gorfforol ac yn ysbrydol. Ond nid yw byth yn sicr ei fod wedi eu deall yn iawn. Mae'n poeni beunydd rhag bod iddo wneud cam â nhw drwy anwybyddu rhyw ddyfnder enaid anweledig iddo fo:

> I have looked long at this land,
> Trying to understand
> My place in it...

Ond beth bynnag yw ei amheuon ynghylch ei allu ei hun i'w deall, nid oes amheuaeth o gwbl ynghylch ei allu i'w ddarlunio. Sylwedydd o fardd yw R. S. Thomas, gwyliwr craff sy'n edrych ar ddyn o gwmpas ei bethau, ac yn ceisio gweld beth – os rhywbeth – sy'n gorwedd islaw'r arwynebedd. Mae'n gwylio'r gwas ffarm yn y tiroedd hyn:

> Nothing is his, neither the land
> Nor the land's flocks. Hired to live
> On hills too lonely, sharing his hearth
> With cats and hens, he has lost all
> Property but the grey ice
> Of a face splintered by life's stone.

Ac mae'n gwylio'r hen ŵr yn cerdded yn betrus ar hyd y ffordd:

> ... an old man trying
> Time's treacherous ice with a slow foot.
> Tears on his cheek are the last glitter
> On bare branches of the long storm
> That shook him once...

Mae'n myfyrio llawer hefyd ar swyddogaeth y bardd mewn byd fel hyn, y gŵr sy'n gweithio â'i feddwl mewn byd lle mae gwaith o raid yn golygu cyrn ar ddwylo. Ond hwyrach mai ei brif thema, yn awr ac erioed, yw'r angen rhywsut neu'i gilydd i'r hen ŵr, wedi oes o galedi, wedi trosglwyddo caledwch ei ddwylo i'w galon dros hanner canrif a mwy, ddarganfod trugaredd, tynerwch a gras yn y diwedd. Fel hyn y mae'n gorffen y gyfrol hon:

> ... it is too late
> Now for the blood's foolish dreaming.
> The veins clog and the body's spring
> Is long past; pride and hate
> Are the strong's fodder and the young.
> Old and weak, he must chew now
> The cud of prayer and be taught how
> From hard hearts huge tears are wrung.

Mewn cyfnod pan welwn farddoniaeth gyfoes Saesneg – neu farddoniaeth Saesneg Lloegr, o leiaf – yn brysur yn ceisio osgoi dweud unrhyw beth, yn llunio gwe pry cop i guddio gwagle, y mae nerth a sylwedd yng ngwaith R. S. Thomas. Yn *Tares* mae'n dilyn yn benderfynol y llwybr a osododd iddo'i hun yn *Song at the Year's Turning*. Chwilio y mae am y gwirionedd ynghylch gwir natur a hanfod y gŵr sydd ynghlwm wrth y pridd, sy'n agos at y ddaear, chwilio a holi a gwylio. Mae'n poeni ynghylch ansawdd ei enaid, fel y gweddai i offeiriad, ac yn ymfalchïo yn nhroeon anystywallt ei bersonoliaeth, fel y gweddai i fardd. Y canlyniad yw casgliad tynn, graenus, gonest o gerddi sy'n gochel pob rhagrith a phob gormodiaeth.

Llyfr gwahanol iawn yw nofel Caradog Pritchard. Nid wyf yn bwriadu rhoi cais ar adolygu *Un Nos Olau Leuad*, ond ni allaf ymatal rhag cofnodi ymateb iddo ar y darlleniad cyntaf, serch hynny. Cronicl ydyw'r llyfr hwn o feddwl a dychymyg plentyn, darlun o fyd rhyfeddol oedolion trwy lygaid craff, bachog, gonest ond di-wybodaeth plentyn. Y mae'r llyfr hefyd wedi ei ysgrifennu yn yr iaith lafar odidocaf ar wyneb daear, Cymraeg llafar Llanbêr a Bethesda, ardaloedd chwareli Sir Gaernarfon. Dyma fo'r awdur, er enghraifft, yn gorwedd ar wastad ei gefn ar ben mynydd, ac ynta ar ganol hel llus:

Mi fasech yn meddwl y basa'r awyr yn edrach yn nes o'r fan yma a ninna wedi dringo mor uchel. Ond doedd hi ddim wrth imi orfedd ar wastad fy nghefn, a gweld dim byd ond glas, glas heb ddim un cwmwl ar ei draws o, a'r haul yn boeth ar fy mocha i. Dew, mae'n rhaid ei bod hi'n braf cael mynd i'r Nefoedd, meddwn i. Peth rhyfadd na faswn i'n medru gweld y Nefoedd o fan yma hefyd, neu gweld angel yn fflio yn rhywle'n fancw…

Ac yn y blaen. Ond nid disgrifiad diniwed o dwf plentyn "naturiol" Rousseanaidd yw'r llyfr yma chwaith. Mae'n llyfr gan awdur sy'n sylweddoli, ac yn cydnabod yn blwmp ac yn blaen, y rhan amlwg a chwareir gan ryw a syniadau a breuddwydion rhywiol yn y cyfnod ofnadwy hwnnw pan wêl y plentyn gysgod adolesens yn dringo dros y gorwel. Fe geir yma ddisgrifiadau digon amrwd o'r modd y mae rhyw yn ymddangos yn od ac annisgwyl ym mywyd plentyn, ac yn sicr nid llyfr am blant i blant yw hwn.

Llyfr i oedolion ydyw, ond, a barnu oddi wrth ymateb llyfrgelloedd Cymru i *Lady Chatterley* a llyfrau tebyg, y mae'r nifer o oedolion sy'n darllen llyfrau Cymraeg yn gyfyngedig. Ymddengys fod yr holl farchnad llyfrau Cymraeg y dyddiau hyn wedi ei hanelu at yr hyn a alwodd Mr Justice Stable un tro yn "the typical fourteen-year-old, well-brought-up schoolgirl." Yn bersonol, teimlwn wrth ddarllen *Un Nos Ola Leuad* fod yma adlewyrchiad cyflawn, byw, berw a llawen, er gwaetha'i adleisiau trist, o ryfeddod y byd i blentyn mewn cymdeithas amharchus, ddi-lol y cafodd arwr nofel Caradog Pritchard ei hun ynddi. Hwyrach y caf gyfle eto, wedi darllen y llyfr yn fwy gofalus, i sôn rhagor am y nofel hon, ond, ar y funud, mae gennyf syniad mai dyma'r campwaith gwreiddiol, gogleisiol, hyfryd y buom yn chwilio amdano ym myd y nofel Gymraeg. Mae'n llyfr sy'n atgoffa dyn yn aml o awyrgylch *Under Milk Wood*. Teg dweud na bydd y bobol hynny sy'n ofni siarad yn blaen ddim yn ei hoffi; teg dweud hefyd na fydd yr ysgolheigion sydd wrthi hi'n ceisio gosod rheolau i lawr ynghylch iaith lafar safonol ddim yn ei hoffi ychwaith; i bawb arall, mae'n cynnig gwledd anarferol, a llwybr ffres a ffrwythlon i'r nofel Gymraeg.

1962

12 Ionawr, 1962

YMUNO Â FFRWD EWROP

YmaepethsônyngNghymru'rdyddiauhynamgydwladolrwydd, am Gymru fel rhan o'r traddodiad Ewropeaidd, ac yn y blaen. Y mae hyn yn wych, ond mae'n rhaid i ni fod yn glir iawn ar beth a olygwn wrth y sôn ac mae'n rhaid i ni wylio hefyd nad ydym ni ddim yn gwneud ffyliaid ohonom ein hunain wrth hawlio gormod yn y cyswllt yma.

Gwell i ni sylweddoli ar y cychwyn fod y sŵn Ewropeaidd yn cael ei wneud am ddau reswm ac o ddau gyfeiriad. Gadewch i ni edrych ar y ddwy enghraifft ddiweddaraf. Yn gyntaf, 'Westgate' yn y *Western Mail*. Wrth drafod y math yma o beth, y duedd bob amser yw i'r *Western Mail* awgrymu dan gochl neu'n agored, mai anfantais i gyfraniad Cymru i'r byd yn gyffredinol ac i draddodiad Ewrop yn arbennig yw ei Chymreigrwydd. Yn y bôn, beth bynnag am ei erthyglau Cymraeg achlysurol, a'i anturion mympwyol ac annisgwyl o blaid rhai pethau Cymraeg, fe fyddai'n well gan y *Western Mail* weld Cymru'n genedl unieithog nag yn genedl ddwyieithog. Ac yma, rhag bod yn annheg, rhaid dweud mai enghraifft yn unig yw'r *Western Mail* o gorff sylweddol – mewn rhif – o opiniwn yng Nghymru, opiniwn sy'n cael ei gynrychioli gan unigolion fel Goronwy Rees, Gwyn Thomas, Archesgob Cymru, ac wyth allan o bob deg o ddarlithwyr ac athrawon pedwar coleg ein Prifysgol; a chan sefydliadau mawr a bach fel Cyngor Tref Dinbych-y-Pysgod, Undeb y Mamau, a'r NFU.

Cred y rhain, cyn belled ag y maent yn meddwl am y peth, yw mai cyfrannu i fywyd Ewrop trwy gyfrwng yr iaith Saesneg, ac yn wir trwy gyfrwng Lloegr, yw prif obaith y Cymro, a chael gwared â'r nonsens yma o iaith lleiafrif a dwyieithrwydd ac yn y blaen, unwaith ac am byth.

Mae hon yn gred eithaf teg, ac yn safbwynt reit gyffredin yng Nghymru erbyn hyn, waeth i ni wynebu'r peth na pheidio. Ond mae'n berffaith sicr, er hynny, nad dyma'r ffordd i Gymru fel cenedl gyfrannu i ddiwylliant Ewrop, er y gall unigolion o Gymry wneud rhywbeth, bid sicr, trwy fabwysiadu traddodiad, iaith a bywyd Lloegr. Ac nid dyma'r hyn y mae Saunders Lewis yn ei olygu wrth sôn am gysylltu Cymru â'r traddodiad Ewropeaidd, ac nid dyma y mae Gwenallt yn ei olygu wrth ddychwelyd at y pwynt hwn yn ei nodiadau golygyddol yn yr ail rifyn o'r cylchgrawn *Taliesin*.

Y mae Ewropeaeth o'r math yma'n golygu mynd heibio i'r iaith a'r traddodiad Saesneg i ryw raddau, a dwyn maeth uniongyrchol o ieithoedd a llên gwledydd eraill yn Ewrop, yn arbennig, dybiwn i, o Ffrainc a'r Eidal, gan fod cysylltiad emosiynol naturiol rhyngom ni â'r bobl hyn. Mae'n golygu'r math o beth y mae'r Dr E. T. Griffiths ac eraill wedi ei wneud fwy nag unwaith, sef cyfieithu llyfrau'n syth o'r Almaeneg, Sbaeneg, Eidaleg a Ffrangeg i'r Gymraeg. Ond fe olyga hefyd, fel y dywed Gwenallt, fod y ffordd yn cael ei hwyluso i blant yn ein hysgolion gramadeg ddysgu rhai o'r ieithoedd hyn a'r Gymraeg ar yr un pryd. Nid oes unrhyw reswm cynhenid paham y dylai'r Cymro Cymraeg, fwy na'r Daniad Daneg, fod yn ddatgysylltiedig oddi wrth draddodiad Ewrop oherwydd ei Gymreigrwydd; y mae'n tueddu i fod yn ddatgysylltiedig ar hyn o bryd oherwydd nad oes yng Nghymru gyfundrefn addysg frodorol na chyfundrefn wleidyddol frodorol. Y mae'r diffygion hyn yn ei gwneud hi'n anos o lawer i'r Cymry Cymraeg ddwyn maeth oddi wrth, a chyfrannu i'r, traddodiad Ewropeaidd.

Ac mae hyn yn dod â ni at yr ail berygl ynghlwm yn y sŵn Ewropeaidd presennol. Os ydi hi'n gwbl anghywir i awgrymu na all y Cymro Cymraeg fod yn Ewropead effeithiol heb golli ei iaith frodorol; ac yn wir, fod y gwrthwyneb yn gywir, sef na all fod yn Ewropead cyflawn, boddhaol, ond trwy gyfrwng traddodiad ei iaith frodorol; eto, y mae'n rhaid i ni ochel y syniad fod y Cymro ar hyn o bryd yn Ewropead, a'i fod yn rhan o'r ffrwd feddyliol sy'n Ewropeaidd yn ei ddyfnder a'i ehangder.

Oherwydd, waeth i ni heb â malu awyr, plwyfol yw traddodiad llenyddol a chelfyddydol y Cymro ar hyn o bryd, plwyfol a chul ac arwynebol. Ac nid yw cyfieithu dau neu dri o weithiau digon cyffredin mewn un rhifyn o'r *Taliesin* am wneud llawer i newid y sefyllfa. Y mae angen llawer mwy o ehangder meddwl wrth ddysgu Cymraeg – a phynciau cysylltiol, fel Saesneg – yn ein hysgolion, y parodrwydd i feddwl am Gymru fel rhan o Ewrop, a'r parodrwydd nid yn unig i gyfieithu llenyddiaeth gwledydd eraill i Gymraeg, ond hefyd i gyfieithu llenyddiaeth Gymraeg i'r Saesneg, Ffrangeg, Eidaleg ac Almaeneg, ac i ieithoedd lleiafrifoedd hefyd, fel Pwyleg a Daneg. Ac y mae angen llawer iawn mwy o gyd-gysylltiad personol rhyngom ni yng Nghymru â llenorion ac artistiaid yn y gwledydd hyn. Yr ydym wedi bod yn cuddio yn ein cragen am lawn digon o hyd, ac mae'n hen bryd i ni ennill hyder a dod allan ohoni hi. Ac fe dybiwn i, o'r pethau hyn i gyd, ar hyn o bryd, mae'r angen pwysicaf yw cyfieithu, nid i'r Gymraeg, ond o'r Gymraeg. (Fe glywais un darlithydd Cymraeg yn un o golegau Cymru'n dweud y dydd o'r blaen nad oedd ganddom ni ddim byd gwerth ei gyfieithu yn ein llenyddiaeth, a'r agwedd israddol, ofnus, anghywir hon tuag at ein traddodiad llenyddol sydd wedi'n cadw ni mor gartrefol hefyd.)

Y mae angen mawr iawn, iawn, yn arbennig heddiw, a sôn am y Farchnad Gyffredin yn llenwi'r awyr, i'r Cymro Cymraeg ailgydio yn ei gysylltiadau dros y dŵr; ond nid yw am wneud hyn trwy fod yn llai Cymreig, ac nid yw am ei wneud trwy fod yn anneallus, gul a phlwyfol Gymreig. Rhan fechan o fyd sy'n tyfu'n llai bob dydd yw Cymru; ond gall wneud cyfraniad os y deil i gofio hyn, i gofio ei bod yn rhan, ac i gofio mai trwy gyd-fyw a chyd-ddylanwadu y gall y rhan fod yn aelod cynhyrchiol o'r cyfan.

Y mae'n anodd i lawer sylweddoli, rwy'n credu, fod cadw'r iaith Gymraeg ac nid yn unig ei chadw ond ei ddatblygu a'i hatgyfnerthu yn gwbl angenrheidiol os yw Cymru, fel Cymru, am wneud cyfraniad o gwbl i'r gymdeithas Ewropeaidd newydd. Ac oherwydd hynny, peth od iawn oedd clywed cyfraniad diweddaraf y llywodraeth i Gymru, Dr Charles Hill, yn dweud y dydd o'r blaen fod y Llywodraeth yn derbyn y cyfrifoldeb dros achub yr iaith Gymraeg. Yn awr, tipyn o glown yw'r Dr Charles Hill wedi bod, rhywun i lenwi'r bwlch yn y swydd yma ac acw, ac mae'r llywodraeth yn honni ysgwyddo'r cyfrifoldeb dros bob math o bethau, o'r cnwd tatws yn Ynys Skye i'r saib cyflogau; er hyn i gyd, y mae'r gosodiad hwn gan y Gweinidog newydd yn ddweud go sownd.

Os yw'r geiriau'n golygu'r hyn a ddylent sef fod y Llywodraeth yn bwriadu rhoi pob cefnogaeth i bob ymdrech i gadarnhau safle'r Gymraeg, yna fe ddylai dau beth ddigwydd ar unwaith.

Yn gyntaf, fe ddylai'r grant a roddir i lyfrau Cymraeg godi o £5,000 y flwyddyn i £20,000, ac fe ddylid rhoi grant arbennig i bob Awdurdod Addysg i'w wario ar y llyfrau Cymraeg hyn, ac i'w wario ar y rheiny'n unig, oherwydd, os yw'r Gymraeg am oroesi'r ganrif hon, mae'n rhaid cael gwared o'r syniad y dylai llenyddiaeth dalu ei ffordd. Syniad newydd iawn yw'r syniad hwn, sut bynnag; nid yw gwir gelfyddyd wedi talu ei ffordd mewn unrhyw wlad erioed, ac nid yw'n debyg o wneud yn awr. Mae'n rhaid cael nawdd i lenyddiaeth, ac os yw'r llywodraeth yn derbyn cyfrifoldeb am yr iaith Gymraeg, yna o Whitehall y dylai'r nawdd hwnnw ddod i lenyddiaeth Gymraeg. Ar hyn o bryd, nid yw'r grant yn ddigon i sicrhau cyflenwad o lyfrau Cymraeg, ac nid yw'n cael ei weinyddu yn y fath fodd ag i sicrhau fod marchnad i'r llyfrau unwaith y mae nhw wedi eu hargraffu.

Nid wyf yn gweld sut y gall hyd yn oed y Dr Charles Hill wneud datganiad mor bendant â hyn heb ddwyn goblygiadau o ryw fath ar ei ben. Os yw'r Llywodraeth am ddwyn cyfrifoldeb dros achub yr iaith Gymraeg, yna cystal iddyn nhw sylweddoli y bydd hyn yn golygu gwario arian.

Yr ail beth sydd raid iddyn nhw ei wneud i ddangos diffuantrwydd y gosodiad hwn yw diddymu'r system cwota wrth benodi athrawon i'r gwahanol siroedd, gan roi caniatad i'r awdurdodau lleol ddelio â'r busnes o ddysgu Cymraeg fel problem arbennig, yn hytrach na gorfodi athrawon Cymraeg i fynd i Birmingham, ac i Sir Forgannwg fod yn berffaith barod i gyflogi llawer iawn mwy nag y mae'r llywodraeth yn caniatáu iddynt eu cyflogi. Y gwir yw mai adran o Loegr yw Cymru mor bell ag y mae cyflenwad o athrawon yn y cwestiwn. Ni ellir dwyn y ffrwyth angenrheidiol o bolisiau'r awdurdodau goleuedig fel awdurdod Morgannwg tra pery'r sefyllfa hon.

26 Ionawr, 1962
NEHRU – OSBORNE

Y dydd o'r blaen, gwelais gofiant go bathetig i Pandit Nehru. Pathetig oherwydd iddo gael ei ysgrifennu cyn yr ymosodiad ar Goa. Nid wyf yn credu fod y rhan fwyaf ohonom, bobl gyffredin yn y Gorllewin, yn sylweddoli pwysigrwydd ofnadwy holl fater Goa i wleidyddiaeth gydwladol y dyfodol. Cyn yr ymosodiad, Nehru hwyrach oedd yr unig arweinydd o bwys yn y byd a oedd wedi sylfaenu ei bolisi gydwladol ar heddychiaeth, ef oedd yr unig wleidydd o'r radd flaenaf a oedd yn cydnabod fod heddychiaeth yn ymarferol yn ogystal ag yn ddymunol. Ond, wedi'r cyfan, nid arweinydd llu o angylion oedd Nehru erioed, ac nid angel oedd ef ei hun. Dechreuodd ei yrfa fel arweinydd cenedlaethol rhamantus a nwydwyllt, arweinydd yr Indiaid yn erbyn y Saeson, ac fe aeth i'r carchar am y tro cyntaf yn 1919, wedi'r gwrthryfel yn Amritsar. O hyn ymlaen, fel llawer arweinydd gwleidyddol arall, yn arbennig yn Asia ac Affrica, lle mae ennill pŵer gwleidyddol yn golygu mwy na dweud y pethau cywir mewn acen gywir yn y clybiau iawn, fe dreuliodd 13 o flynyddoedd yn y carchar. Pan ddaeth annibyniaeth i India, yng nghysgod marwolaeth y meistr ei hun, Ghandi, ef oedd y dewis otomatig i arwain ei wlad i frawdoliaeth fyd-eang yn y Cenhedloedd Unedig. Erbyn hyn, y mae Nehru wedi bod yn llywodraethu India am 15 mlynedd yn ddi-dor, yn ddemocrataidd a heb un ymgais i'w ddisodli. Yn ystod y cyfnod hwn fe welwyd ei nwydau cenedlaethol, ei ddelfrydiaeth gwladgarol, yn cael eu sianelu i gyfeiriad gwahanol, yn cael eu cyflwyno i wasanaeth diplomatiaeth cydwladol. Am 15 mlynedd yn wyneb Molotov, Zorin, Budapest a marwolaeth Stalin, Suez a holl gawl y Dwyrain Canol, yr Unol Daleithiau a Ciwba, Korea, De Affrica, Rhodesia, a marwolaeth Dag Hammarskjold, fe fu Pandit Nehru yn brif gefnogwr, bron yn gonglfaen, i'r Cenhedloedd Unedig, ac i'r syniad newydd, gobeithiol, y dylid datrys pob dadl gydwladol heb ddefnyddio arfau.

Ond, wrth reswm, nid gwaith hawdd oedd hyn iddo. A all dyn sydd wedi dechrau fel gwrthryfelwr gwladgarol droi'n weinyddwr gofalus ac yn ddiplomat celfydd heb i rai pobl gredu ei fod yn bradychu rhywbeth, a heb i eraill feddwl ei fod wedi gwanio wrth heneiddio a dechrau meddwl y byddai'n well cael arweinydd mwy pendant, mwy ymwthgar. Ac eto, er fod 400 miliwn o bobl yn India, y mae Nehru wedi llwyddo i gerdded llwybr canol am 15 mlynedd, ac i wneud y llwybr canol hwn yn dderbyniol i'r bobl. Yn awr, mae'n dechrau heneiddio, ei ddylanwad aruthrol y tu mewn i'r wlad yn dechrau pallu; ar radd ehangach o lawer, mae yn yr un sefyllfa ag yr oedd De Valera ynddo flwyddyn neu ddwy yn ôl: fe ŵyr nad yw'r India eto wedi cyrraedd tir sych yn wleidyddol, fel y gwyddai De Valera am Iwerddon. Fe ŵyr fod Krishna Menon wrth ei ysgwydd, ac mai ychydig o barch sydd gan Menon i bolisi cydwladol heddychol (mae'r Ysgrifennydd Amddiffyn eisoes wedi gwneud rhai areithiau go awgrymog mewn perthynas â swyddogaeth byddin mewn gwlad), ac fe ŵyr hefyd fod y gyfundrefn gymdeithasol y tu mewn i'r diriogaeth yn newid yn gyflym iawn. At hyn i gyd, yr oedd gwledydd newydd y bloc Affro-Asiaidd yn y Cenhedloedd Unedig yn dal i edrych am arweiniad i gyfeiriad Nehru, ac yn rhinwedd cymedroldeb Nehru, yn gosod eu polisïau eu hunain i redeg llwybrau gweddol gymhedrol. Ond yr oeddynt yn dechrau cwyno mai ychydig o arweiniad pendant oedd yn dod o'r India y dyddiau hyn, yn arbennig ynglŷn ag imperaliaeth.

Fe ddaeth diwrnod felly pan fu raid i Nehru ddewis rhwng moesoldeb a chysondeb mewn bywyd cydwladol a gofynion cenedlaetholdeb. Wedi edrych yn ofalus o'i gwmpas dewisodd ofynion cenedlaetholdeb, a daeth terfyn ar yr arweiniad gwleidyddol gorau a gafodd y byd erioed gan wladweinydd. (Rwy'n gwybod am Kashmir, ond dylid cofio iddo osgoi gwrthryfel arfog yn y fan honno hefyd, yn wyneb anawsterau go fawr.) O hyn ymlaen, ni ellir dweud fod yn unman yn y byd arweinyddiaeth gydwladol sy'n gosod egwyddor yn gyntaf. Yr oeddym yn gwybod eisoes fod Rwsia, yr Unol Daleithiau, Prydain, De Affrica, Ffrainc, ac yn y blaen, yn defnyddio dwy safon yn eu hymddwyn cyd-genedlaethol, eu bod yn debyg, ar adeg anodd, o ddewis buddioldeb yn hytrach nag egwyddor. Yr ydym yn gwybod bellach fod yr un peth yn wir hefyd, yn y pen draw, am Nehru, ac nad oes gan y gwledydd newydd, Ghana, Nigeria, Tanganyika, un esiampl gwerth ei dilyn ymysg arweinyddion dylanwadol a grymus y byd. Fe syrthiodd un eilun go bwysig a go sefydlog pan aeth milwyr Nehru i mewn i Goa. Mae'n bechod o beth fod unrhyw gofiant i Pandit Nehru a ysgrifennwyd flwyddyn yn ôl, bellach yn swnio'n hollol bathetig, ac yn golled enfawr i'r byd cyfan, hyd yn oed i'w elynion pennaf, i'r League of Empire Loyalists a'r *Daily Express*. Trasiedi fawr oedd Goa; fel mor aml mewn hanes, aeth enw da i'r gwynt er mwyn ychydig erwau o dir.

Rwyf yn ysgrifennu'r nodiadau hyn cyn gweld John

Osborne ar y rhaglen deledu *Face to Face* heno. Ond o'r holl gwmni o ysgrifennwyr ifainc Seisnig sydd wedi cael eu casglu ynghyd i'r un gorlan dan y teitl Angry Young Men, Osborne sy'n gwisgo'r enw orau. Yng ngwaith Amis a Wain, yr hyn a geir yw tipyn o gomedi gymdeithasol ar lun yr hen nofelau *picaresque*: nid yw James Dixon, M.A., yn ddig o gwbl. Nid yw cymeriadau John Braine yn ddig ychwaith: tipyn yn sarrug hwyrach, a digyfeiriad, ond nid yn ddig. A phobl ddigon tawel eu beirniadaeth a rhyddfrydig eu naws yw Amis, Wain a Braine eu hunain. Ond nid felly John Osborne: mae Jimmy Porter yn ddig, ac mae Jimmy Porter i raddau helaeth iawn yn adlewyrchiad o agwedd Osborne.

Yn *Look Bach in Anger* fe lwyddodd John Osborne i ymgorffori llawer o agwedd meddwl cenhedlaeth o gynnyrch y prifysgolion, ymateb delfrydwyr a dyngarwyr uchelgeisiol i ddadrithiad y wladwriaeth les. Yn ddigon naturiol, o ystyried y bwlch ofnadwy rhwng y naill genhedlaeth a'r llall y dyddiau hyn, nid oedd y beirniaid canol oed na'r rhieni canol oed yn gweld rhyw lawer o rinwedd yn y ddrama: darn go sioclyd oedd gŵr ifanc yn lluchio cylchau, "Fe fydd o'n siwr o gallio," oedd yr ymadrodd mwyaf cyffredin ynghylch y ddrama. Yna, yn yr *Entertainer*, ceisiodd Osborne ddangos y canol oed iddyn nhw eu hunain, eu dangos ym mherson Charlie Rice, yn wag, yn ofnus, yn orofalus, yn rhagrithiol mewn cymdeithas o ragrithwyr. Canmolwyd perfformiad Laurence Olivier yn y ddrama hon i'r entrychion, gan anghofio beth oedd gwir thema'r gwaith. Yn *The World of Paul Clickey* trodd sylw Osborne at sefydliadau cydnabyddedig ein cymdeithas, yr Eglwys, y Llywodraeth, y Gwasanaeth Sifil, ac yn y blaen, gan ymosod yn ffyrnig ac yn gelfydd iawn ar y pydredd ym môn ein gwareiddiad. Mae Osborne wedi bod yn gyson ac yn ddidwyll iawn yn ei ymosodiad ar natur ein byd yn y Gorllewin, ac yn arbennig ar y rhagrith sy'n islais i bopeth ym Mhrydain, a chredaf fod y cyfan a ddywedwyd ganddo yn ei ddramau yn gywir ac yn bwysig. Mae wedi ymdeimlo â'r ffaith ganolog yn ei ddramau yn gywir ac yn bwysig. Mae wedi ymdeimlo â'r ffaith ganolog mai llacrwydd meddwl ac annidwylledd teimlad sydd wrth wraidd ein clwy'.

2 Chwefror, 1962
ATOMFEYDD CEFN GWLAD – GORDONSTOUN

Y mae rhagor o sôn wedi bod yn ddiweddar am godi atomfa yn Edern, yn Llŷn. Yn awr, rwy'n credu fod angen edrych yn ofalus iawn ar yr ystyriaeth sy'n dod i'r wyneb mewn perthynas â gosod atomfeydd yma a thraw yng nghefn gwlad, a pheidio â rhuthro i brotestio ar y naill law nac i gefnogi ar y llaw arall. A chredaf fod llawer o'r hyn a ellid ei ddweud am Edern yn wir yn yr un modd am Gemaes, Sir Fôn. Yn y fan honno fe gynhaliwyd cyfarfod cyhoeddus i brotestio yn erbyn adeiladu'r atomfa. Ond achos gwan iawn a ddaeth gerbron, gan nad oedd y protestwyr wedi ystyried un dim ond buddiannau tirfeddiannwyr, a'r rheiny, gan fwyaf, yn byw yn Surrey a Sussex, yn hytrach nag yn Sir Fôn ei hun. Ofer yw cwyno yn erbyn datblygiadau diwydiannol a thechnegol yn enw economeg, elw a cholled. Gobeithio felly y bydd pobl Llŷn yn ystyried y manteision a'r peryglon yn fwy gofalus na phobl Môn.

Ar y naill law, y mae dadleuon yn codi o blaid codi'r atomfa mewn lle fel Edern ar dir ymarferol economaidd. Dywedir y bydd yr atomfa yn cynnig gwaith yn yr ardal i bobl ifainc y fro, ac yn lleihau'r broblem diweithdra; ar gorn y ddadl hon fe ddywedir mai gosod prydferthwch o flaen bara y mae'r rhai hynny sy'n ceisio cadw'r atomfa i ffwrdd. Dadl sigledig yw hon. Yn y lle cyntaf, fe ddylid gorfodi'r Llywodraeth i roi ffeithiau i'r cyhoedd mewn perthynas â hyn. Fe ddylid darganfod pa faint o ddynion sy'n mynd i gael eu cyflogi ar gyfer adeiladu'r orsaf yn unig, a pha faint sy'n debyg o gael gwaith yno'n barhaol. Mae'n ymddangos i mi, mae'n rhaid cyfaddef, y gall llawer o ddynion gael gwaith am ddwy flynedd, fwy neu lai, ac ychydig iawn o hynny ymlaen. A chymryd golwg fyr ar bethau yw meddwl fod hyn am ddatrys problem diweithdra Llŷn. Os nad yw'r atomfa am gynnig gwaith parhaol i nifer helaeth iawn o bobl yr ardal, nid wyf yn gweld pam y dylid sôn am y ddadl o gwbl fel dadl o brydferthwch yn erbyn bara. A chyndyn iawn yw'r awdurdodau i roi gwybodaeth bendant ynglŷn â materion fel hyn; hyd y gwn, nid wyf yn credu bod y wybodaeth hon wedi cael ei hymddiried i bobl Môn ynghylch atomfa Cemaes eto, er fod yr adeiladu ar ddechrau. Os mai'r ateb fydd y darperir gwaith parhaol i gannoedd, yna dyna ni, nid oes achos i neb gwyno ymhellach oherwydd cael gwaith i ddyn yw'r sylfaen gyntaf, a'r unig sylfaen foddhaol, i iechyd meddyliol, ysbrydol a chorfforol mewn unrhyw gymdeithas. Ond nid wyf yn credu mai dyma fydd yr ateb, ac yn y cyfamser felly gadewch i ni edrych ar yr ochr arall i'r geiniog.

Y mae Atomfa Edern, fel Atomfa Cemaes, yn dod i ardal sy'n dibynnu am ei chynhaliaeth ar hyn o bryd i raddau helaeth iawn ar y diwydiant ymwelwyr. Y mae Nefyn a Morfa Nefyn yn ganolfannau ymwelwyr poblogaidd dros ben, ac yn ddigon agos i gael eu handwyo yn y cyswllt hwn gan yr atomfa. Dyfalu yr ydym yma hefyd, wrth gwrs, ond y tebyg yw, yn Edern a Chemaes, na fydd pobl yn rhyw barod iawn i ymdrochi yn y môr, ac yn arbennig i adael eu plant ymdrochi yn y môr, o fewn milltir neu ddwy i'r fan lle tywelltir defnyddiau ymbelydrol i'r dŵr yn barhaus. Fe all nad oes berygl o gwbl yn hyn, ond nid yw pobl yn debyg o weld y fenter yn werth chweil, a chilio a wna'r ymwelwyr o Nefyn o dipyn i beth. Carwn sôn rywfaint am effaith diwydiant ymwelwyr ar ardal, yn y dyfodol, felly bodlonaf yn awr ar ddweud na ddylid ar chwarae bach ddinistrio sail bywyd mewn bro heb gyfiawnhad go gryf ar yr ochr arall; ac os nad yw Atomfa Edern am ddod â gwaith ar lefel go sylweddol i'r ardal dros gyfnod go hir, nid wyf yn credu y dylid mentro gadael pentrefi llewyrchus Nefyn a Morfa Nefyn yn ysgerbydau cymdeithasol o'i herwydd.

At hyn hefyd, wrth gwrs, y mae yna ystyriaeth arall a ddylai fod o bwys i'r dyn synhwyrol. Y mae Llŷn ar hyn o bryd yn un o'r ardaloedd tawelaf a mwyaf hamddenol – ar wahân i'w phrydferthwch chwedlonol – yn y wlad i gyd. Ac nid rhywbeth dethol i bobl arbennig fel aelodau'r CPRW yw prydferthwch cefn gwlad a thawelwch y math yma o ardal. Mae'n galondid, yn ysbrydiaeth ac yn ddihangfa i filoedd ar filoedd o bobl sy'n gorfod treulio'r rhan fwyaf o'u hoes mewn amgylchedd anffafriol a diysbrydiaeth. Ni ddylai hyn ddod o flaen lles y brodorion, ond mae'n eilbeth digon pwysig mewn gwlad lle mae'r fath ardaloedd yn lleihau'n gyflym.

Wrth gwrs, y mae angen dybryd am ddiwydiant yn Llŷn, angen am y math o waith sy'n rhoi parch i ddyn, angen am rywbeth mwy creadigol na chael arian ar gorn y Saeson am ychydig fisoedd yn y flwyddyn. Ond camgymeriad trasig fyddai neidio i'r casgliad fod Atomfa Edern am gynnig ffordd ymwared a'i chroesawu'n ffyddiog oherwydd hynny. Gall mai dewis sydd gan bobl Llŷn ar hyn o bryd rhwng gwaith cadarnhaol yn yr atomfa am ddwy flynedd neu barhad y diwydiant ymwelwyr, y naill neu'r llall, a'r posibilrwydd o ddychwelyd ar ddiwedd dwy flynedd i ddiwydiant ymwelwyr a fydd wedi marw'n gelain. Dewis, mewn gwirionedd, rhwng dau bosibilrwydd digon tila.

Fe fyddai'n llawer iawn gwell sefyll yn erbyn yr atomfa a chwilio am ddiwydiannau ysgafn eraill na mentro hyn. A dylid dweud yma nad yw Llŷn wedi bod yn gwbl amddifad o gynigion yn y cyfeiriad hwn; diffyg gweledigaeth sydd wedi creu'r sefyllfa bresennol yn yr ardal i ryw raddau. Y mae ganddynt gyfle yn awr i ailfeddwl, i ystyried dyfodol y fro, ac i gynllunio'n ofalus ar gyfer y blynyddoedd nesaf. Cyn gwneud hyn, fe ddylent fynnu cael y ffeithiau ynglŷn â phosibiliadau'r atomfa, ac wedi eu cael, eu pwyso a'u mesur yn fanwl cyn cefnogi'n ddifeddwl a brysiog. Nid dewis rhwng bara a phrydferthwch yw'r dewis yma, mewn gwirionedd, ond dewis ymarferol iawn rhwng dau fath o fara, dewis hwyrach rhwng crystyn a phryd o fwyd.

O hyn ymlaen, wrth gwrs, fe fydd Gordonstoun yn y newyddion. Hon, dybiwn i, yw'r ysgol i fonedd iachaf a mwyaf grymus ym Mhrydain. A phan ysgrifennir hanes y ganrif hon gan pwy bynnag a fydd yn ymboeni i ddysgu darllen ac ysgrifennu yn y dyfodol, dyn a ŵyr beth fydd terfynau dylanwad Kurt Hahn, a sefydlodd yr ysgol. Fe welodd Hahn beth oedd methiant ysgolion bonedd cyffredin, eu pwyslais ar safonau arwynebol ac ar bwysigrwydd arwynebedd, ond gwelodd hefyd y fath gyfle oedd yn nwylo'r ysgolion hyn o'u cymharu ag ysgolion dyddiol cyffredin, ac aeth ati hi yn Salem yn yr Almaen i greu ysgol breswyl ar ei lun a'i ddelw ei hun. Daeth i'r Alban yn y tridegau wedi cael ei garcharu am gyfnod gan Hitler am alw ar bob hen ddisgybl o ysgol Salem i ymwrthod â'r Natsïaid. Hoffodd y bobl a hoffodd y wlad ac yn y diwedd trawsblannwyd ysgol Salem i Gordonstoun. Dechreuodd hefyd y rhwydwaith o ysgolion Outward Bound sy'n ffynnu bellach mewn wyth gwlad, a nifer o ysgolion ar lun Salem mewn gwledydd eraill. Yn enw dyneiddiaeth ddyngarol y mae Kurt Hahn yn gwneud yr hyn y mae'n ei wneud, mewn gwirionedd, a phe bai modd dethol Prif Weinidogion y dyfodol a'u hanfon i Gordonstoun, yn hytrach na darpar-frenhinoedd, fel ellid cael gwell llun ar bethau. Oherwydd nid oes amheuaeth o gwbl nad ydyw'r ysgol hon yn gadael ei stamp ar y disgyblion. Ac mae'n stamp cadarnhaol a hynod o iach, a diolch am hynny. Dyma hwyrach ddiffyg mawr ein hysgolion gwladol, nad ydynt yn llwyddo i adael stamp o fath yn y byd ar y plant; hwyrach am nad ydynt yn gwybod pa fath o stamp y maent yn ceisio'i osod. Nid wyf yn gweld fy hun y gellir addysgu plant o gwbl os nad ydym yn gwybod yn union pam yr ydym yn eu haddysgu, ac ar gyfer beth. Y mae cwestiynau fel hyn yn anffasiynol yn ein gwareiddiad disyniadau ni, ond maent yn parhau mewn bri yn Gordonstoun, ac y mae Gordonstoun, o'r herwydd, yn ysgol arbennig iawn.

16 Chwefror, 1962

ATOMFEYDD – CONNOR O'BRIEN – MARCHNOGION DEWI

A gaf fi ddychwelyd am ychydig at bwynt atomfeydd? Derbyniais lythyr yr wythnos hon yn cwyno fy mod yn meddwl mwy am olygfeydd nag am bobl a bod f'agwedd at bentrefi Llŷn yn anobeithiol o ramantaidd. Wel yn awr, holl bwrpas yr hyn a ysgrifennais bythefnos yn ôl oedd awgrymu nad dadl oedd hon rhwng bara a phrydferthwch, ond dadl yn hytrach ynglŷn â'r hyn fydd orau i bobl Llŷn yn y pen draw. Hitiwch befo felly am brydferthwch am y tro, a gadewch i ni sylweddoli nad mater yw hwn lle y mae'r math o aristocratiaid a gynrychiolir gan Clough Williams-Ellis yn sefyll ar y naill ochr a'r werin yn sefyll yn solet ar yr ochr arall. Mater ydi hwn sy'n bwysig iawn iawn i ni ei ystyried yn fanwl ac yn wrthrychol, cyn dod i unrhyw ganlyniadau emosiynol ac annibynadwy. Fe allai holl ddyfodol Llŷn ddibynnu ar y penderfyniad ynghylch Atomfa Edern. Nid dyfodol prydferthwch Llŷn yn unig – fe all na fydd llawer o wahaniaeth yng ngolygfeydd y lle – ond dyfodol pwysicach o lawer, dyfodol y bobl a'u plant.

Â'r dyfodol yr oeddwn yn ymboeni, wrth drafod y mater hwn bythefnos yn ôl. Oherwydd mae'n rhaid i ni wynebu'r ffaith fod polisi'r llywodraeth bresennol (ac nid wyf yn awgrymu yma y byddai llywodraeth y Blaid Lafur fymryn gwell) yn lladd yr ardaloedd gwledig. Gall rhai brotestio yn y fan hyn, a sôn am grantiau i sefydlu diwydiannau mewn ardaloedd amhoblog ac yn y blaen. Ond y ffaith yw mai wrth eu rhif yr ystyrir pwysigrwydd pobol yn ein dyddiau ni, ac mai at y ddinas y mae pob tynfa. Yn y ddinas y mae bywyd ein gwareiddiad ni, yno y mae ei chalon a'i chrefydd. Oherwydd cystadleuaeth yw ei chalon a statws yn codi allan o gystadleuaeth yw ei chrefydd.

Ac y mae hyn i gyd ynghlwm wrth fater yr atomfa yn Edern. Fe osodir yr atomfa yno, nid er mwyn rhoi gwaith i bobl yr ardal, ond am resymau economaidd llawer ehangach. Fe fydd pwerdai atomig yn rhatach na phwerdai dŵr yn y pen draw, ond y mae rhywfaint o berygl yn perthyn iddynt fel y dangosodd y stŵr ynghylch llefrith Cumberland ddwy flynedd yn ôl. Felly fe adeiledir atomfeydd ymhell o'r canolfannau byw, ar yr egwyddor mai gwell yw mentro perygl lle y mae ychydig o bobl yn byw na'i fentro lle y mae llawer. Ond y mae'r ychydig hyn yn bobol, gyda'u harferion a'u hamrywiadau a'u gwreiddiau lleol.

I ba raddau yr ydym yn credu y gellir aberthu rhan o'r gymdeithas, bywyd a hyd yn oed parhad y rhan honno, er mwyn lles materol (a lles materol yn unig) rhan mwy niferus o'r gymdeithas yn rhywle arall? Ac i ba raddau yr ydym yn sylweddoli mai'r cwestiwn yma sy'n berthnasol i'r ddadl ynghylch Atomfa Edern. Yr wyf yn gobeithio'n wir y bydd Llŷn yn sylweddoli cyn bo hir ac felly'n cerdded i'r busnes â'u llygaid yn agored ac yn peidio â ffraeo ymysg ei gilydd ynghylch natur y ddadl. Gobeithio hefyd na fyddant yn llamu i baradwys ffŵl o waith dros dro ac yn deffro ymhen dwy flynedd i sylweddoli fod cysur materol a bywyd cymdeithasol, y naill fel y llall, wedi diflannu o Lŷn am byth. Yr wyf yn ofni y gall hyn ddigwydd, a'r ofn yma a barodd i mi godi'r pwynt bythefnos yn ôl.

Y mae sôn ar led fod y Dr Connor Cruise O'Brien, arweinydd anffodus y Cenhedloedd Unedig yn y Congo, wedi cael gwahoddiad gan yr Arlywydd Nkrumah i fod yn is-ganghellor Prifysgol Ghana yn Accra. Os ydyw hyn yn wir, mae'n wahoddiad hynod o ddiddorol. Mae'n awgrymu, i ddechrau, fod Nkrumah yn dechrau edifarhau ynghylch ei bolisi tuag at y Brifysgol yn y gorffennol. Oherwydd, beth bynnag yw'r gwirionedd am ddulliau Nkrumah o ddelio â'i wrthwynebwyr gwleidyddol uniongyrchol, mae'n sicr yn wir ei fod wedi ceisio ffrwyno'r meddwl a sensro mynegiant y byd academaidd o'r cychwyn. Yr oedd hyn yn ddealladwy ar y naill law, ond yn arbennig o anffodus ar y llaw arall. Fe wyddai Nkrumah, wrth gwrs, beth oedd ystyr addysg i'w bobl, a bod Prifysgol Accra am fod yn symbol ar addysg i'w genedl. Iddyn nhw, cyfrwng i gyrraedd rhyddid oedd – ac ydyw – addysg. (Y noson o'r blaen, dangoswyd fersiwn ffilm o stori John Steinbeck *The Pearl* ar y teledu. Yng nghwrs y stori, daeth pysgotwr tlawd ar draws perl anferth a gwerthfawr. Ac wrth ddal y perl yn syn yn ei law, mae'n troi at ei wraig ac yn dweud, "Fe fydd ein plentyn yn dod yn rhydd trwy'r perl hwn, fe fydd yn adnabod ffigyrau a llythrennau; fe all y perl hwnnw brynu ein rhyddid i ni.".) A dyma, rwy'n sicr, ymateb cyntaf y dyn cyntefig i fyd addysg. Mae'n meddwl amdano fel drws yn agor ar wybodaeth, bid sicr, ond byd sy'n agor hefyd ar gyfoeth a phŵer a byd y mawrion. Ac y mae hyn yn beryglus, wrth gwrs, mewn gwlad newydd, ansefydlog fel Ghana; hyn a hyn o ryddid sy'n bosibl i wlad newydd a'i thrigolion, ac fe ddylai Nkrumah fod wedi sylweddoli'n gynt y byddai'r Brifysgol, fel symbol o'r byd newydd, yn debyg o greu anawsterau iddo. Gall dyn gydymdeimlo â Nkrumah oherwydd sefydlogrwydd bob amser yw'r angen pennaf mewn gwlad newydd. Ond, ar y llaw arall, fe ddylai Ghana ymestyn ac ymehangu rhyddid i'r unigolyn o fewn ei therfynau cyn gynted ag sy'n bosibl. Fe ddylai wneud hyn gan mor gyson y mae gwledydd eraill yr Affrica newydd yn edrych i gyfeiriad Accra am arweiniad mewn llawer cylch ar fywyd, ac yn arbennig ym myd addysg. Fe allai Connor O'Brien fod yn ddewis hynod o addas ar gyfer y gwaith anodd a diplomataidd ei naws o lacio gafael yr awdurdodau ar feddwl y bobl yn Ghana. Fe fydd rhaid i hyn ddigwydd cyn y gall Ghana aeddfedu fel gwlad, ac os mai hyn yw bwriad Nkrumah wrth ofyn i'r Gwyddel, yna fe ddylid cydnabod rhagoriaeth y bwriad. Yn bersonol, credaf fod Nkrumah, yn llawer llai o ddiafol ac yn llawer mwy o wladweinydd nag a gydnabyddir gan y Gorllewin.

Mewn trafodaeth o gylch y tân y noson o'r blaen, yr oedd rhai ohonom yn codi'r hen bwnc o "Urdd" Cymraeg, rhywbeth fel Marchogion Arthur neu Farchogion Dewi, ac yn mynd ati i chwarae gêm o ddewis aelodau Urdd o'r fath. Nid oeddym yn griw sy'n cytuno ar bopeth, ond cawsom ein synnu braidd, na allem gytuno ond ar saith neu wyth o bobl, heb fynd i grafu a chwilio a chwilota. O ran diddordeb, yr enwau a ddaeth i'r meddwl gyntaf oedd Saunders Lewis, Gwynfor Evans, Kate Roberts, Esgob Bangor, y Parch. D. R. Thomas, Merthyr, Elgan Rees, Merfyn Turner, a'r Dr Haydn Williams. Ar ôl enwi'r rhain, yr oedd pawb yn mynd i'w gyfeiriad personol ei hun, i'w faes ei hun, i'w ddiddordebau ei hun. Ond wedyn aethom i feddwl am effaith anrhydeddau ar y bobl, ac yn arbennig am y ffaith fod y rhan fwyaf o farchogion, wedi tyfu'n farchogion, yn colli eu hegni a'u cyfeiriad a'u gweledigaeth, o leiaf yng Nghymru, ac yn llithro i ymddeoliad cyfforddus a diniwed. O gofio hyn newidwyd cryn dipyn ar y rhestr, ac ychwanegwyd enwau blith draphlith ond prin y byddai'n ddoeth i mi wneud yr enwau newydd yn hysbys. Moeswers y stori hon, mae'n debyg, yw fod pawb yn ei chael hi'n llawer haws i weld yr efrau na'r gwenith, mewn unrhyw faes.

9 Mawrth, 1962
SLOGANAU SIÊP

Excelsior

Excelsior! Drama arall gan ein dramodydd. Ein hunig ddramodydd, i fod yn berffaith onest, gan mai athro a chynhyrchydd yw John Gwilym Jones yn fwy na dim arall. Ac, wrth gwrs, canmoliaeth aruthrol. Y mae'n anodd iawn i Saunders Lewis ysgrifennu dim byd y dyddiau hyn heb fod yna ganmoliaeth aruthrol yn dilyn, ac fe ddilynodd yn ffyddlon y ddrama hon, ar y strydoedd, mewn sgwrs o gylch y tân, yn ystafelloedd llyfrgelloedd a phrifysgolion ac yn y wasg. Yn awr, yn bersonol, mae gennyf y parch arferol tuag at Saunders Lewis fel y Cymro Cymraeg mwyaf arbennig sy'n fyw heddiw; ond credaf, er hynny, nad ydyw bob amser yn esgor ar gampweithiau; a chredaf, mewn gair, mai drama wael iawn yw ei gynnig diweddaraf, *Excelsior*. O, ydyw, mae'n dweud pethau sy'n berffaith wir, a phethau sydd angen eu dweud ar lwyfan gyhoeddus. Ond bois bach, dydi'r ddrama hon ddim yn dweud unrhyw newyddion wrthym. Yr oeddem yn gwybod eisoes fod llawer o wleidyddion yn dechrau fel cenedlaetholwyr ac yn gorffen fel seneddwyr bara-a-chaws; fe wyddem yn ddigon da fod llawer o genedlaetholwyr ifainc yn anneallus, yn chwit-chwat ac yn agored i demtasiwn ariannol fel pawb arall. Y mae'r cyfan a ddywedir yn y ddrama hon am stâd foesol y Cymro fel Cymro (o'i gymharu â stad y Cymro fel bod dynol, sy'n rhywbeth gwahanol) wedi cael ei ddweud eisoes hyd at syrffed yng Nghymru heb fennu dim ar y rhai sy'n dod dan y feirniadaeth. Ac felly y bydd hi gyda'r ddrama hon. Mae hi'n ddinistriol, yn negyddol, ac yn siêp.

Yn awr, rwy'n fodlon cyfaddef y gall drama dda fod yn ddinistriol ac yn negyddol. Ond nid wyf yn credu y gall drama dda fod yn siêp. Y mae hon yn siêp oherwydd ei bod yn codi cocyn hitio rhy hawdd ac yna'n mynd ati hi i'w labyddio. Wrth wylio munudau cyntaf y ddrama, teimlwn mai'r hyn oedd gennym oedd Ieuan Rhys Williams yn hamio'r ffordd fel arfer trwy ddrama nad oedd yn gofyn am hamio. Yr oedd hyn yn ymddangos yn fwy amlwg o gymharu'i berfformiad o â pherfformiad sensitif, real ei wraig. Ac yr oedd yn mynd ati hi i feio Ieuan Rhys Williams am hyn, am droi ei ran e'i hun o'r ddrama yn fwrlésg tra oedd pawb arall yn ceisio actio mewn dull hollol wahanol. Ond yna, wrth wylio ymlaen, deuthum i sylweddoli gyda thipyn o sioc mai bwrlésg oedd y cymeriad i fod; gwelais mai dyma'r unig ffordd i'w actio; cartwn o ddyn oedd Huw Huws M.P. i fod, ffigur annynol yn ei ddoniolwch, rhy eithafol yn ei fateroliaeth fyw o gwbl, arwr mewn ffars. A dyma paham yr oedd y ddrama yn siêp. Oherwydd nid ffars oedd hi. Yr oedd hi'n ceisio dadansoddi un agwedd ar afiechyd Cymru gyfoes, yr agwedd sydd wedi ei hymgorffori ym mywyd y Cymry dylanwadol sy'n byw yn Llundain. Ac yr oedd hi'n codi pwyntiau o bwys, dim ond i'w dymchwel i'r ddaear yn syth mewn clownio bas ac annheilwng. Ac y mae hyn yn beth siêp i ddramodydd o allu Saunders Lewis ei wneud. Os ydyw am ddelio â phroblemau dynoliaeth, am geisio dadansoddi cyflwr y Gymru gyfoes, fel y mae'n addo ei wneud yn ei ddramau nesaf, yna nid dyma'r ffordd.

Angen ymdriniaeth onest

Yr hyn sydd arnom ei angen oddi wrth Saunders Lewis, o bawb, yw ymdriniaeth drylwyr, sensitif a gonest o wir broblemau pobl fel Huw Huws, pobl fel ei wraig, a dynion ifainc fel ei ddarpar fab yng nghyfraith. Awgrymodd pwy bynnag sy'n ysgrifennu'r golofn deledu yn y *Faner* y dylid cyfieithu *Excelsior* i'r Saesneg yn ogystal a'i hailddangos yn Gymraeg. A'n gwaredo ni! Dyma ein hunig ddramodydd; peidiwch, da chwi, â dangos i'r byd mai dyma'r math o beth yn mae o yn ei ysgrifennu y dyddiau hyn.

Rwy'n ymwybodol nad yw hwn yn agos at fod yn adroddiad teg a chytbwys ar y perfformiad teledu o *Excelsior*; ond nid oes gennyf mo'r help am hynny. Teimlaf yn siomedig fod y ddrama hon wedi cael ei hysgrifennu, fod Saunders Lewis yn credu mewn mynd o gwmpas i luchio'r math yma o wenwyn o gwmpas y lle. Gan hynny, ni allaf ymuno yn y canmol, er i mi fwynhau'r perfformiad fel perfformiad, ac er i mi chwerthin yn ddigon cywilyddus yn ystod yr awr a chwarter. Fy mhrif gŵyn yn erbyn y ddrama yn y bôn, mae'n debyg o feddwl dros y peth, yw'r ymdeimlad sydd gennyf nad yw pobl nac egwyddorion wedi eu trefnu mewn dosbarthiadau taclus du a gwyn, ac mai annheg ac annheilwng yw gwneud cocyn hitio diamddiffyn ohonynt, hyd yn oed ar lwyfan drama. Nid yw sloganau'n gwneud y tro.

Albert Finney

Os oedd drama Saunders Lewis yn dangos i ni antithesis y natur ddynol, yr oedd y rhaglen *Face to Face* nos Sul yn dangos y gwrthwyneb. Wrth wylio'r gyfres hon o wythnos i wythnos, rwy'n cael fy hun yn teimlo'n hynod o fychan ac annigonol. Mae'n syndod i mi fod cymaint o ddynion solet, cytbwys, call, gwylaidd, galluog, atyniadol, dynol yn bod yn y byd. Ystyriwch, er enghraifft, Albert Finney. Dyma actor sydd wedi cyrraedd pinacl ei broffesiwn, ac yntau ond yn 25 oed, wedi cael ei ganmol i'r cymylau gan y wasg, wedi cael ei ddarlunio fel y symbol gorau y gellid ei gael o'r math o ddyn y mae o'n ei ddarlunio fynychaf ar lwyfan, y bachgen nedw galluog ac anfoddog, a gwrthawdurdodol. Ac yna, ar y sgrin, dyma ni yn ei weld am y tro cyntaf yn rhydd oddi wrth hualau cyhoeddusrwydd, yn noeth. A beth welwn ni? Wel, bachgen hoffus, deallus, bid sicr, digon confensiynol ei naws, caredig ei farn a gwylaidd dros ben. Dyn sy'n ymwybodol iawn o beryglon bywyd yr actor, ei beryglon cyhoeddus synthetig a'i beryglon preifat mwy angerddol. Dyn y gellid yn hawdd meddwl amdano fel athro ysgol cydwybodol neu hyd yn oed offeiriad.

Ac wrth edrych yn ôl ar y rhaglenni eraill, yr hyn sy'n peri syndod yw fod cynifer o'r bobl sy'n dod wyneb yn wyneb â John Freeman yn debyg i hyn, unwaith y maen nhw'n rhydd oddi wrth y sloganau sy'n cael eu glynu arnynt gan y wasg, unwaith y mae rhywun yn dechrau dod i'w hadnabod. A dyna gamp Freeman; o fewn hanner awr fer, mae'n gallu rhoi i'r edrychwr yr ymdeimlad o adnabod y gwrthrych, yr ymdeimlad o wybod sut ddyn ydyw. Ac y mae hyn yn ei dro yn troi dyn unwaith yn rhagor yn erbyn sloganau siêp. Yr wythnos flaenorol, Cecil Beaton oedd yn dioddef yr archwiliad, ac yr oedd yntau hefyd yn gwbl wahanol i'r darlun a baentiwyd ohono gan y wasg, yn ddyn llawer mwy doeth, llawer mwy parod i wrando nag y byddai rhywun wedi disgwyl. Yr oedd yr un peth yn wir iawn am Adam Faith.

Lleiaf yn y byd o siarad mewn sloganau y gallwn ni ei wneud, lleiaf yn y byd o dorri dynion i lawr i ffigurau ffars, gorau yn y byd. Oherwydd yn y gymdeithas heddiw, y mae'r holl ddylanwadau cryfaf yn gwneud hyn drosodd a throsodd, a thrwy wneud hyn yn porthi gelyniaeth, gwawd, sen, cenfigen a chasineb. Y mae'r rhaglen *Face to Face* i'w chanmol ar yr un tir ag yr oedd drama Saunders Lewis i'w chondemnio; y mae hi'n ceisio dweud y gwir am ddynion, am eu cymhlethdod a'u hagweddau bychan ac annisgwyl, ac y mae hi'n ceisio gwneud hyn yn drylwyr ac yn wrthrychol. Diolch i'r nefoedd amdani.

Y Troseddwr Proffesiynol

Yn yr *Observer* y dyddiau hyn y mae agwedd arall, go annymunol, ar ddynoliaeth, yn dod i'r wyneb. Yno y mae llyfr o'r enw *The Courage of his Convictions* yn ymddangos mewn cyfres o ddetholion. Trafodaeth yw'r llyfr rhwng un o'r troseddwyr cyson yn erbyn y gyfraith, sydd wedi byw bywyd cyfan yr ochr arall i'r ffens, a gweithiwr cymdeithasol. A'r hyn sy'n ddychryn yma hefyd yw fod rhagdybion dyn ynghylch natur y troseddwr mor gyfan gwbl anghywir. Fod rhagdybion dyn mor ddychrynllyd o orsyml. Fe ddisgrifia'r troseddwr arbennig yma sut yr oedd cyfuniad o awyrgylch cynnar a rhyw naws anturus ynddo fo'i hun wedi ei arwain i droseddu yn y lle cyntaf, ond ei fod yn awr yn edrych ar ei fywyd fel rhywbeth digon naturiol, fel un ffordd arall i ennill bara beunyddiol. A phan awgrymodd yr holwr y byddai'n well iddo weithio i ennill arian, atebodd yn ddigon sarrug ei fod o'n gweithio'n galed iawn fel yr oedd hi! Fe ddarllenai lawer, a llawer o lenyddiaeth dda, a gallai drafod yn synhwyrol ymdrechion ysgolheigion proffesiynol i ddarganfod paham yr oedd o a'i debyg yn tyfu'n droseddwyr.

Y Llinell Derfyn yn Denau

Yr hyn sy'n taro rhywun yn yr erthyglau hyn yw'r ffaith fod y dyn yma'n ymddangos yn ddyn diwylliedig, abl, call a digon cymedrol ei farn. Ac mae'n rhaid i rywun aros bob hyn a hyn a dweud, "Ia, ond troseddwr proffesiynol ydi hwn.". Ac wedyn mynd yn ôl at yr erthygl a darllen ei eiriau deallus am, er enghraifft, Syr Basil Henriques fel Ustus Heddwch. Am resymau cymhleth a chyfrin iawn, y mae cymdeithas yn colli gwasanaeth dynion fel hyn, sydd ymhell o fod yn wrthgymdeithasol yn ystyr arferol y gair, sy'n alluog, ac sydd heb fod yn arbennig o an-normal. Y mae rhywbeth bach sy'n eu gyrru i fyw bywyd wyneb i waered, ac fel y dywed y troseddwr yn yr *Observer* yn ddigon didwyll, "I'd be a very great man if I knew why it happened." Un peth sy'n berffaith amlwg yw'r ffaith nad yw cosb yn y byd yn gwneud dim gwahaniaeth i'r dyn; y mae wedi pwyso'r posibilrwydd o gosb yn erbyn yr awydd i fyw bywyd o droseddu, a'r awydd sydd wedi ennill. Ac mae'n bwrw gwawd ar y syniad fod cosb corfforol yn fwy effeithiol nag unrhyw gosb arall: fel y dywedodd un mobster yn Chicago pan ofynnwyd y cwestiwn yma iddo. "Who the hell do you think we are, school kids?"

Ychydig o wahaniaeth sydd rhwng y dinesydd cydwybodol, confensiynol a'r troseddwr proffesiynnol, mae'r llinell derfyn yn aneglur ac yn denau iawn. Yma eto, mae'n rhaid cael gwared o sloganau, mae'n rhaid ceisio dangos cymhlethdod y gwirionedd cyn y gallwn ddod yn nes at ddatrys y broblem sydd ynghlwm wrth natur y troseddwr. Ym mhobman, ym myd gwleidyddiaeth Cymru, ym myd dynion enwog, ym myd troseddwyr, cochl a ffug yw'r slogan gorsyml. Creadur cymhleth a llwyd yw dyn, ac mae'n rhaid i ni yng Nghymru gydnabod hynny yr un fath â phawb arall.

30 Mawrth, 1962

Sylw'r wythnos:

Thomas Parry (Rhagymadrodd i'r *Oxford Book of Welsh Verse*):
"The Welsh poet's respect for all the poetry that had gone before and his emulation of the masters of the craft were the conditions of the perfection of his own art."

Blodeugerdd Thomas Parry

Rhaid oedi'r wythnos hon dros y gyfrol fwyaf nodedig o farddoniaeth Gymraeg a gyhoeddwyd erioed. Y mae'r gosodiad ar y naill law yn deyrnged i gyfrol arbennig iawn, ac ar y llaw arall yn feirniadaeth ar ysgolheigion y gorffennol. Oherwydd yn yr *Oxford Book of Welsh Verse* fe geir o law Thomas Parry y detholiad safonol cyntaf erioed o farddoniaeth y canrifoedd yn yr iaith Gymraeg.

A beth wedyn yw detholiad safonol? Oherwydd, fel y dywedodd y golygydd ei hun ychydig ddyddiau yn ôl, casgliad personol yw pob blodeugerdd o raid, dewis un dyn, ac fe fyddai dewis pob dyn arall yn wahanol yn ei bwyslais, yn ei naws ac yn ei gynnwys. Mewn gair, llyfrgell un llengarwr yw casgliad o gerddi, ac nid yw llyfrgell neb gŵr union yr un fath â llyfrgell neb arall. Er hyn, nid wyf yn credu mai nonsens llwyr yw sôn am ddetholiad safonol o farddoniaeth Gymraeg.

Nid yw'n nonsens am fod modd i ŵr o farn a gwybodaeth osod iddo ei hun rai egwyddorion gwrthrychol wrth ddethol ei gerddi: gall ddewis, nid yn unig yn ôl ei chwaeth a'i fympwy ei hun, ond yn hytrach yn ôl ei syniad cytbwys ef am yr hyn sydd dda, yr hyn sydd grefftus, artistig a chaboledig ym myd barddoniaeth. Y mae safonau gwrthrychol yn bod, a gall gŵr o chwaeth gatholig eu defnyddio ochr yn ochr a'i ymateb personol ei hun er mwyn ennill grym cytbwysedd a safon i'w ddetholiad terfynol.

Casgliadau annigonol

Yn anffodus, y mae'r holl gasgliadau o farddoniaeth Gymraeg a gafwyd hyd yn hyn wedi bod yn gyfyngedig i gyfnod (fel *Blodeugerdd yr 18fed ganrif* Gwenallt, *Beirdd yr Uchelwyr* D.J. Bowen) neu i fath arbennig o farddoniaeth (fel *Englynion a Chywyddau* Aneirin Talfan, *Drych y Baledwyr* Ben Bowen Thomas, *Gorchestion Beirdd Cymru* ac yn y blaen.) Neu maent wedi bod yn gwbl annigonol a disafon (fel *Beirdd Ein Canrif* a *Cerddi Gwlad ac Ysgol*). Neu, yn fwyaf anffodus i gyd, maent wedi honni bod yn gasgliadau safonol heb fod mewn gwirionedd yn ddim amgen na detholiad personol cwbl goddrychol a mympwyol.

Blodeugerdd Gruffydd

Mae'n rhaid fod *Blodeugerdd Gymraeg* W. J. Gruffydd gyda'r enghraifft orau o'r diffyg hwn yn holl lenyddiaethau'r byd. Aeth Gruffydd mor bell ag ysgrifennu Rhagymadrodd hir a chynhwysfawr i ddangos mai'r unig wir farddoniaeth oedd y cerddi byrion a thelynegol yr ymhoffai ef ynddynt. (Y mae rhagymadrodd Gruffydd i'w flodeugerdd yn cymharu'n dda o ran haerllugrwydd â llyfr Robert Graves, *The White Goddess*, lle mae'r awdur yn tynnu allan restr absoliwt a "therfynol" o wir feirdd Saesneg y canrifoedd; a rhestr go gyfyng yw hi!) Ac fe wnaeth blodeugerdd Gruffydd ddrwg mawr i feirniadaeth lenyddol yng Nghymru. Rhoddodd sylw ar ddictum John Morris-Jones ynglŷn â natur barddoniaeth, gan gondemnio beirdd Cymru i ymdroi'n rhy hir ac yn rhy gyson gyda'r ysbeidiol, yr emosiynol, y telynegol, gan beri iddynt anghofio fod barddoniaeth hefyd yn gallu bod yn storïol, yn ddeallol, yn epig, yn ddramatig, yn rhy bendrwm, rhy unochrog i feddwl barddonol Cymru am genedlaethau. Ac nid yw ei ddylanwad eto wedi marw o'r tir.

Ond wedyn dyma o'r diwedd yr ymdrech gyntaf i gyd i grynhoi o fewn cloriau un gyfrol gynrychiolaeth o holl gyfoeth barddoniaeth Gymraeg dros y canrifoedd, yn gaeth a rhydd, telynegol ac yn epig, yn emosiynol ac yn ddeallol. Yr oedd angen mawr iawn am y llyfr hwn, a dylid cofio felly, wrth sôn amdano ein bod yn beirniadu o fewn fframwaith y gydnabyddiaeth gyffredinol mai hon yw'r gyfrol fwyaf sylweddol o farddoniaeth Gymraeg a gyhoeddwyd erioed, ei bod yn cynnwys blynyddoedd o waith ysgolheigaidd, ac na allai neb ond y golygydd ei hun fod wedi ei chasglu. Y mae lle i bawb ohonom feirniadu'r gyfrol, serch hynny, ond i ni gofio natur ei fframwaith.

Casgliad clasurol

Yn y lle cyntaf, cydnabyddwn mai gasgliad clasurol yw hwn. Clasurol, wrth reswm, yw gwaith Thomas Parry i gyd. Clasurol yn yr ystyr fod ei bersonoliaeth ef, ei chwaeth ef, ei rygdybiadau ef, bob amser yn cael eu cadw yn y cefndir, yn yr ystyr fod y gwaith ysgolheigaidd a wneir ganddo yn waith mor amhersonol a gwrthrychol ag sy'n bosibl. A cydnabyddwn werth ysgolheictod clasurol, ochr yn ochr â'r traddodiad gorramantaidd, sy'n perthyn i'n byd llenyddol. Os yw'r *Flodeugerdd Gymraeg* yn fodel unwaith ac am byth o'r detholiad personol, rhamantaidd, mympwyol, dichon na ddaw'r *Oxford Book* yn fodel o'r casgliad clasurol, cytbwys i ddetholwyr y dyfodol. (Os yn wir y bydd detholwyr yn y dyfodol.)

Cynnwys y gyfrol 350 o gerddi, yn ymestyn o Aneurin yn y 6ed ganrif hyd at Bobi Jones, a aned yn 1929. A theimlad cyntaf dyn yw teimlad o ryfeddod o'r newydd wrth feddwl am gyfoeth y derbyniant wrth ailamgyffred y wyrth sy'n gynwysedig o fewn cloriau'r llyfr. Yr ail deimlad yw fod yma orbwysleisio barddoniaeth y ganrif hon. O'r 370 o gerddi, ysgrifennwyd cant a hanner naill ai yn y ganrif hon neu ar ddiwedd y ganrif ddiwethaf. Os cofiwn ni mai rhyw 30 ar y mwyaf a ysgrifennwyd yn ystod y 18fed ganrif, y mae hyn yn ymddangos yn ormodol. Mae'n dangos gormod parch tuag at feirdd cyfoes parchus. Pan sylweddolwn mai dwy gerdd yn unig a gynhwysir o waith Islwyn, bardd mwyaf y ganrif ddiwethaf, mae'n anodd iawn cyfiawnhau cynnwys 4 cerdd o waith y Dr Peate, neu 4, i bob pwrpas, o waith J. M. Edwards. Fe ddywedir yn aml na roddir parch i fardd hyd nes y bydd yn ei fedd, ac y mae hyn yn wir yn resyn. Ond llawn cyd waethed yw rhoi gormod parch i'r byw ar draul y meirw. A gwneir hyn, mi dybiaf, yn yr *Oxford Book*, gan roi'r argraff fod y ganrif hon, yn hanes ein llên, yn bwysicach nag ydyw.

Y Llinyn Arian

Ar y llaw arall, mae'n anodd iawn cweryla â'r dewis o feirdd y ganrif hon y cynhwysir eu gwaith. Gallai dyn amau presenoldeb Eirian Davies hwyrach, a Meirion Roberts, o feddwl am eraill nad ystyrrid hwy'n gymwys, ond mân gecran personol yw hyn, ac o, mae'n ollyngdod cael darllen detholiad o farddoniaeth y ganrif hon sydd wedi cael gwared â'r swmp anferth o delynegion arwynebol a phitw a gyflwynir fesul llathen i'r lleuad a'r llynnoedd llonydd, i'r nos a'r niwl a'r ynys. Mae dyn yn teimlo fel y teimlai darllenwyr o Saeson, rwy'n sicr, pan glywsant, yn 1922, fod y gyfres *Georgian Poetry* o'r diwedd wedi dod i ben ei thennyn. Mae'n teimlo fod y wawr yn dechrau torri ar fyd ein meddwl llenyddol. A pheidier â chamsynied, y mae'r gyfrol hon am gael effaith sylfaenol a pharhaol ar ein meddylfryd llenyddol. Y mae eraill hefyd am ddechrau meddwl cyn bo hir fod J. M. Edwards, Bobi Jones, Harri Gwynn ac Euros Bowen yn feirdd. Mae'n syn beth yw dylanwad imprimatur Rhydychen.

Beth yw'r argraff gyffredinol a geir wrth droi'r tudalennau, a chael rhyw fath o fras arolwg ar ein holl draddodiad barddonol? Wel, ei angerdd crefyddol. Dro ar ôl tro, dros y canrifoedd, fe welir y dyhead am gariad Duw yn codi ac yn ailgodi mewn to ar ôl to o feirdd Cymru. Hyn, mae'n debyg, yw prif ffrwd barddoniaeth Gymraeg, hyn yw'r ddolen gydiol yn y traddodiad, yr awydd i foli. Barddoniaeth foliannus yw barddoniaeth Gymraeg, yn hytrach, dywedir, na barddoniaeth ddisgrifiadol fel barddoniaeth Saesneg, neu farddoniaeth seiniau fel barddoniaeth Ffrainc. Soniodd Matthew Arnold un tro am feirdd Cymru fel rhai yn cuddio diffyg sylwedd trwy wneud sŵn godidog. Arferwn gredu fod hyn yn wir. Ond gwir ydyw am elfennau gwaelaf ein traddodiad yn unig, am y canu bas ac arwynebol a frithodd blodeugerdd Gruffydd ond a ysgubwyd allan o gyfrol Thomas Parry, gan adael yn eglur i bawb y llinyn aur o foliant sy'n troelli fel afon lonydd araf trwy'r canrifoedd, yn symud trwy diriogaeth newydd o hyd, yn addasu ei hunan, yn adnewyddu ei nerth o filltir i filltir; ond yn ei hanfod yr un yw hi ym mhobman, yr un yw ei deunydd a'r un yw ei gogoniant. Y mae'r bardd Cymraeg, ar ei orau, yn gantor crefyddol, yn fynach sydd wedi rhoi ei fywyd i weinyddu mawl. Ardderchowgrwydd y canu yw cynnwys yr *Oxford Book.*

13 Ebrill, 1962
SYLFAEN I FEIRNIADU – Y POSIBL

Gosod Safbwynt

Mae hi'n eithaf peth ambell waith, mi dybiaf, i golofnydd lunio rhyw fath o faniffesto. Iddo ddweud, mewn gair, beth sy y tu ôl i'w batran wythnosol, os oes unrhyw beth o gwbl y tu ôl iddo. Rwy'n torri eilwaith ar draws fy sylwadau ar addysg grefyddol er mwyn gwneud rhywbeth tebyg i hyn yr wythnos yma. Dewisaf yr wythnos yma am ddau reswm. Yn y lle cyntaf, y mae darlith a drama Saunders Lewis wedi achosi llawer o ailfeddwl sylfaenol ymysg llawer o bobl ar fater Cymru a'r iaith Gymraeg; ac y mae sawl un, golygyddion pob papur Cymraeg, Gwynfor Evans, Bobi Jones, Graham Hughes o Aberystwyth, golygyddion papurau'r myfyrwyr yn y colegau, Syr Emrys Evans, Ioan Bowen Rees, Dr Jac Williams, Goronwy Rees ar y teledu, a llu o bobl eraill mewn gwasg ac ar lwyfan, wedi cydio mewn rhannau o'r ddarlith fel man cychwyn i ddatganiadau am ddyfodol a phresennol Cymru. Yn yr ail le, cydiodd golygydd *Y Faner* yr wythnos ddiwethaf yn yr hyn a ddywedais yn *Y Llan* am y ddrama *Excelsior*, gan ddweud, yn eithaf cywir, mae'n sicr, y byddai anghytundeb chwyrn â'r hyn a ddywedais, a chan fynd ymlaen i wneud rhai datganiadau cyffredinol ynglŷn â'r agwedd a wêl ef yn y cyfan a ysgrifennaf. Am y rhesymau hyn, cydiaf yn y cyfle i wneud fy safbwynt yn glir ar yr holl faterion sy'n codi o ddarlith a drama Saunders Lewis. (Gan gymryd yn ganiataol mai dwy ochr i'r un geiniog oedd y ddarlith a'r ddrama.)

Niwrosis Du a Gwyn

Y mae Gwilym R. Jones yn iawn pan ddywed fy mod yn credu'n gryf iawn fod angen llawer mwy o oddefgarwch arnom yng Nghymru: ond nid yw hynny'n gyfystyr â dweud fod angen ymatal rhag beirniadu: nid ydyw'n golygu ychwaith fod angen ymatal rhag ymosod yn ffyrnig iawn ar rai pethau. Yr hyn y mae'n ei olygu ydyw y dylem feirniadu bob amser gyda goddefgarwch, gan ddefnyddio'r deall, a chan gadw ein beirniadaeth y tu mewn i derfynau'r posibl. Mae llawer iawn o'r beirniadu cymdeithasol a welwn yn y Gymraeg heddiw yn afreal, yn ffantastig, yn disgwyl llawer gormod, yn Wtopaidd yn ei ansawdd. Ac y mae'r math yma o feirniadu yn gwneud llawer mwy o ddrwg nag o les. Ystyriwn, er enghraifft, feirniadaeth lenyddol. Mae'n deg dweud, rwy'n credu, mai'r hyn a geir mewn beirniadaeth lenyddol yn y Gymraeg yw dau safbwynt eithafol. Cawn ar y naill law y beirniad sy'n cymryd y safbwynt fod popeth a ysgrifennir yn y Gymraeg yn agored i'w ganmol *am ei fod wedi ei ysgrifennu yn y Gymraeg*, a hyn am fod angen am lawer iawn mwy o lyfrau Cymraeg. (Clywais feirniad mor alluog a chelfydd â John Gwilym Jones yn dweud rhywbeth peryglus o debyg i hyn.) Ar y llaw arall, fe gawn y beirniad sy'n disgwyl i lenyddiaeth Gymraeg gystadlu â llenyddiaeth Saesneg *ym mhopeth*, ac felly sy'n ei chael hi'n anodd iawn i ganmol unrhyw beth, am resymau amlwg. O ganlyniad, anaml iawn iawn y gwelir beirniadaeth deg a chytbwys a gwrthrychol ar lenyddiaeth Gymraeg gyfoes: ceir gorganmol neu orfeirniadu ar bopeth. Niwrosis llenyddol yw peth fel hyn, mewn gwirionedd, a'r unig ffordd gywir i drafod llenyddiaeth yw trwy ei drafod *fel llenyddiaeth*, pa iaith bynnag yw ei gyfrwng. Dyma'r unig gyfraniad cadarnhaol y gall y beirniad llenyddol ei wneud i barhad llenyddiaeth Gymraeg yn y pen draw: ei feirniadu *fel beth ydyw*, gan anwybyddu ystyriaethau amherthnasol: y mae hyn yn hawdd ei ddweud, yn anodd ei wneud: ond mae'n bosibl.

Disgwyl gormod neu rhy ychydig

Yn awr, y mae'r hyn sy'n wir am feirniadaeth lenyddol yn wir am ein holl ddull o feddwl am Gymru: yr ydym naill ai'n disgwyl gormod oddi wrthi ac oddi wrthym ein hunain, neu'n disgwyl rhy ychydig. Y mae'r naill agwedd neu'r llall yn esgor yn y diwedd ar niwrosis mewnddrychol sy'n parlysu pob gweithred gadarnhaol. A chredaf fod y trafod a'r trafod, a'r trafod wedi dod yn beryglus o agos at y stad yma o barlys cymdeithasol. Ceisiaf egluro ymhellach beth yr wyf yn ei olygu wrth hyn. Ar y naill law, ceir llawer o Gymry gwlatgar, eiddgar, gweithgar, meddylgar, sy'n disgwyl i Gymru – a'r Cymry Cymraeg, fel arfer – fesur i fyny i safonau cymdeithasol a chyffredinol gwlad fawr fel Lloegr neu Ffrainc, gan ddisgwyl iddi arddangos manteision, cyfoeth diwylliadol, hunan-barch, safon celfyddyd a gwleidyddiaeth gwlad o adnoddau a chyfleusterau llawer iawn mwy; gan hynny, y mae'r bobl hyn bob amser mewn stad o siom, o ddicter, o ddadrith, o chwerwder, ac, o'r diwedd, o anobaith. Ar y llaw arall, ceir llawer iawn mwy sy'n credu nad yw Cymru'n ddim llawer o le. (Rhai, yn wir, sy'n tybio nad yw Cymru ddim yn bod o gwbl.) Y mae'r bobl hyn yn cymryd yn ganiataol na all Cymru fyth fesur i fyny i unrhyw safon gwerth chweil mewn unrhyw beth ar wahân i ganu emynau yn yr awyr agored mewn cae rygbi neu fridio corgwn; y mae'r rhain hefyd mewn stad barhaus o niwrosis oherwydd eu bod yn gweld cynifer o bobl yn gwastraffu cymaint o amser yn cadw'n fyw rywbeth sydd wedi marw ers canrifoedd. Maent yn ddig oherwydd eu bod yn gweld y bobl ffôl hyn yn cael hwyl anfarwol wrth fod yn ffôl, yn byw bywydau llawn ac amrywiol sy tu hwnt i'w cyrraedd hwy; gan hynny, y mae'r rhain hefyd yn y man yn mynd i stad o siom, o ddicter, o ddadrith, o chwerwder, ac o'r diwedd, o anobaith a siniciaeth.

Beth sydd gennym?

Y mae'n gorwedd y tu ôl i'r golofn hon y syniad fod y ddwy agwedd at Gymru mor anghywir ac mor anffodus â'i gilydd. Beth, wedi'r cyfan, sydd gennym yma yn y gornel hon o'r ddaear? Mae gennym blot daearyddol aruthrol o brydferth ac amrywiol: mae gennym nerth Eryri a thynerwch y Preselau a myrdd o ryfeddodau rhwng y ddau. Y mae gennym gyfle gwell na'r rhan helaethaf o feibion dynion i weld drych y duwiol yn ein hamgylchfyd. Ac yna y mae gennym nifer helaeth o eneidiau tragwyddol sydd wedi eu gwreiddio'n ddwfn, unwaith ac am byth, ym mhridd y prydferthwch hwn: yn y pridd yma y mae eu cartref daearol, ac ni all un copa walltog ohonynt newid hyn, ym mha bynnag ran o'r byd y byddant yn dewis gorffen eu dyddiau. Wedyn, yn gwlwm rhwng y rhain a'r gorffennol a'u creodd a'r presennol sy'n cyd-fyw â hwy, y mae gennym iaith. Ac y mae iaith, Duw a ŵyr, yn fwrdwn ac yn fraint i ni; ond yn bennaf yn fraint, oherwydd mae'n gyfle, fel y mae'n daear yn gyfle, i ni weld y patrwm cyflawn, i ni amgyffred undod bywyd. Dyma sydd gennym, gwlad fechan analluog ar ymylon cyfandir, ac iaith sy'n perthyn i fychander y wlad, ac i'r bychander hwnnw yn unig. Beth felly a wnawn â'r pethau hyn?

Un peth na allwn ei wneud heb ladd rhyw ran ohonom yw torri ein hunain yn rhydd oddi wrthynt. Yr ydym yn perthyn iddynt: y maent hwythau yn perthyn i ni. Hebddynt, ni fyddent yr hyn ydym. Ond cofiwn wedyn mai perthyn iddynt am gyfnod yn unig yr ydym. Rhywdro, yn hwyr neu'n hwyrach, fe fydd angen i ni eu gadael a mynd at bethau eraill. Yr ydym yn perthyn i Dduw yn ogystal ag i Gymru; yr ydym yn perthyn i ddynoliaeth gyfan yn ogystal ag i'n teulu o gyd-Gymry.

Ac y mae hynny yn f'arwain hwyrach i fod yn hereticaidd yn ôl safonau y Cymro gwlatgar. Prif bwrpas dyn ar y ddaear yw tyfu'n bersonoliaeth derbyniol gan Dduw. Yn awr, ni chredaf fod modd i ddyn wneud hyn, yn sefyllfa bresennol y byd yn yr ugeinfed ganrif, trwy wneud yr hyn a argymellodd Saunders

Lewis yn ei lythyr diweddar yn *Y Faner*, ac anwybyddu pob problem gymdeithasol gydwladol, newyn a gwrthryfel, bomiau niwclear, dienyddio, ac yn y blaen, gan ganolbwyntio'n llwyr ar gadw'r iaith Gymraeg yn fyw. Fe ddichon fy mod yn anghywir, ond, i'm tyb i, dyn anghyflawn yw'r gŵr sy'n methu ymdeimlo â chyflwr cyffredinol y ddynoliaeth yn ogystal â chyflwr y ddynoliaeth yn ei wlad ef ei hun. Y mae'r werin yng Nghymru wedi dioddef anghyfiawnder ofnadwy erioed: a'r mwyaf o'r anghyfiawnderau hyn oedd yr ymgais ddieflig i'w gadael, yng nghyfnod y Dadeni – cyfnod mwyaf toreithiog diwylliant Ewrop – yn werin fud, yn bobl heb iaith, yn eneidiau heb gyfrwng digonol i gyfathrebu ag eneidiau eraill. Ac ni ddylid caniatáu i beth fel hyn ddigwydd eto. (A dyma'r prif reswm dros ymladd ac ymladd ac ymladd i gadw'r iaith Gymraeg yn fyw: mae'n amheus a all unrhyw gyfrwng arall fynegi'r hyn y mae'r iaith hon wedi arfer ei mynegi i'r Cymro.) Ond y mae hefyd werin fyd-eang sy'n dioddef anghyfiawnder heddiw, ac y mae drygau cymdeithasol mawr sy'n gyffredin i ddynoliaeth ym mhobman. Rwy'n sicr mai pechod fyddai anwybyddu'r pethau hyn er mwyn canolbwyntio ar broblemau ein plwyf ni.

Goddefgarwch i gydweithio

Yr wyf yn credu hefyd, fel y dylai'r Cymro ymdaflu i mewn i broblemau'r ganrif, y dylai sylweddoli fod yn rhaid iddo wrth rhyw iaith neu ieithoedd eraill yn ogystal â'r Gymraeg er mwyn tyfu'n unigolyn cyflawn yn y byd sydd ohoni. Fel y dywedodd Saunders Lewis ei hun, y mae'n amhosibl bellach i'r dyn diwylliedig fyw y cyfan o'i fywyd yn Gymraeg. Golyga hyn fod yn rhaid iddo dderbyn oddi allan, ac addasu ei Gymraeg er mwyn iddo gyd-fyw a chyd-dyfu yng nghymdeithas ieithoedd a phobloedd eraill: os nad yw am fodloni i wneud hyn, ni fydd yr iaith Gymraeg fyw o gwbl. Os y gwna hyn, credaf fod ganddi siawns. Ond trwy ymestyn terfynau byd y Cymro, trwy wneud y Gymraeg yn llestr mwy ystwyth, mwy cynhwysfawr, y mae'n cadw ei bywyd, nid yn bennaf trwy lenwi ffurflenni yn Gymraeg.

Fel dynion, mae'n rhaid i ni fod yn ymwybodol o gyflwr y byd; fel Cymry, mae'n rhaid i ni fod yn ymwybodol o gyflwr Cymru. Ac fel unigolion, mae'n rhaid i ni wneud ein cyfran tuag at wella cyflwr y ddau. A dyma ni'n ôl yn y dechrau. Oherwydd credaf, er mwyn gwneud hyn, fod mwy o angen goddefgarwch na dim arall, yng Nghymru. Ond nid goddefgarwch difeddwl – goddefgarwch, yn hytrach, wedi ei seilio ar egwyddorion hollol bendant. Dylid ymosod yn chwyrn, er enghraifft, ar draethu bas ac arwynebol, ar yr ystrydebol bob amser, ar hunan-dwyll cenedlaethol, ar ragrith. Ond dylid goddef pobl, a dylid ceisio deall pobl nad ydym ar hyn o bryd yn eu deall, oherwydd mae'n weddol amlwg i bawb mai ein prif fai fel Cymry yw ein hanallu i weithredu gyda'n gilydd, yw diffyg goddefgarwch. Pe baem yn gallu dysgu cydweithredu, byddem gam yn nes tuag at gymdeithas iach, gadarnhaol. Y mae ein cymdeithas ar hyn o bryd yn negyddol, am nad ydym yn ddigon onest i wynebu'r ffeithiau hynny. Credaf fod gennym yma yng Nghymru gyfle i greu cymdeithas sy'n llywodraethu ei hun i raddau helaeth iawn, sy'n defnyddio iaith genedlaethol at lawer pwrpas, sy'n coleddu rhai egwyddorion cyffredinol go bwysig fel cydraddoldeb a pharch at fywyd. Gallwn gydio yn nhueddiadau'r amserau i wneud y posibiliadau hyn yn ffeithiau digon cadarn, oherwydd y mae mwy o gyfle, mewn byd o gewri cydwladol, i grwpiau bychan wneud mwy a mwy drostynt eu hunain. Ond ni allwn symud i unrhyw gyfeiriad o gwbl oni allwn gytuno yn y lle cyntaf i ble yr ydym yn symud, ac yn yr ail le fod yn rhaid i ni symud gyda'n gilydd.

18 Mai, 1962

PLAID A CHENEDL

Etholiad Maldwyn

Fel yr wyf yn ysgrifennu (fore dydd Mercher), mae'r syniadau ynghylch y canlyniad yn is-etholiad Maldwyn yn amrywio'n fawr. Credir ar y cyfan y bydd Emlyn Hooson yn cadw'r sedd i'r Rhyddfrydwyr, ond mae'n ddigon posibl y bydd hyd yn oed y syniad hwnnw'n edrych yn wirion ymhen ychydig oriau. Ond yr hyn y mae pawb yn gytûn arno yw'r ffaith y bydd Islwyn Ffowc Elis a Phlaid Cymru ar waelod y rhestr. Dywed rhai y bydd yn cael 1,500 o bleidleisiau, eraill mai 1,000 fydd y ffigur, a chlywais neithiwr gan un a ddaeth yn syth o Faldwyn y byddai'n ffodus i gael 500. Yn ddiweddar iawn hefyd, gwelwyd mai gobaith seithug oedd y gobaith fod Plaid Cymru a'r ymdeimlad o Gymreictod yn ennill tir ym Merthyr, a rhai ardaloedd tebyg yn y De. Yn lle ennill seddau yn yr etholiadau lleol diweddar, fe gollodd Plaid Cymru sedd ym Merthyr. Y mae hyn oll, wedi 30 mlynedd o frwydro, yn wrthun. Pan roddir ymgeisydd i mewn i frwydro etholaeth, gall fod dau ddiben y tu ôl i'w ymgais. Yn y lle cyntaf, gall fod yn gobeithio ennill y sedd; neu, ar y llaw arall, gall fod yn ceisio gosod safbwynt arbennig gerbron y cyhoedd, heb fawr o obaith ennill eu pleidleisiau. Mae'n weddol amlwg nad ydyw ymgeiswyr Plaid Cymru, ac yn arbennig ei hymgeisydd yn yr is-etholiad bresennol, yn gobeithio ennill y sedd. (Fe ddylai hyn fod yn weddol amlwg i bawb erbyn hyn, er i lawer ohonom goleddu gobeithion di-sail mewn etholiadau sawl gwaith yn y gorffennol.) Felly'r hyn a wneir yw cefnogi ymgeisydd er mwyn gosod safbwynt gerbron, dim mwy na hynny; ymgeisydd a fydd wedi gwneud ei waith os bydd wedi ennill 1,000 o bleidleisiau.

Angen ailfeddwl

Yn awr, fel un sy'n cefnogi bwriadau sylfaenol y Blaid, ac sy'n pleidleisio iddi fel mater o ddyletswydd er i mi anghytuno â llawer iawn o'i dulliau politicaidd (neu amholiticaidd, i fod yn fwy cywir), teimlaf fod pethau wedi mynd yn llawer rhy bell i ni wastraffu amser ac arian ac egni ar y math yma o chwarae plant. Y tu allan i'w garfan ei hun, ar wahân i'r bobol sy'n coleddu ei ddelfrydau ef, nid yw ymgeisydd seneddol sy'n ennill 1,000 o bleidleisiau mewn etholiad yn ddim amgen na thestun sbort. Ar ddiwedd yr etholiad cyffredinol diwethaf, dywedais mewn lle arall fod pleidlais y Blaid wedi cyrraedd ei benllanw a bod angen iddi fynd ati hi i ailfeddwl yn sylfaenol ynghylch ei pholisi os ydoedd am weld gwir les i Gymru yn deillio o'i hymdrechion. Ni ddigwyddodd hynny, oherwydd fod yr aelodau, at ei gilydd, wedi cael eu dallu gan bleidlais o 7,000 yma ac o 4,000 fan acw, a'u perswadio fod pethau'n llawer gwell nag yr oeddynt. Yn awr, cyn clywed canlyniad is-etholiad Maldwyn, rwy'n mentro dweud yr un peth eto. Os ydyw'r Blaid am wneud rhywbeth amgenach na gweld Cymru'n llusgo ymlaen fel hyn am 30 mlynedd eto, mae'n rhaid iddi ailfeddwl ac ailystyried ei safle ar unwaith.

Ac wedi'r ailfeddwl, beth wedyn? Y mae dwy ffordd yn agored, mi gredaf. Yn y lle cyntaf, fel yr awgrymodd Saunders Lewis, fel y mae amryw o aelodau ifainc y Blaid yn teimlo, ac fel y mae grŵp arbennig o aelodau mwyaf blaengar y Blaid yn teimlo hefyd, gellid mynd ati hi i ddefnyddio dulliau mwy eithafol, i fod yn fwy chwyldroadol, i gymryd dalen o lyfr y Pwyllgor o 100. Nid wyf yn credu y byddai hynny'n gweithio, onid yw'r bobol hyn yn bwriadu mynd yr holl ffordd, a chynnal rhyw fath o ryfel cartref ar raddfa fawr, fel yn Cyprus neu Ciwba. Ac ni welir arwydd o gwbl fod neb yn bwriadu mynd mor bell â hyn. Fe fyddai tipyn o sgarmesa o gwmpas gorsafoedd swyddogol a gweithfeydd dŵr yn cadw'r mater o flaen y cyhoedd, mae hynny'n wir, ond prin y byddai'n gwneud llawer mwy.

Dros beth?

Ar y llaw arall, fe ellid ailystyried beth, mewn gwirionedd, y mae'r Blaid yn sefyll drosto ac i ba raddau y mae modd iddynt gydweithredu â phobol eraill i'w sicrhau. Os ydynt yn sefyll dros fuddiannau Cymru fel cenedl, dros ddyfnhau a sefydlogi'r syniad o Gymru, a defnyddio dulliau politicaidd i wneud hynny, yna, heb chwyldroad, fe ddylai fod yn amlwg i bawb fod yn rhaid iddynt geisio cydweithredu â rhywun arall er mwyn gwneud hynny. Y mae elfennau Cymreig a gwlatgar iawn y tu mewn i'r Blaid Lafur yng Nghymru (nid wyf yn sôn yn awr am aelodau Seneddol; sôn yr wyf am aelodau cyffredin). Y mae'r un peth yn wir am y Blaid Ryddfrydol. A phe bai modd cael yr elfennau hyn at ei gilydd, fe fyddai 6, o leiaf, o aelodau Seneddol Cymreig yng ngwir ystyr y gair yn cael eu hanfon i Westminster. Yn lle hynny, yn y maes hwn fel ymhob maes arall, parhawn i ymladd â'n gilydd, i danseilio bwriadau'n gilydd, ac i fethu â chyrraedd unman o gwbwl. Pan sonnir wrth rai o arweinyddion Plaid Cymru am bethau fel hyn, maent yn tueddu i ddringo i fyny'r wal, gan sôn am "bobol ar y ffens", gan ddal i gredu mai Plaid Cymru yn unig, a Phlaid Cymru ar ei phen ei hun, a all achub Cymru. Bûm yn trafod y mater gyda chyfaill sydd yn y categori yma ychydig ddyddiau yn ôl, a'r un oedd yr ymateb. Wfftiodd y posibilrwydd y gallai Plaid Cymru weithio mewn cydweithrediad â neb arall, gan awgrymu y byddai hynny'n golygu bradychu egwyddorion ac yn cymrodeddu â'r gwirionedd. Credaf, yng nghyflwr presennol Cymru, fod hyn yn ffordd anghyfrifol o siarad a meddwl, ac yr wyf yn gwbwl argyhoeddedig ei bod hi ar ben ar y syniad o Gymru ac ar y nifer helaeth o bethau da iawn y mae'r syniad hwnnw yn ei ymgorffori, oni allwn ni i gyd ddarganfod ffordd i gydweithredu'n effeithiol yn grefyddol, yn gymdeithasol, ac yn wleidyddol, a hynny'n fuan iawn. Rwy'n gwybod nad yw'r syniad o gydweithio gyda rhywun arall sy'n dal syniadau ychydig yn wahanol i'w syniadau hwy yn syniad dymunol i Blaid Cymru, ond ni allant fforddio dewis y ffordd ddymunol bellach. Mae hi'n fater o raid. Os ydynt am wneud rhywbeth i newid cyflwr y genedl, mae'n rhaid gwneud hynny naill ai trwy chwyldroad neu rwy greu cydweithrediad effeithiol rhwng yr holl elfennau yng Nghymru sy'n awyddus i weld y rhan yma o'r byd yn genedl go iawn. Dyma'r unig ddewis sy'n bod, ac er y byddaf fi'n bersonol yn parhau i roi fy mhleidlais i Blaid Cymru, ac er i mi barchu parodrwydd Islwyn Ffowc Elis, o bawb, i aberthu ei amser a'i ynni mewn lle fel Sir Drefaldwyn, eto teimlaf yng ngwaelod fy nghalon ein bod yn teithio ar hyd y llwybr anghywir i gyfeiriad amhroffidiol.

Pam yn Y Llan?

A pham trafod y materion hyn yn *Y Llan*? Onid anghywir yw hi i mi fynd ati hi i frygowtha'n wleidyddol, bropagandaidd mewn papur crefyddol? Codaf y mater yma am i mi gredu ei fod yn fater o bwys hanfodol i Gymru'n gyffredinol, am fod y diffyg parodrwydd i gydweithredu sy'n amlygu ei hun mewn gwleidyddiaeth yn rhan annatod mae arnaf ofn o'n bywyd cenedlaethol, ac am mai hyn, yn y bôn, sy'n llesteirio'n holl ymdrechion ymhob maes, mewn crefydd yn ogystal â gwleidyddiaeth, mewn materion bychan, lleol, yn ogystal â materion mawr, cenedlaethol. Gall fy mod yn anghywir ynghylch canlyniad etholiad Maldwyn, ond ni chredaf fy mod yn anghywir ynghylch yr angen hollbwysig yma i ddarganfod ffordd ganol foddhaol, a'i cherdded yn gadarn. Oherwydd nad ydym wedi ei ddarganfod, y mae llawer o bobol o'r un farn am barhau i ymladd yn erbyn ei gilydd ym Maldwyn, ac mewn llawer sir arall yng Nghymru, yn afraid ac yn wastrafflyd.

25 Mai, 1962

1862 – 1962 YR UN BROBLEM

Lle'r lleygwr

O'm blaen yn awr, fel yr wyf yn ysgrifennu, y mae copi o'r *Haul* am y mis hwn ganrif yn ôl, mis Mai, 1862. Am beth yr oedd gohebwyr yr Eglwys yng Nghymru yn ymboeni yn eu rheithordai mawr, cyfforddus, yn y cyfnod araf hwnnw, eu morwynion yn barod yn y gegin i ateb eu galwadau, a'r gweision y tu allan yn cadw'r amgylchedd yn amgylchedd gweddus i sgweiar o Berson fyw ynddo? Wel, nid yw pethau'n newid llawer yn y bôn, er mor aruthrol y mae pethau wedi newid ar yr wyneb. Hyn a ddywed cyfaill o'r enw 'Gregory' (ymddengys mai gwaith peryglus oedd defnyddio enw priodol yn yr *Haul* yn y cyfnod hwnnw; ffugenwau sydd gan bawb; wrth gwrs, fe all hyn fod am mai Brutus a ysgrifennodd y cyfan ei hun!) mewn ysgrif a elwir yn *Rhagolygon yr Eglwys yng Nghymru*:

> Un diffyg yn yr Eglwys yn ddiau ydyw, nad yw'r bobl yn cymeryd cymaint o ran yn y gwaith da ag a ddylent, a'u bod yn ei adael yn ormod i'r Offeiriad. Mae hyn yn golled fawr. Gobeithiwn nad oes llawer yng Nghymru yn meddwl mai yr Offeiriad yw yr Eglwys… Ond yn ddiddadl mae llawer o aelodau lleygol yn yr Eglwys nad ydynt yn dewis cael mwy o ran yn y gwaith o drefnu ei hachosion, na phe na buasai yn Eglwys iddynt hwy, dim mwy na phe buasai yn Eglwys i'r Offeiriad yn unig. Nid oes neb a ŵyr faint o niwed a wna hyn i lwyddiant a dylanwad yr Eglwys.

O wel! Y peth rhyfedd yw fy mod innau wedi bwriadu sôn am yr un peth yn union yr wythnos hon cyn i mi ddod ar draws y rhifyn yma o'r *Haul* o gwbl. Ychydig o newid sydd.

Mae'n sicr o fod yn wir y rhoddir mwy o lawer o sylw y dyddiau hyn nag yr arferid ei roi yn 1862 i'r ffaith mai corff yw'r Eglwys lle y mae i bob aelod ei briod waith; beth bynnag yw ei ran yn y ddrama, mae pob unigolyn yn un o'r cwmni unwaith y mae wedi cael ei fedyddio. Ond rwy'n ofni, er hynny, fod peth o adladd y cyfnod pryd yr oedd offeiriad yn hawlio lle uchel mewn cymdeithas yn rhinwedd ei swydd, a phryd yr oedd, o'r herwydd, ddigonedd o offeiriaid i'w cael, yn dal i grogi dros ein cyfnod ninnau. Er y gwyddom fod gan y lleygwr le pendant yn yr Eglwys, nid ydym yn sicr o gwbl beth yw'r lle pendant hwnnw, beth yn union yw gwaith y lleygwr. Hwyrach y caniateir i mi groniclo rhai sylwadau gwasgar personol ar y mater.

Gosod sialens

Yn y lle cyntaf, credaf fod esgobion ac offeiriaid y Cymundeb Anglicanaidd yn gyffredinol, a'r Eglwys yng Nghymru'n arbennig, yn gofyn llawer rhy ychydig o ymdrech, a llawer rhy ychydig o aberth oddi wrth eu haelodau lleyg dros y wlad, yn ddynion a merched. Yn ddelfrydol, teimlaf y dylid gosod sialens go galed i'r Eglwyswr lleyg, yn hytrach na gadael iddo lusgo i'r Eglwys rhywdro rhywsut, heb feddwl ddwywaith am ei gyfrifoldeb drosti, a heb ystyried ei hun yn rhan o'i ffyniant a'i pharhad fel cymdeithas ddaearol. Y mae'r Eglwys wedi caniatáu i bethau lithro i'r fath stad fel y gall llawer o leygwyr eistedd yn ôl a beio'r offeiriad pan y bydd pethau'n mynd o chwith mewn plwyf, gan anghofio'n gyfleus ac yn barhaus mai mater i'r teulu cyfan yw ffyniant materol ac ysbrydol yr Eglwys, ar raddfa leol a chenedlaethol. Pe bai'r pwyslais cywir yn cael ei roi ar natur gweinidogaeth y lleygwr, ni fyddid yn clywed sôn wedyn am bobl yn peidio â mynychu gwasanaethau am nad oedd yr offeiriad yn bregethwr da; neu, a'n helpo ni, am eu bod wedi ffraeo â'r offeiriad, neu â'r warden, neu â rhywun arall yn y gynulleidfa; ni fyddid ychwaith yn clywed sôn am gwyno a checran pan y bydd angen uno un plwyf â phlwyf arall.

Er mwyn cael gwared â'r agwedd afiach hon at aelodaeth Eglwysig, fe fyddai'n rhaid gwneud i'r aelodaeth olygu rhywbeth mewn termau ariannol ac mewn termau o ddisgyblaeth ysbrydol. Er enghraifft, yn y gymdeithas faterol-ffyniannus sydd ohoni, credaf y dylid gofyn i bob lleygwr gyfrannu rhywbeth yn debyg i'r hen ddegwm o'i gyflog tuag at gynhaliaeth yr Eglwys ar y naill law, a chredaf y dylid mynnu ei fod yn Cymuno unwaith yr wythnos ar y llaw arall. Yn bersonol, byddwn yn ychwanegu rhai amodau eraill hefyd, fel ymrwymo pob lleygwr i gymryd rhan mewn rhyw waith dyngarol arbennig, a'i ymrwymo hefyd i ddilyn cwrs o astudiaeth ddiwinyddol. Trwy gychwyn yn y fan hyn, trwy bwysleisio cyfrifoldeb deublyg y lleygwr, ei gyfrifoldeb ysbrydol dros fywyd y teulu Cristionogol, a'i gyfrifoldeb materol dros barhad y teulu fel trefnyddiaeth weladwy ac ymarferol yma ar y ddaear, bychan o gam wedyn fyddai ei gael i gymryd y diddordeb gofynnol yn ei Gyngor Plwyf, yn y cynghorau Deoniaethol ac Esgobaethol ac yng ngweithgareddau'r Corff Llywodraethu.

Offeiriaid rhan amser

Yn ail, ochr yn ochr â hyn, tra bo prinder offeiriaid yn cynnig y cyfle, teimlaf fod angen lleihau'r agendor rhwng offeiriad a lleygwr trwy feddwl am y posibilrwydd o greu offeiriaid rhan amser na fyddent yn dreth ariannol ychwanegol ar ysgwyddau'r Eglwys, ond a fyddent, er hynny, yn offeiriaid, ac yn abl i ysgafnhau beichiau'r offeiriad plwyf ar y Sul mewn ffordd mwy boddhaol nag sy'n bosibl i'r darllenydd lleyg; fe fyddent hefyd yn bont effeithiol rhwng offeiriad a lleygwr ac yn arweiniad i'r lleygwyr mewn ardaloedd lle y mae'r fath arweiniad yn angenrheidiol. Clywsom y dydd o'r blaen am un enghraifft o'r math yma o beth yn digwydd yn un o Esgobaethau Cymru, ac nid oes gennyf amheuaeth o gwbl na ellid gwneud llawer mwy o ddefnydd o wasanaeth tebyg. Teimlaf fod llawer o ddifaterwch lleygwyr yn codi o'r agendor sy'n bod rhwng offeiriad a lleygwr.

Cyfaddefaf fod llawer o'r hyn a ddywedais eisoes yn

ddelfrydol, ac y byddai angen i'r Eglwys ennill mwy o ymdeimlad o'i bywyd corfforol yng Nghrist cyn y gellid meddwl am y weinidogaeth leyg mewn termau mor holl gynhwysfawr ag yr awgrymais uchod. Hwyrach yn wir ei bod yn rhy fuan hyd yn oed i feddwl am greu pont sylweddol gydag offeiriaid rhan-amser, gan mor wan ydyw'r teimlad o undod lleygwr ac offeiriad ar hyn o bryd, gan mor wasgarog a thameidiol yw bywyd yr Eglwys. Ac oherwydd hyn, credaf hwyrach y dylid cychwyn drwy ffurfio grwpiau – celloedd ysbrydol – o offeiriaid a lleygwyr a fyddent yn rhoi arweiniad lleol a chenedlaethol i fywyd beunyddiol yr Eglwys ac a fyddent yn fodlon byw dan orfodaeth corff o reolau arbennig. Gallai'r fath grwpiau fod yn fan cychwyn i agwedd mwy boddhaol tuag at swyddogaeth y lleygwr ar y naill law ac i well a llwyrach perthynas rhwng lleygwr ac offeiriad ar y llaw arall. Gallent hefyd gario bywyd yr Eglwys yn effeithiolach i'r byd y tu allan. Nid dyma'r lle wrth gwrs, i ymhelaethu ynghylch y posibilrwydd o greu urdd o gelloedd o'r math yma, casgliad o Gristnogion a fyddent, fel teulu Taize, ar yr un pryd yn rhan o fywyd y byd ac yn bont rhwng y byd a'r Eglwys; ond hwyrach mai dyma'r lle i grybwyll yr angen.

Angen y dyfodol

Yn y blynyddoedd sydd i ddod, fe fydd angen i'r Eglwys yng Nghymru ddibynnu fwyfwy ar ei lleygwyr, a chredaf y bydd angen iddi wneud ymdrech fawr i adeiladu pontydd parhaol rhwng y lleygwyr a'r offeiriaid. Ar hyn o bryd, gwasgarog a lleol iawn ac ansicr o'i natur yw bywyd yr Eglwys yng Nghymru. Nid y lleiaf o'r rhesymau am hyn yw ansicrwydd cyffredinol ynghylch natur gweinidogaeth y lleygwr, a'r amharodrwydd i osod o flaen y lleygwr sialens go iawn, yr amharodrwydd i fynnu ei wneud yn aelod cyflawn, cyfrifol o'r Eglwys. Oni ellir trosglwyddo'r sôn cynyddol am hyn yn weithredoedd pendant cyn bo hir, fe fydd yr agendor eglur rhwng bywyd beunyddiol y lleygwr cyffredin a neges offeiriadol yr Eglwys yn dyfnhau ac yn lledaenu o wythnos i wythnos ac o'r diwedd yn achosi i'r naill a'r llall golli cyswllt â'i gilydd yn llwyr. Fe ddylid bod yn berffaith glir bellach mai braint a chyfrifoldeb anodd iawn ei gyflawni yw bod yn aelod lleyg o'r Eglwys, nid rhyw fath o etifeddiaeth lac, otomatig, sy'n gofyn i ddyn wisgo ei siwt orau ar y Sul, rhoi cwpaned o de i'r Person unwaith yn y pedwar amser, a dim llawer mwy na hynny. Dylid dangos, cyn iddi fynd yn rhy hwyr, mai cartŵn o aelodaeth Eglwysig yw peth fel hyn, a'i fod yn arwain, yn y pen draw, i gartŵn o Eglwys.

Mater i'r Eglwys gyfan ei benderfynu yw'r union waith y mae hi'n ei ddisgwyl oddi wrth y mwyafrif mawr o'i haelodau, ei lleygwyr. Ond cyfaddefwn fod angen iddi ofyn iddynt wneud llawer mwy, nid yn unig yn weinyddol, ond ar lefel ysbrydol hefyd, a bod angen iddi wneud hyn yn eglur yn fuan iawn. Eglwys yn marw ar ei thraed yw Eglwys lle mae'r lleygwyr yn ddifater, a phwy a ddywed nad Eglwys felly, at ei gilydd, yw'n Heglwys ni ar hyn o bryd?

1 Mehefin, 1962

RUSSELL – COVENTRY

Y mae Bertrand Russell yn 90 oed, a theg, rwy'n sicr, yw fod papur Cristionogol yn llongyfarch arch-agnostig yr oes ar ei fywyd a'i waith. Mae'n sicr y cytunai pawb ond y ffwndamentalwyr mwyaf caeth fod Russell wedi gwneud cymaint â neb dyn sydd heddiw yn fyw i geisio perswadio dynion i fyw yn ddiwylliedig ac yn oleuedig. Ac mae'n ddiddorol sylwi, o gofio am ei weithredoedd yn ystod y blynyddoedd diwethaf hyn, blynyddoedd pryd y byddai bron bawb arall o'i oed wedi cilio i'r gornel, i'r gwely, neu i'r bedd, ei fod yn sôn amdano'i hun wythnos yn ôl ar y radio fel gŵr digon ceidwadol ei naws a'i agwedd at gymdeithas. Ac mae ysgrifau Russell ar addysg, er enghraifft, yn cadarnhau hyn yn ddigon pendant. Ysgrifau ydynt gan ddyn sy'n dal i gredu fod y pwnc, y maes llafur, yn rhywbeth gosodedig, a bod llawer mwy o angen darganfod beth i'w ddysgu i blant na sut i fynd o gwmpas y busnes o'u haddysgu nhw; ychydig o gydymdeimlad sydd ganddo â'r rhan fwyaf o'r datblygiadau addysgol diweddar a darddodd o syniadau Rousseau, Froebel, Pestalozzi a Dewey. Ac yn ei sgwrs radio, soniodd am y ffordd y bu'n aelod digon cyffredin, digon ufudd, digon confensiynol o'i ddosbarth breintiedig ei hun am lawer blwyddyn, hyd nes yr oedd bron iawn yn ganol oed, a bod ei agwedd, hyd yn oed wedyn, wedi newid yn araf iawn hyd nes y daeth o'r diwedd i ddechrau tynnu llinell, a dweud wrtho'i hun "Dalla i ddim caniatáu i hyn ddigwydd" neu "Dalla i ddim aros yn ddistaw ynglŷn â'r llall." Gweithredoedd gŵr sy'n gyndyn iawn i wrthryfela yw gweithredoedd y Pwyllgor o 100 yn y bôn, gŵr a dreuliodd y rhan gyntaf o'i oes yn darganfod prydferthwch esthetig mathemateg, ac yn gweithio gyda Whitehead ar y campwaith academaidd *Principia Mathematica*. A chredaf mai dynion fel hyn yw'r rhan fwyaf o brotestwyr mawr y canrifoedd, o wrthryfelwyr mwyaf delfrydol hanes, gwŷr digon tawel, digon parod i gydymffurfio at ryw bwynt, ond gwŷr a benderfynodd, rhywle ar hyd y ffordd, eu bod yn tynnu llinell, nad oeddynt yn fodlon symud gam ymhellach, a gwŷr a ddarganfyddodd y nerth a'r dycnwch i dderbyn goblygiadau'r fath benderfyniad. Nid penboethyn gwyllt a diedifar yn rhuthro o gwmpas i gythruddo pobl yn ei henaint yw Russell, ac nid hen ŵr chwerw a checrus a drodd yn erbyn dynoliaeth am iddo fethu cyrraedd ei nod yw ychwaith. Gŵr llonydd, gŵr tawel, hynod o ddeallus, rhesymol uwch popeth arall, amheus, egwyddorol iawn, cwrtais a thyner ydyw; ond mae'n feddyliwr sydd, yn ei eiriau ef ei hun, wedi gwylio dynoliaeth yn cymryd y camrau anghywir drosodd a throsodd wrth wneud pob penderfyniad o dragwyddol bwys o 1914 ymlaen, a gŵr a welodd mai dyletswydd yr unigolyn cyfrifol oedd dweud ei farn yn groyw a sefyll yn erbyn tueddiadau hunanol, hunan-ddinistriol, afresymol, cul ac anneallus ei oes, dweud ei farn a derbyn y canlyniadau. Mae'n ddyn egwyddorol a fynnodd fyw yn ôl ei egwyddorion. Dyn felly, yn ôl hanes, oedd Socrates hefyd, dyn heb wneud drwg i neb erioed ond ei fod felly wedi sefyll ar ei draed a dweud y gwir. Fel y dywedodd Eliot, ychydig iawn o'r gwirionedd y mae dyn yn abl i'w oddef, ac fe laddwyd Socrates am ddweud gormod ohono, am sefyll yn rhy gadarn drosto, am wrthod cymrodeddu. Nid yw'n debygol y lleddir Russell, ond gallwn fod yn sicr mai cael ei aflonyddu a'i amharchu fydd ei hanes weddill ei ddyddiau, cael ei daflu allan, yn ôl pob tebyg, o'r blaid sydd i fod i sefyll, yn anad unpeth arall, dros ddyngarwch ymarferol, cael ei wawdio a'i wfftio gan ddynion bas pryd y gallai'n hawdd iawn eistedd yn ôl yn ei henaint a derbyn yr anrhydeddau academaidd y mae wedi eu haeddu. Y mae esiampl digymrodedd Russell yn esiampl i'r Eglwys nad yw'n gallu bod yn aelod ohoni, nac yn gefnogol iddi, yr Eglwys sydd mor aml yn amharod i wneud safiad cyhoeddus pendant dros egwyddorion sylfaenol, sy'n cymrodeddu'n rhy aml o lawer, ac sy'n rhy fodlon i eistedd yn ôl yn hunan-fodlon yn ei thŵr ifori o ddogma ac athrawiaeth a'i thrafodion ariannol ac academaidd.

Siomedig i'r eithaf oedd pregeth Archesgob Caergaint yn Eglwys Gadeiriol Coventry. (Yr oedd pregeth Archesgob Efrog y diwrnod canlynol yn llawer mwy grymus a phwrpasol, tae wahaniaeth am hynny.) Yr oedd ganddo gyfle godidog, dybiwn i, i ddangos yn ei bregeth sut y daeth Eglwys ogoneddus Coventry i fod yn symbol o gydweithrediad Cristionogaeth â chelfyddyd, y cydweithrediad llwyraf a pherffeithiaf o'r artist a'r Cristion a gafwyd ers canrifoedd yn yr ynysoedd hyn. Y mae'r Cymundeb Anglicanaidd ers llawer cenhedlaeth bellach, wedi gwrthod gweld gogoniant celfyddyd, wedi gwrthod cydnabod mai gwedd arall ar y Weledigaeth Nefol yw artistwaith yn ei holl agweddau, wedi gwrthod gweld mor agos yw byd y dychymyg i fyd yr enaid, a phrydferthwch treiddgar gweledigaeth y gwir artist i brydferthwch y gwirionedd a geir yn y grefydd Gristionogol. Ers talwm, yr oedd y tadau'n deall hyn, ac yn awr, yn eglwys Coventry, dyma'r Eglwys wedi mentro o'r diwedd, ac wedi defnyddio talentau gorau'r weledigaeth artistig gyfoes i adeiladu tŷ i Dduw sy'n perthyn yn hollol bendant i ddull dyn o greu mewn paent a charreg a gwydr a phren yn yr ugeinfed ganrif. Fe fu Coventry'n fentrus iawn yn hyn o beth, oherwydd fesul darn, tipyn yma a thipyn acw, y derbyniwyd artistiaid modern i'r Eglwys o'r blaen; yn awr, fe'u gwahoddwyd i osod eu holl alluoedd yn ddilyffethair at wasanaeth Duw yn ei Eglwys. Y mae hon yn briodas o'r newydd, ac yn briodas obeithiol dros ben, oherwydd rwy'n argyhoeddedig fod celfyddyd ar y naill law a'r Eglwys ar y llaw arall (a thrwy'r Eglwys y gymdeithas) wedi dioddef yn fawr iawn oddi wrth ysgariad Cristionogaeth a chelfyddyd dros gyfnod mor hir. Yr oeddwn wedi disgwyl y byddai'r Archesgob, gyda'i ddawn a'i allu personol arbennig iawn, wedi hoelio hyn adref i'w gynulleidfa deledol anferth; ond ni wnaeth. Dywedodd rywbeth wrth basio am baent a charreg, ond ymddangosai fel pe bai heb sylweddoli pwysigrwydd yr achlysur o'r safbwynt artistig, fel pe bai heb sylweddoli gwir wyrth y ffaith fod artistiaid wedi llwyddo, mewn oes pryd y mae celfyddyd fwyfwy yn chwalu ac yn colli ei sylfeini sefydlog, i addasu dulliau hollol gyfoes at bwrpas hollol ddi-amser. Dyma i mi ogoniant Coventry, a dyma ei ogoniant, rwy'n sicr, i filoedd lawer o Gristionogion sy'n gresynnu at y faith mai ychydig o gysylltiad sy'n bod heddiw rhwng creadigaethau mwyaf dychymyg dyn ac Eglwys Grist. Yma, i gadarnhau tueddiadau araf y blynyddoedd diwethaf yma a thraw, daeth golau clir yr eglwys ryfeddol hon. Mae'n anffodus, a dweud y lleiaf, os nad yw pennaeth yr Eglwys yn sylweddoli maint y goleuni.

15 Mehefin, 1962
Y BYWYD MYNACHAIDD

Yr wythnos hon, a hi eto'n haf, dychwelaf unwaith yn rhagor at rai nodiadau a ysgrifennais ar Enlli flwyddyn yn ôl...

Ar fore gwyn

... Mae'r môr wedi newid ei dymer eto y bore 'ma. Mae o'n wyllt fel ddoe, yn wylltach os rhywbeth, a phrin y bydd cwch yn mynd drosodd o gwbwl heddiw. Ond ddoe yr oedd o'n wyllt a surbwch; heddiw mae o'n wyllt gyda gwylltineb plentyn bach, yn las ac yn chwim ac yn chwareus wrth edrych arno o ddiogelwch y tir yn y fan hyn. Mae'r tonnau'n codi'n wyn draw ar y gorwel yn rhywle, ac yna'n rhedeg nerth eu pennau am y Parwyd cyn torri'n deilchion ar y creigiau yn y fan honno. Y mae cymharu'r môr i fwystfil anferth yn hen gymhariaeth, ond rwyf i'n ei weld yn hytrach fel llond gwlad o fustych ar ddiwrnod fel heddiw, y naill yn rhuthro ar ôl y llall ar draws y Swnt, heb unrhyw reswm ond fod angen rhuthro arnynt. Nid yw'r tonnau, fwy na'r bustych, yn mynd i unman o gwbwl; maent yn rasio er mwyn rasio, er mwyn cael gwared â'r egni sydd ynddynt. Wel, dyna dymer y môr heddiw, a hoffwn i ddim croesi llwybr y tonnau yn y Swnt fwy nag yr hoffwn gerdded i ganol cae a hwnnw'n llawn o fustych ar garlam.

Dau y prynhawn

Aeddfedodd y diwrnod, a thyfodd yn brynhawn poeth, melyn, gyda'r gwynt yn gostegu o dipyn i beth, y tonnau'n agor allan yn awr yn rhesi hirion cytbwys, gan ymestyn o Enlli i Uwchmynydd, a'r lliw glas tywyll a welais brynhawn Sul yn dychwelyd i'r môr i gyd. Euthum i'm hoff fan dros ysgwydd y mynydd lle gellir syllu drosodd ar Lŷn, y bryniau'n gorwedd y naill y tu ôl i'r llall, gan gynnig cysgod i bentrefi fel Uwchmynydd, Garn, Llaniestyn, Tudweiliog a Boduan, pob un â'i fryn, pob un yn cuddio y tu ôl iddo neu'n llechu yn ei gesail. Oddi yma hefyd, edrychai'r môr yn hollol lonydd, yn ddiniwed ac yn ddistaw. Ond gwelais y 'Benlli' yn ei chynnig hi rownd cornel yr ynys tua phedwar o'r gloch, a gellid gweld bod digon o fôr i luchio tipyn go lew ar y cwch, er mor dawel yr ymddangosai o ben y mynydd.

Wrth eistedd a gwrando a gwylio, euthum i feddwl am natur bywyd y mynaich ar Enlli, ar natur eu bywyd ac ar ei werth. Y mae llawer yn credu erbyn hyn fod y bywyd mynachaidd yn fywyd gwastrafflyd, yn arbennig ynghanol amgylchiadau'r ugeinfed ganrif. Maen nhw'n edrych arno fel bywyd o ddianc, o ymwrthod â'r byd a throi i mewn i gyfrinachau'r enaid.

Byd y mynach

Mae'n sicr fod y bywyd mynachaidd yn datblygu, yn dadansoddi ac yn defnyddio holl gymwysterau'r enaid unigol, yn dibynnu llawer ar nerth yr enaid unigol ac yn rhoi pwys cyffredinol ar allu'r enaid i fod yn weddol hunangynhaliol, yn yr ystyr ysbrydol. Ond camgymeriad yw meddwl amdano fel bywyd negyddol, fel mater o ymwrthod yn bennaf. Mae ein crefydd ni heddiw, yn arbennig yng Nghymru, wedi troi'n lastwraidd ac yn hunanfodlon iawn, ac y mae hyn wedi digwydd i ryw raddau am fod y bywyd mynachaidd wedi diflannu'n llwyr o'n traddodiad crefyddol. Y mae rhai mynachdai a lleiandai yng Nghymru, wrth gwrs, ond tai ydynt sydd heb gysylltiad byw â bywyd Cymru o gwbwl, tai fel Mynachdy Ynys Bŷr, sydd wedi ei ysgaru'n llwyr oddi wrth fywyd crefyddol Cymru fel y cyfryw. Beth yw gwerth y bywyd mynachaidd? Neu'n hytrach, beth allai ei werth fod i fywyd cenedl yn yr ugeinfed ganrif?

Pwerdy gweddi

Ei brif werth, rwy'n sicr, yw'r ffaith ei fod yn bwerdy gweddi. Y mae holl fywyd y mynach wedi ei gysegru i'r syniad fod effeithiolrwydd gweddi yn ffaith, ac i'r gred fod gweddi dros eraill yn rhan ymarferol fuddiol o'r bywyd Cristionogol. Wrth gwrs, mae llawer o bobl yn dweud hyn o ddydd i ddydd y tu allan i fynachdai, offeiriaid a gweinidogion, esgobion mewn gwasanaethau conffirmasiwn, ac yn y blaen, ond nid yw'r rhain yn byw fel pe bai'r peth yn wir. Y mae'r cyfan o'n crefydd ni yn dibynnu ar gymrodeddu diddiwedd â'r byd, â'r byd beunyddiol anghrefyddol. Insiwrans yw gweddi i'r rhan fwyaf ohonom, rhywbeth i syrthio yn ôl arno os nad yw'r cyfryngau arferol yn gweithio fel y dylent, neu, i fod yn deg, rhywbeth i gefnogi a chadarnhau y cyfryngau arferol; insiwrans. Yn awr, mae'n debyg fod yn rhaid i gyfran helaeth o fywyd crefyddol unrhyw genedl gael ei gynnal fel hyn, yn gymrodeddol ac yn lastwraidd. Ond y tu ôl i'r grefydd gymysgliw yma, y mae angen mawr am bwerdai sydd ddim yn cymrodeddu, sy'n byw'r bywyd crefyddol yn ei burdeb a'i gyflawnder. Y mae hyn yn amhosibl y tu mewn i'r gymdeithas sydd ohoni: mae'n bosibl y tu mewn i fynachdy.

Little Gidding

Yr ymgorfforiad gorau y gwn i amdano o werth y syniad yma yw cerdd T. S. Eliot, *Little Gidding*, cerdd sy'n mawrygu'r grŵp a sefydlodd y math yma o gymdeithas dduwiol yn *Little Gidding* yn ystod y ganrif ddiwethaf. Gweithred hollol gadarnhaol oedd gweithred y rhai a sefydlodd *Little Gidding*. Nid mater o gefnu ar fywyd cyffredinol oedd hyn, ond mater o gymeryd penderfyniad hollol bendant i ymroi i fywyd ysbrydol o'i gymharu â bywyd sylfaenedig ar egwyddorion materol. Gwelodd Nicholas Ferrer a gweddill ei gwmni mai bywyd sylfaenedig ar egwyddorion materol oedd y bywyd crefyddol cyffredin, beth bynnag a ddywedai clerigwyr a gweinidogion mewn pregethau. Gwelodd rywbeth a bwysleisiwyd mor groyw gan Simone Weil yn *Waiting on God*, fod angen hyfforddi ac ymarfer yr holl bersonoliaeth i ganolbwyntio ar weddi a mawl cyn y gall bod dynol ddod i gysylltiad â Duw o gwbwl. Mewn gair, mae'r peth yn golygu ymroad llwyr, nid rhyw bum munud o fytran gweddi fer bob nos a bore, nid gwasanaeth o addoli unwaith yr wythnos. Mae'n fater o ddisgyblaeth lem iawn, mater o fyw dan reol a threfn anhunanol a chaeth. Colli hyn oedd colled fawr y mynachlogydd ymhell cyn dyddiau Harri VIII, ond colli hyn yw ein colled ni hefyd mewn oes nad yw'n gyfarwydd a'r bywyd mynachaidd yng ngwareiddiad y Gorllewin.

Y mae'n ymddangos i mi fod rheswm arall o bwys mawr dros fodolaeth mynachlogydd, a bywyd myfyrgar y mynach ynghanol yr ugeinfed ganrif. Y mae mwy a mwy o angen i ddynion sydd ym merw bywyd beunyddiol, yn arbennig i ddynion sy'n gorfod gwneud penderfyniadau o bwys yng nghylch y bywyd hwnnw, gael ymddeol oddi wrtho am gyfnod bob yn hyn a hyn; am gyfnod o orffwys meddyliol a chorfforol, ac am gyfnod o ymadnewyddu ac ymegnïo ar yr un pryd. Gallai mynachdai cryf, byw, mewn lleoedd fel Ynys Enlli, gynnig nid yn unig orffwystra ond maeth ysbrydol; gallai'r fath gyfle i ymadnewyddu fod o fudd aruthrol i offeiriaid a dynion busnes fel ei gilydd, ond ni fyddai'r maeth yn bod, ni fyddai'r pwerdy yn meddu ar bwer oni bai fod rhai dynion yn byw'r fath fywyd o weddi a myfyrdod yn barhaus ac yn ddi-fwlch.

Angen canolbwyntio

Ond yn gorwedd islaw'r cyfan o'r ymresymu hyn, wrth reswm, yw'r rhagdybiad fod angen canolbwyntio o radd y tu hwnt i allu'r dyn cyffredin dihyfforddiant i ddod i gysylltiad gwirioneddol â Duw, fod angen ymroad ac ymarfer manwl a chyson. Ac nid yw'r rhagdybiad yma'n gyffredin o gwbwl. Y syniad cyffredin yw fod Duw fel pe bai 'on tap', nad oes angen gwneud dim ond cydgysylltu â'r donfedd briodol er mwyn dod i gysylltiad ag o, er mwyn gweddio, er mwyn datgan mawl. Er bod y syniad poblogaidd yn syniad sy'n hepgor ymdrech ac ymroad. Mae'r syniad yma'n codi, dybiwn, o syniad arall anghywir, syniad niwlog am natur cariad Duw. Y ddadl yw fod Duw a'i gariad wedi ei wneud o'r cyfryw drugaredd a Gras fel nad yw hi'n bosibl i ddyn sy'n dymuno dod i gysylltiad ag o brofi unrhyw anhawster yn ei ymgais i wneud hynny. Ond y ffaith yw fod gwir ddymuniad ynddo'i hun yn cynnwys parodrwydd i ymroi, a bod yr ymroad yn golygu aberth a disgyblaeth. Y mae cariad Duw wedi rhoi i ddyn y gallu i ganolbwyntio, i ymddisgyblu, i ymdrechu, ond heb ddefnyddio'r fath allu, mae hyn yn rhyfygus iawn os ydyw'n mynnu credu y gall dorri trwodd i gysylltiad â'r ysbrydol wrth wneud dim amgen na phenlinio a chau llygaid am funud neu ddau.

Rwy'n berffaith sicr y byddai adnewyddiad o'r syniad am Encil a Myfyrdod ac ymdrech dawel i ganolbwyntio ar natur Duw y tu allan i sŵn a thrafferth yn esgor ar gynnydd ysbrydol yng nghyflwr dyn yn gyffredinol. Y mae gwir angen y dyddiau hyn i ni gael gwared â'r rhagfarn wirion yn erbyn bywyd y mynach. Mae'n wir nad bywyd i bawb yw'r bywyd o fyfyrdod a gweddi dibaid: ond mae'n wir hefyd ei fod yn fywyd i rai; y mae'r un mor wir fod rhywfaint o brofiad o'r math yma o fywyd, rhywfaint o ymroad ysbrydol, rhywfaint o ddisgyblaeth myfyrgar ac o ymarfer a hyfforddi tawelwch meddwl yn hanfodol i'r gŵr sy'n amcanu tyfu'n ysbrydol rhwng ei grud a'i fedd.

A dyma ni'n ôl yn Enlli, yn syllu drosodd ar y môr heulog, yn gwylio llwybrau mebyd yn Llŷn. Ail orau yw encil dihyfforddiant, digymdeithas fel hyn. Y mae tŷ'r eglwys ar Enlli'n fuddiol, yn gam cyntaf defnyddiol; ond cam cyntaf ydyw. Y mae angen dybryd arnom am bwerdy gweddi, am dŷ encil go iawn, am gymdeithas dduwiol, arallfydol, ysbrydol yng Nghymru.

Un ar ddeg y nos

Rwy'n ysgrifennu'n awr tuag un ar ddeg y nos, ac mae'r gwynt mawr o'r gogledd wedi diflannu'n llwyr erbyn hyn. Y mae popeth yn hollol dawel unwaith eto. Daeth cerdyn oddi wrth M yn Leicester heddiw, trwy law William Evans, a pheth od iawn oedd ei dderbyn. Y mae dyn yn teimlo yma ei fod y tu hwnt i afael post a phopeth sy'n gysylltiedig â'r post – mewn gwirionedd, popeth sy'n rhan o'r ugeinfed ganrif. Gyda phob dydd sy'n mynd heibio yma, y mae dyn yn teimlo olwynion ei bersonoliaeth yn arafu'n anochel gydag arafwch y tempo o'i gwmpas, ac y mae holl awyrgylch diamser y lle yn tyfu ar ddyn er ei waethaf.

Heno, bûm draw at y man glanio am dro, ac eistedd am hir wrth ochr y traeth sy'n wynebu Craig y Morloi, gan wrando ar y sŵn sydd hwyrach yn nodweddiadol o'r ynys, cyfarth y morloi eu hunain. Yr oedd lliw melyngoch rhyfedd i'r awyr, a'r ymbarél o olau'r hwyr yn ymdywallt o'r cymylau rhacs fel llen *gauze* o'i flaen. A thrwy'r pafiliwn yma o oleuni fflachiog gloyw annaearol, roedd hen stemar fechan yn pwffian ei ffordd. Eisteddais am yn agos i awr yn gwylio'r stemar yn mynd heibio, a'r tywyllwch yn dechrau ymledu o'r gorwel, hwnnw'n cychwyn yn binc, ac yna'n troi'n goch tanbaid iasboeth am funud neu ddau. Yna'n casglu o'i gwmpas farclod o borffor cyn i hwnnw droi'n llwyd ac yn ddu yn ei dro a dechrau dringo i fyny'r awyr ar ei daith tuag atom.

Un o'r pethau eraill anghyffredin yn Enlli yw'r ffaith fod modd gweld pob newid tywydd yn cychwyn ymhell i ffwrdd ar odreon y môr. Os oes glaw yn yr arfaeth, o edrych draw i'r gorllewin, gellir ei weld yn dechrau disgyn draw dros y môr hanner awr neu fwy cyn iddo gyrraedd yr ynys. Gan fod y gorwel mor bell, mae hyn yn rhybudd digon defnyddiol.

Nid oes newid tywydd i'w weld heno hyd yn hyn. Ond prin y gall neb ateb dros yr hyn a ddaw yn y nos.

Rhestr Llyfrau

Y Lolfa
Y Gamp Lawn, 1978
Teithiau Gerallt, 1978
Dyddiaduron India, 2003

Eraill
Y Foel Fawr, 1960
Nadolig Gwyn, 1962
Gwared y Gwirion, 1966
Triptych, 1977
Gwyntyll y Corwynt, 1978
Cafflogian, 1979

Jamaica, y Flwyddyn Cyntaf, 1974
Jamaican Interlude, 1977
Jamaican Landscape, 1969

Ymysg y Drain, 1959
Cwlwm, 1962
Cysgodion, 1972
Dyfal Gerddwyr y Maes, 1981
Cerddi, 1989
Poetry in Wales. Cyf, 1930–70
Yn Frawd i'r Eos Druan, 1961
Ansawdd y Seiliau, 1972
Seicoleg Cardota, 1989
Place in the Mind, 2004
Dawn Dweud: T. H. Parry-Williams, 1999

Hefyd o'r Lolfa:

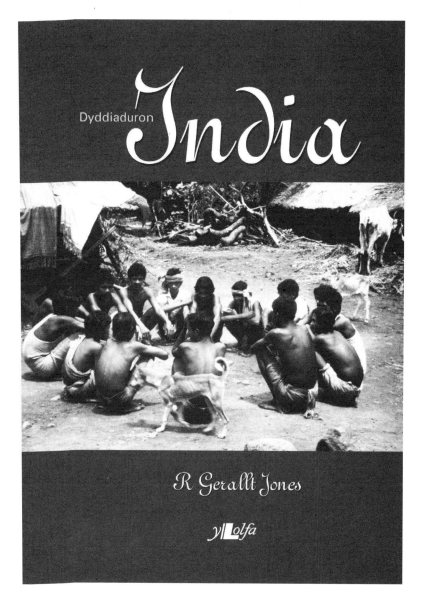

Dyddiaduron **India**

R Gerallt Jones

y Lolfa

£6.95

NEATH PORT TALBOT LIBRARY AND INFORMATION SERVICES

1		25		49		73	
2		26		50		74	
3		27		51		75	
4		28		52		76	
5		29		53		77	
6		30		54		78	
7		31		55		79	
8		32		56		80	
9		33		57		81	
10		34		58		82	
11		35		59		83	
12		36		60		84	
13		37		61		85	
14		38		62		86	
15		39		63		87	
16		40		64		88	
17		41		65		89	
18		42		66		90	
19		43		67		91	
20		44		68		92	
21		45		69		COMMUNITY SERVICES	
22		46		70			
23		47		71		NPT/111	
24		48		72			